여행, 인문학에 담다

여행, 인문학에 담다

지은이 | 김영필
펴낸이 | 강동호
펴낸곳 | 도서출판 울력
1판 1쇄 | 2020년 9월 25일
등록번호 | 제25100-2002-000004호(2002. 12. 03)
주소 | 08275 서울시 구로구 개봉로23가길 111. 108-402
전화 | 02-2614-4054
팩스 | 0502-500-4055
E-mail | ulyuck@hanmail.net
가격 | 18,000원

ISBN 979-11-85136-56-1 03100

이 도서의 국립중앙도서관 출판예정도서목록(CIP)은 서지정보유통지원시스템
홈페이지(http://seoji.nl.go.kr)와
국가자료공동목록시스템(http://www.nl.go.kr/kolisnet)에서 이용하실 수 있습니다.
(CIP제어번호: CIP2020035214)

여행,
인문학에 담다

김영필 지음

울력

차례

II. 중국

III. 파리 · 프라하

여행을 시작하며

     공간은 인간의 삶이 열리는 터이다. 도시, 섬, 바다 그리고 다리, 성당, 집 등등… 그것들 모두는 존재의 집이다. 그 공간을 걷는 것은 그곳에 육화(肉化)되어 있는 인간의 생각들을 길어 담는 일이다. 길 위에서 만나고 소환되는 모든 것들은 여행하는 자에게는 그날그날의 양식이고 호흡이다. 내가 풍경 속으로 들어가 풍경이 되고, 풍경이 내 속으로 들어와 내가 된다. 인간이 걷는 것은 단순한 물리적 운동만이 아니다. 생각이 걷는 것이다. 걸으면서 생각하고, 생각이 나를 걷게 만든다. 필자가 걸으면서 그 도상에서 소환한 것들에로 독자 여러분을 초대한다. 나의 여정은 유럽 문명의 요람인 그리스의 크레타에서 중국의 여러 도시와 프랑스 파리를 거쳐 체코 프라하에 이른다. 그리스의 신화와 철학, 중국의 역사와 문화, 프랑스 파리의 예술과 철학 그리고 한(恨)의 문학이 서려 있는 체코의 프라하로 이어지는 여정에 인문학적 상상력을 더한다.

2017년 2월, 파리로의 첫 여행이다. 나의 초행길의 유능하고 친절한 가이드는 나의 딸이다. 한국에서 다니던 대학을 중단하고 갑자기 파리로 떠난 당찬 딸이다. 그곳에서 다시 대학에 입학하면서 시작된 딸의 파리 생활이 벌써 10년을 훌쩍 넘기고 있다. 나의 짧았던 첫 파리 여행이 이 책을 쓰게 된 동기이고 배경이다.

나의 여행의 종착지는 체코의 프로스테요프(Prostejov)이다. 이곳은 서양 현대 철학의 한 분야인 현상학의 창립자 에드문트 후설(Edmund Husserl)의 고향이다. 체코 프라하에서 게으른 기차로 두 시간 정도 걸리는 곳에 있는 자그마하고 조용한 도시이다. 이 도시의 시청 벽면에 조각되어 있는 이 철학자의 얼굴을 보고서, 나는 이곳이 그의 고향이란 것을 실감했다. 거리에 새겨진 주소에서도 이 철학자의 이름을 발견할 수 있었다. 필자는 1989년 이 철학자에 대한 논문으로 박사학위를 취득했다. 이것을 인연으로 나는 언젠가는 그의 고향에 한 번 다녀왔으면 했다. 파리에 간 김에, 상기된 마음으로 그의 고향을 방문했다.

단 한 번, 그것도 특별한 기획 없이 갑자기 다녀온 짧은 여행 경험으로 여행 후기라고 쓸 만한 내용도 능력도 필자에겐 없다. 다만 언젠가는 이런 유형의 글을 쓰고 싶었다. 물론 욕심에 지나지 않을지 모른다. 공적이고 전문적인 영역의 글쓰기에 세뇌되어 있는 나에게 틀에 묶이지 않은 글쓰기는 더욱 어려운 숙제이다. 더구나 여행 후기를 쓸 만큼 많은 경험이 나에겐 없다. 다만 쓰고 싶은 절박함만 있을 뿐이다.

필자는 국제 학술 대회에 참석하거나 한국연구재단의 지원으로 연구를 수행하기 위해 중국을 40여 차례 이상 다녀왔다. 파리에 유능한 가이드인 딸이 있듯이, 필자의 중국 여행의 가이드는 대구교육대학교 윤리교육과의 장윤수 교수이다. 그는 능통한 중국어 실력뿐만 아니라, 한국에서 최초로 중국 북송 철학자 장재(張載)에 관한 박사 논문을 쓴 중국 전문가이다. 그의 도움 없이는 나의 책 『조선족 디아스포라의 만주 아리랑』(소명출판사, 2013)이 나올 수 없었을 것이다. 그는 지금도 여전히 나의 중국어 선생이면서 중국 여행의 동반자이다. 이 책의 중국 부분을 꼼꼼히 감수해 주었다.

필자가 그리스 신화에 관심을 가지게 된 것은 파리에 다녀온 후 경상북도 구미의 모 단체에서 강의한 것이 인연이 되었다. 그 후 대구 지역의 도서관에서 강의를 하면서 정리할 수 있었다. 나의 그리스 여행은 15년 전 터키를 세 번 다녀오면서 터키에서 에게해를 건너 아테네를 하루 다녀온 게 전부이다. 서양철학의 요람인 터키 밀레토스와 고대 철학자 헤라클레이토스의 고향인 에페수스를 다녀온 기억이 있다. 아테네에서는 아크로폴리스와 소크라테스의 감옥을 다녀왔었다.

이 책은 나의 일천(一喘)한 여행 경험을 '철학'이라는 인문학의 그릇에 담아 본 것이다. 일천한 경험이 나의 상상력을 제한하기는 하지만, 다른 한편으로 성급한 편견에서 자유로울 수 있게 하는 소중한 경험이기도 하다. 그 유명한 「악양루기(岳陽樓記)」는 북송의 등자경(滕子京)이 파릉 군수로 좌천되어 누를 중수하면서, 친구 범중엄(范仲淹)에게 부탁하여 현판의 글로 쓴 것이다. 범중엄은 악양루(웨양러우)에 와 보지 않고서 등자경이 보내 준 자료에 의존하여 멋진 글을 썼다. "천하의 근심은 남보다 먼저 하고, 천하의 즐거움은 남들이 다 즐기고 난 후에 즐긴다(先天下之憂而憂 後天下之樂而樂)"는 범중엄의 유명한 글은 한 번도 가 보지 않았던 곳에 대한 절박함이 토해 낸 명문이다. 루스 베네딕트(Ruth Benedict)의 『국화와 칼』은 일본을 한 번도 여행해 보지 않은 저자가 미국에 거주하는 일본인들과의 인터뷰와 연구 자료를 근거로 쓴 책이다. 아마 일본에 대해 가장 중립적으로 쓴 책이 아닌가 싶다. 때로는 많은 여행 경험이 오히려 그곳의 문화를 성급하게 재단해 버리는 이유가 될 수도 있지 않을까 생각해 본다.

이 책은 필자가 걸어 본 곳을 중심으로 내용을 구성했지만, 걸어 보지 않은 곳은 상상력을 동원하여 쓴 부분도 많다. 특히 그리스 편이 그렇다. 아직도 가 볼 곳이 더 많다. 아직도 걸으면서 물어야 할 것이 많다. 이 책이 세상에 나올 수 있도록 도와준 나의 가족과 동학들에게 감사의 마음을 전한다. 아직도 못난 자식에 대한 기도의 끈을 붙들고 계시는 올해로 구순을 넘긴 노모의 손에 이 책을 꼭 쥐어 드리고 싶다. 나의 사랑하는 두 손자 재윤이와 성윤이가 먼 훗날 할아버지를 기억하며, 이 책을 손에 들고 여행할 날이 오리라는 희망도 앞당겨 이 책에 담아 본다. 2019년 파리에서 결혼한 딸 부부에게도 좋은 선물이 되었으면 한다. 끝으로 거친 원고를 잘 다듬어 주신 강동호 사장님께 깊은 감사의 마음을 전한다.

2020년 8월

I. 그리스

판도라의 선물

    화려한 왕관을 쓰고 침입해 온 신종 바이러스에
의해 미증유의 전 지구적 대재앙이 벌어지고 있다. 2020년
3월 11일 세계보건기구(WHO)가 코로나 19를 팬데믹(pan-
demic)으로 선언한 이후, 8월 들면서 세계의 감염 확진자가 2
천2백만 명을 넘어섰고, 사망자도 80만 명에 이른다.
    프로메테우스가 전해 준 불을 사용하여 인간은 문명의 세
계를 향유하고 있다. 인간은 문명을 접할수록 제우스에게 복
종하지 않는 악한 존재가 되어 간다. 제우스는 이 타락한 인
간 세계에 대재앙을 내릴 프로젝트를 판도라를 통해 가동한
다. 제우스는 호기심과 함께 상자를 판도라에게 주고, 판도라
를 스마트하지 못한 에피메테우스의 아내가 되게 하여 열어서
는 안 될 상자를 열도록 한다. 제우스의 명에 따라, 헤파이스
토스는 자신의 아내인 절세미녀 아프로디테를 모델로 판도라
를 만들었다. 판도라의 '판(pan)'은 '모든'을, '도라(dora)'는
'선물'을 뜻하는 말로, 그녀는 신들로부터 '모든 것을 선물로
받은 여인'이다. 남편은 팜프파탈 판도라에 취해 앞으로 일어
날 일에는 관심도 없고 알지도 못한다.
    남편인 에피메테우스(Epimetheus)는 그 이름부터 모자란
다. '메테우스'는 '알다,' '생각하다'의 의미이다. 그래서 늦
게(epi) 아는 자이다. 미리(pro) 아는 자인 형 프로메테우스

(Prometheus)에 비해, 동생은 일어날 재앙을 앞서 알지 못한다. 인간을 사랑하는 프로메테우스는 인간에게 나누어 주고 남은 쓸모없는 것들, 즉 고난, 질병, 죽음 등의 재앙을 상자 속에 묻어 두었다. 판도라는 호기심을 견디다 못해 상자를 열어 인간에게 온갖 재앙을 안겨다 준다. 인간에게 내려질 재앙을 앞서 알고 있는 프로메테우스는 제우스에 의해 코카서스에 유폐되어 있다.

일어날 재앙을 미리 알지 못하고 현실의 안락함에 취해 살고 있는 에피메테우스적 기질이 인간의 본성일지도 모른다. 자본의 위력이 하늘을 찌르고 세계가 자본과 욕망의 질서로 재편되어 이보다 더한 악이 존재할 수 있을지 의문이 들 정도로 세상은 타락해 있다. 하지만 인류에게 내려진 대재앙 앞에서 자본의 권력은 무상하기 그지없다. 이 재앙이 언젠가는 끝이 나겠지만, 인간의 과도한 욕망이 배설해 놓은 것이 부메랑이 되어 인간에 대한 경고로 되돌아 온 것은 아닌지를 성찰할 필요가 있다. 재앙 자체는 피할 수 없지만 그 재앙이 가져다주는 메시지는 곱씹을 필요가 있다.

이전에는 비정상적이었던 것들이 이제는 정상적인 것으로 받아들일 수밖에 없는 새로운 경험을 한다. 낯선 생활 규칙들이 어느덧 일상이 되어 버렸다. 복지와 국가 시스템에 대한 새로운 성찰이 요청되지 않을 수 없다. 자본의 권력을 기준으로 선진국/개발도상국으로 분류해 온 방식이 얼마나 야만스러운 것인지를 성찰하게 한다. 파리 목숨과도 같은 수많은 주검들을 보면서 삶이 무엇인지 그리고 소소하게 행복하게 사는

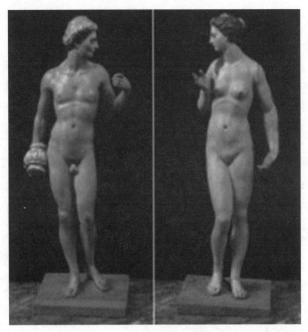

〈에피메테우스와 판도라〉, 엘 그레코, 16세기

것이 어떤 것인지를 새삼 되물을 수밖에 없을 것이다. 물리적,
사회적 격리를 통해 새롭게 얻는 덕목은 소통과 일상의 소중
함이다.

　우리는 국가적 위기를 극복하기 위해 모든 걸 내려놓은
의료진들에게서 희망을 읽는다. 인간은 결국 위기 때 사랑의
공동체를 구성하는 잠재력을 발휘한다. 타인이 행복하지 않고
서는 나 자신도 결코 행복할 수 없다는 공동체의 윤리를 공유
한다. 서구의 자유주의는 공동체주의와 양립할 수 없을 때 그

가치를 담보 받을 수 없다는 도덕적 상상력을 회복해야 할 것이다. 개인의 자유와 공공의 선을 가로질러 만날 수 있는 지평은 다름 아닌 타인을 배려하는 덕성이라는 사실에서 새롭게 출발하지 않을 수 없을 것이다. 스스로 방역의 주체가 되어 타자를 배려하는 마스크 착용을 제일의 백신으로 인식하는 이 땅의 민주 시민의 선한 역량에서 희망을 읽는다. 판도라는 상자의 밑바닥에 인간을 위한 선물로 희망을 남겨 두었다. 희망은 항상 삶의 밑바닥에서 얼굴을 내민다. 시인 정호승이 은유한다. 우리가 삶의 바닥이라고 말할 때 이미 그것은 바닥이 아니다. 우리의 삶에는 바닥이 없다. 그냥 딛고 일어서는 것이라고. 그래서 우리는 절망의 끝에서 새로운 세상을 꿈꿀 수 있는 희망을 잉태한다. 코로나 또한 그 희망의 씨앗을 뿌려 주고 언젠가는 지나가리라!

아프로디테의 모성애

　　사랑했던 사람을 죽인 사내와 불륜의 늪으로
빠져든 어머니는 그의 아들에게만큼은 진실한 사랑을 물려
주고 싶었다. 그런데 진실한 사랑은 온갖 시련을 겪고 난 후
에 얻어지는 선물이다. 아프로디테는 아레스와 사랑을 나누
고 태어난 아들 에로스가 프시케와 정신적으로 완전한 사랑
을 이룰 때까지 미래의 며느리인 프시케에게 온갖 시련을 겪
게 한다.
　　아프로디테와 헤파이스토스의 결혼은 어차피 영혼 없는
결혼이었다. 자신을 못 생겼다고 조롱하는 어머니 헤라에 대
한 헤파이스토스의 증오가 하늘을 찌른다. 헤파이스토스는
어머니에 대한 증오를 자신이 만든 황금 의자를 통해 복수하
려고 한다. 대장일을 배워 만든 황금 의자를 헤파이스토스가
선물하자, 헤라는 그 의자에 냉큼 앉는다. 앉는 순간 사슬이
그녀를 묶어 버린다. 도저히 풀 수 없어 헤파이스토스를 불러
풀라고 하자, 아들은 아프로디테를 자신에게 주면 풀어 준
다는 조건을 내건다. 이렇게 아프로디테는 사랑 없이 헤파이
스토스의 아내가 된다. 그러니까 그녀는 항상 진정한 사랑에
목말라 있다.
　　사랑에 목말라 있는 이 미녀에게 뭇 사내들이 구애한다.
낙점된 사내가 바로 아레스(마르스)이다. 그런데 아레스와 사

랑을 나누면서도 그녀의 마음은 아이돌 아도니스에게로 향해 있다. 하지만 아레스의 방해로 아도니스와의 사랑은 이루어지지 않는다. 아도니스는 멧돼지로 변신한 아레스에게 물려 죽는다. 다른 버전에 의하면, 페르세포네가 짝사랑했던 아도니스를 아프로디테에게 빼앗기자 그에 대한 복수로 지하 세계에서 멧돼지를 지상에 올려 보내 그를 물어 죽이게 했다는 설도 있다. 아프로디테의 이루지 못한 사랑을 안타까워한 제우스는 아도니스를 아네모네로 변신시켜 1년 중 4개월을 아프로디테와 함께 지내도록 하고, 4개월은 지하 세계의 페르세포네 옆에서, 나머지 4개월은 아도니스가 원하는 곳에서 살도록 해 주었다.

에로스는 아프로디테와 아레스 사이에서 태어난 자식이다. 아프로디테는 자신이 이루지 못한 사랑을 아들 에로스에게는 대물림하기 싫어 누군가를 사랑하지 못하게 했지만, 아들은 프시케와 사랑에 빠진다. 어머니는 아들의 사랑이 온전하게 잘 이루어질 수 있도록 며느리가 될 프시케에게 고된 시련을 준다. 이 시련을 이기고서 진정한 사랑을 이루기를 바랐던 것이다.

아프로디테는 미모에는 자신이 있다. 공정한(?) 심판자 파리스가 자신을 헤라와 아테나보다 더 뛰어난 미인으로 뽑아 주었기 때문이다. 아프로디테는 자신보다 더 아름다운 여자는 봐주질 못한다. 그런데 자신의 신전에 오던 사내들이 줄어든다. 프시케가 있는 곳으로 옮겨 갔기 때문이다. 절세미인으로 소문난 프시케이다. 헤라의 질투가 제우스의 조강지

처라는 권위에 도전하는 데 대한 것이라면, 아프로디테의 질투는 말 그대로 아름다움에 대한 질투이다. 아프로디테는 질투를 아들 에로스를 통해 풀어낸다. 에로스에게 프시케를 가장 천박하고 비열한 남자와 사랑에 빠지도록 하라고 명령한다. 하지만 에로스는 잠들어 있는 프시케의 아름다움에 취해, 그녀가 잠결에 뒤척이는 순간 당황해서 자신의 사랑의 화살에 찔리고 마는 실수(?)를 범한다. 이 실수는 어머니의 명령을 수행하지 못했다는 의미에서 실수이지만, 의도적인 것일지도 모른다. 처음 보는 프시케 앞에서 그는 더 이상 남성성을 포기할 수 없었다.

딸의 신랑감을 기다리던 프시케의 부모가 아폴론 신전에 가 왜 딸의 신랑감이 나타나지 않는지 묻자, 신전의 무녀는 딸을 바위산 위에 올려놓으면 신들보다 더 힘센 날개 달린 뱀이 데려갈 것이라는 황당한 말을 전한다. 어쩔 수 없이 프시케는 바위산 정상에서 자신을 데려갈 신랑을 기다린다. 두려운 마음으로 기다리던 중 갑자기 서풍의 신 제피로스가 그녀를 가볍게 안고 꽃향기가 가득한 궁전으로 옮긴다. 그녀는 밤에만 나타나는 이 궁전의 주인인 신랑을 만나 행복한 생활을 한다. 비록 모습을 볼 수는 없었지만 행복했다. 하지만 가족이 보고 싶어 신랑에게 부모님이 아니더라도 두 언니들만이라도 만나게 해 달라고 간청한다. 할 수 없이 신랑 에로스는 프시케의 청을 들어주면서, 언니들의 말을 들어서는 안 된다는 조건을 단다. 하지만 신랑의 얼굴을 한 번이라도 보게 해 달라는 언니들의 재촉에 못 견뎌, 프시케 자신도 신랑의 얼굴을 보고 싶다는 유혹에 빠진다. 이것이 프시케와 에로스가 겪게 되는 사랑의 시련의 원인이 된다.

프시케는 신랑이 혹시 뱀은 아닌지 의구심이 들어 곤히 자고 있던 신랑의 얼굴을 등불로 확인하려 한다. 그 순간 등잔의 뜨거운 기름이 등에 떨어져 잠이 깬 에로스는 프시케를 홀연히 떠나 버린다. 언니들의 꼬임에 빠져 눈에 보이지 않는 에로스를 보려고 한 것인데, 에로스는 불신을 꼬투리 삼아 프시케를 떠난다. 보이지 않는 것에 대한 불신이 그들의 사랑을 갈라놓았다. 정신적 사랑은 육체적 사랑과는 달리 감각적으로 볼 수 없다. 보이는 것은 영원한 것일 수 없다. 볼 수 없는 것에 대한 사랑이 진정한 사랑이다.

아프로디테는 에로스와 결별한 프시케를 외면하지 않는다. 아프로디테는 데메테르의 조언을 듣고, 프시케에게 다시 기회를 주기 위해 몇 개의 과제를 준다. 첫 번째는 창고에 수북이 쌓여 있는 곡식을 정리하는 것이다. 그것은 에로스의 도움으로 무사히 처리한다. 두 번째는 황금빛 양털을 깎아 오는 것이다. 이것 역시 강의 신이 도와주어 잘 처리한다. 하지만 이 둘 다 도움을 받아 한 것임을 잘 아는 아프로디테는 마지막으로 한 번 더 기회를 준다. 지하 세계에 있는 페르세포네에게서 아름다움이 담긴 화장품을 가져오라고 명령한다. 그런데 지하 세계는 하데스의 승낙 없이는 못 간다. 죽어야 가는 세계이다. 절망한 프시케가 높은 탑에 올라가 죽으려는 순간 또 다른 도움으로 지하 세계에 무사히 이른다. 스틱스강을 건너야 갈 수 있는 하데스의 세계이다. 뱃사공 카론의 도움을 받아야 건널 수 있는 강이다. 카론과 지하 세계의 문 지기인 무서운 개 케르베로스에게 각각 동전과 빵을 주고 무사히 건넌 프시케는 페르세포네로부터 화장품이 담긴 상자를 받는다. 여기서 호기심이 다시 발동한다.

더 예뻐지고 싶은 욕망에 열어서는 안 될 상자를 연다. 상자를 여는 순간, 프시케는 잠에 빠져들고 만다. 에로스는 잠들어 있는 프시케를 깨우고, 둘은 다시 재회한다. 이 둘은 제우스의 도움으로 결혼하고 예쁜 딸을 낳았는데, 그 이름은 볼룹타스(voluptas), 즉 기쁨이다. 고난을 이겨 낸 자의 기쁨이다. '프시케'는 '영혼' 또는 '나비'를 뜻하는 그리스어이다. '심리학'이란 단어가 여기서 온 것은 두말할 필요가 없다. 수많은 고난을 겪고 이루어 낸 프시케의 사랑이 어려움을 헤치고 하늘을 나는 나비와 의미가 중첩된다. 만약 이 호기심이 없었다면, 프시케는 에로스와 사랑을 완성하지 못했을 것이다. 호기심은 순간적으로는 위기를 불러오지만, 시간이 지나면 더욱 성숙한 사랑을 이루어 가는 힘이다.

프시케는 눈에 보이지 않는 에로스를 하늘에 가서 만나보기까지 험난한 길을 걷는다. 눈에 보이지 않는 것을 사랑하는 건 영혼의 몫이다. 눈에 보이는 것을 사랑하는 건 그리 어렵지 않다. 눈에 좋아 보이는 것들을 사랑하는 건 쉽다. 권력을 사랑하고 명예를 갈망하는 건 누구나 원하는 것이다. 하지만 눈에 보이지 않는 것을 영혼의 눈으로 보고 확신하는 건 매우 어렵고도 귀한 것이다. 프시케는 이걸 참지 못하고 눈으로 보고 싶었다. 눈으로 볼 수 없는 사랑을 향해 인내하

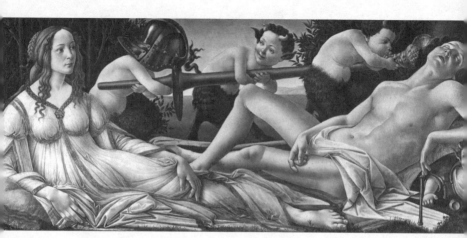

〈비너스와 마르스〉, 보티첼리, 1485

고 그 고통을 참아야 한다. 사랑은 초월이다. 진정한 사랑은 눈에 보이는 것에서 눈에 보이지 않는 것에로의 상승이다. 에로스는 프시케를 납치해 하늘로 상승한다. 비너스의 사랑처럼 눈에 보이는 것에만 만족하지 않는다.

　산드로 보티첼리(S. Botticelli, 1444~1510)의 〈비너스와 마르스〉는 가로로 긴 그림인데, 에로스와 프시케의 그림은 세로로 길다. 세속적인 사랑의 현장을 가로로 길게 그린 건 초월성을 차단한다. 비너스의 몸은 비례적이지 않다. 손도 길고, 발도 여성의 발이 아니다. 욕정을 품은 야수성을 드러낸 발이다. 에곤 실레가 그린 욕정이 잉태되어 있다. 반면 마르스의 몸은 지극히 연약하다. 헤라클레스의 몸에 비하면 비정상적인 남성성이다. 이미 자신이 원하는 것을 다 충족하고 상대가 원하는 걸 전혀 해 줄 수 없는 화성(Mars)에서 온 남자

〈프시케의 납치〉, 부게로, 1895

이다. 그는 금성(Venus)에서 온 여자의 욕정을 감당할 수 없다. 욕정만으로는 채울 수 없는 진정한 사랑을 비너스는 원하고 있는 듯하다. 무언가 말을 하고 싶지만 화성에서 온 남자는 더 이상 해 줄 게 없다.

월리엄 부게로(W. Bouguereau, 1825~1905)의 〈프시케의 납치〉는 하늘로 초월해 간다. 세속적인 사랑의 초월이다. 에로스와 프시케의 그림은 비율이 맞는 정상적인 남녀의 몸이다. 전체적으로 조화를 갖춘 그림이다. 어디 한 군데 욕정이 비집고 들어올 틈이 없다. 아니 욕정을 극복하고 정신적으로 초월한 사랑의 표현이다. 한없이 기뻐한다. 스피노자는 기쁨을 "더 작은 완전성에서 더 큰 완전성으로 이행하는 것"(스피노자: 189)으로 정의한다. 사랑을 완전하게 이루어 가는 데서 생기는 기쁨이다. 서로가 원하는 것이 조화롭게 완성된 것이다. 스피노자는 "사랑은 이러저러한 욕망이 없이도 생각될 수"(스피노자: 192) 있다고 말한다.

죽음의 신을 사랑한 페르세포네

　누구나 부러워할 엄마 친구의 딸 페르세포네는 시칠리아 섬에서 꽃을 따다가 하데스에게 납치당한다. 그것도 다른 신이 아닌 지하 세계의 죽음의 신에게 납치당한다. 우린 언제인지는 모르지만, 결국 하데스에게 납치당해 죽음을 맞는다. '납치'란 어휘는 그리 좋은 감정을 소환하지 않는다. 하지만 좋든 싫든 우린 결국 하데스에게 납치당할 운명에 놓여 있다. 페르세포네는 제우스의 누이이자 아내인 데메테르의 딸이다. 그 딸이 생각하기도 싫은 지하의 신 하데스에게 납치당한다. 납치당한 딸을 구하기 위해 제우스에게 도움을 청하지만, 제우스는 적극적으로 도와줄 생각이 없다. 이유가 있다. 제우스 자신은 하늘을 관장하고, 포세이돈에게는 바다를 관장하게 하였지만, 하데스에게는 그 누구도 관장하기를 꺼리는 지하 세계를 맡겼기 때문에 항상 미안한 마음을 가지고 있었다. 하지만 제우스 역시 데메테르의 간청을 마냥 무시할 수는 없다. 곡식의 신 데메테르의 도움 없이는 인간들이 굶어 죽게 되고, 그러면 인간들이 자신에게 바칠 곡물도 없기 때문이다. 그래서 제우스는 하데스와 데메테르가 각각 페르세포네를 공정하게 소유할 수 있는 솔로몬의 지혜를 동원한다.

　제우스는 데메테르를 도와주면서, '만약 페르세포네가 저승에 머무는 동안 그곳 음식을 먹었다면 도와줄 수 없다'

는 조건을 건다. 아무리 제우스라도 그가 하늘의 권역을 벗어나 지하 세계까지 관장할 수는 없다. 제우스의 도움으로 그의 비서실장인 협상가 헤르메스와 함께 하데스를 찾아간 데메테르는 딸을 돌려 달라고 애원한다. 하데스는 페르세포네 손에 석류를 쥐어 주면서 어머니에게 돌려보낸다. 페르세포네는 지상으로 돌아간다는 들뜬 마음에 물 마실 겨를도 없었던 터라 목이 말라 있었다. 하데스는 이 순간을 노려 페르세포네에게 석류를 준 것이다. 페르세포네는 냉큼 석류를 삼킨다. 석류는 그 생김새가 마치 루비와 같은 알들로 꽉 채워진 붉디붉은 과일이다. 과일이라기보다 차라리 영물(靈物)이다. 붉은 보석과 같아서 먹기도 아깝다. 석류는 지상세계에서 지친 인간의 영혼을 평안히 쉴 수 있는 또 다른 세계로 안내하는, 먹어서는 안 되지만 먹지 않을 수 없는 영물이다.

석류를 손에 꼭 쥔 페르세포네의 손이 입으로 가려고 하자 다른 손이 살포시 간섭한다. 그녀의 호기심은 조심스럽다. 단테 가브리엘 로세티(Dante Gabriel Rossetti, 1828~1882)의 〈페르세포네〉이다. 그는 고전적이고 지나치게 기하학적인 엄밀성으로 인간의 내면을 간섭하는 라파엘로 이전으로 돌아가, 인간 내면의 순수함을 있는 그대로 표현하려고 한 이른바 '라파엘 전파(前派)'[1]의 한 사람이다. '전파'란 어휘는 단순히 라파엘로 이전으로 돌아간다는 소극적인 의미보다 라파엘로에 의해 차단된 인간 내면을 회복한다는 적극적 의미로 읽어야 한다. 이 그림은 구조적으로 그리 세련되지 못하다. 화면을 가득 채운 오브제나 오브제 전체의 구도도 무언가 부조화

〈페르세포네〉,
로세티, 1874

스럽다. 특히 여성의 손이라 하기에는 지나치게 부각된 손이
다. 석류를 입으로 가져가려는 왼손과 그것을 살포시 간섭하
는 오른손이다. 왼손은 먹어서는 안 될 금지된 것을 욕망하
는 손이고, 오른손은 도덕적 규준이다. 인물과 배경 사이를
엄격히 구분하는 강한 선(線) 없이 애매하게 처리된다. 선과
악의 경계를 허물고 인간의 근원적인 본성을 표현한다. 삶과
죽음의 경계를 자유롭게 넘나들고 싶었던 페르세포네의 실
존이 개시되고 있다.

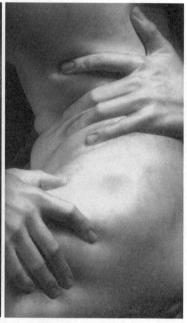

〈페르세포네를 납치하는 하데스〉, 베르니니, 1621

　석류를 먹은 그녀는 1년 중 석 달을 어머니를 떠나 하데
스의 아내가 되어야 한다. 어머니 데메테르는 겨울 동안은 곡
식을 재배할 수 없다. 제우스의 공평한 재판의 결과이다. 1년
중 석 달은 지하 세계의 아내로 살아가는 페르세포네가, 인간
에게, 죽음이 그리 혐오스러운 것만은 아니라고 읊조리는 듯
하다. 지상 세계의 어머니와 같이 사는 동안에도 언젠가는 지
하 세계로 돌아가야 하는 딸의 마음이 석류에 대한 호기심으
로 은유된다. 인간은 살아 있으면서도 죽음에로 앞서 달려간

다. 계절의 변화가 그렇듯, 때가 되면 지하 세계로 내려간다. 지하 세계도 살아서는 경험할 수 없는 보석과 같은 진리를 안에 숨기고 있을지 모른다.

지하 세계의 진리를 외면한 의술의 신 아스클레피오스는 뱀이 되어 버렸다. 의술의 신이기에 모든 병을 고친다. 그러니 하데스의 사업이 안 된다. 하데스는 제우스를 찾아가 하소연한다. 제우스는 벼락을 던져 아스클레피오스를 죽인다. 이에 화가 난 아스클레피오스의 아버지 아폴론은 제우스에게 벼락을 만들어 준 키클롭스를 죽인다. 제우스는 화가 나 아폴론을 데살리아로 보내 1년 동안 양치기로 살도록 한 뒤 화를 풀고, 아스클레피오스를 하늘로 올려 뱀자리가 되게 하였다. 결국 죽음도 피할 수 없으면 받아들여야 한다. 석류를 먹고 싶은 호기심을 피할 수 없다면 말이다. 허리를 움켜 쥔 하데스의 육감적인 손을 페르세포네는 빠져 나갈 수 없다.

낙소스의 러브 스토리

낙소스는 아리아드네의 슬픈 사랑 이야기가 깃든 섬이다. 아리아드네는 크레타 미노스왕의 딸이다. 당시 아테네는 크레타에 조공을 바치던 약소국이었다. 선남선녀 각 7명을 미로에 갇힌 미노타우로스에게 공물(貢物)로 바쳐야 했던 아테네였다. 이 미로에 갇혀 있던 미노타우로스는 미노스왕의 왕비 파시파에가 포세이돈이 보낸 황소에 반하여 욕정을 풀고 낳은 괴물 자식이다. 이 미노타우로스를 죽인 영웅이 테세우스이다.

아리아드네는 사랑해서는 안 될 적국의 테세우스를 사랑한다. 미로를 만든 다이달로스에게 비밀을 알아낸 아리아드네는 실타래를 테세우스 손에 쥐어 준다. 그리고 실타래를 풀면서 들어갔다가 나올 땐 감으면서 나오라며 미로의 탈출 비밀을 알려 준다. 테세우스는 아리아드네의 도움으로 미노타우로스를 죽인다. 하지만 테세우스는 이 고마운 아리아드네가 잠든 사이 낙소스 섬에 그녀를 버리고 떠난다. 섬에 버려진 그녀는 디오니소스(바쿠스)의 아내가 된다. 자신의 의지와 무관하게 술의 신에게 포로가 된다. 하지만 그녀의 마음은 테세우스에게로 향해 있다. 마치 오디세우스가 몸은 칼립소에 붙들려 있지만 그의 마음은 고향 이타카로 향해 있듯이. 변심한 테세우스를 향한 아리아드네의 마음은 변함이 없다. 사랑

〈바쿠스와 아리아드네〉, 티치아노, 1520-1523

은 가도 옛날은 남는 것. 아리아드네에겐 테세우스가 변심한 이유는 그리 중요하지 않다. 디오니소스가 테세우스에게 아리아드네를 남겨 두고 떠나라고 해서든, 아니면 의도적으로 버리고 갔든, 아니면 사고(事故)로 어쩔 수 없이 두고 갔든, 그것이 중요한 건 아니다.

디오니소스는 테세우스에게 버림받은 그녀를 아내로 삼는다. 테세우스처럼 따지지도 않고, 사랑의 늪으로 쉽게 빠져드는 술의 신답다. 디오니소스는 항상 술에 취해 사랑을 맞을 준비가 되어 있는 로맨티스트이다. 디오니소스가 누구인가? 제우스의 허벅지에서 출생한 신이다. 행동거지가 별로 좋지 않아 올림포스 12신의 자리에도 들어갔다가는 헤스티아에게 밀려 나기도 한다. 실연의 아픔을 죽음으로 끝내고 싶었던 아리아드네에게 디오니소스는 죽음의 신으로 다가왔다. 그녀는 이 신에게 모든 걸 맡긴다. 그녀에 대한 디오니소스의 사랑은 헌신적이다.

티치아노(Tiziano Vecellio, 1488~1576)는 디오니소스와 아리아드네의 만남을 탁월한 색과 빛의 대비로 그린다. 베네치아 화가가 그렇듯, 그 역시 아리아드네의 순정과 디오니소스의 광기를 밝음과 어둠 그리고 푸른 자연의 색과 욕망의 붉음으로 그려낸다. 사랑은 서로에게 부족한 것에 대한 갈망이다. 광기 어린 디오니소스에게는 테세우스와의 이별을 견디지 못해 죽음으로 세상과 고별하려 했던 그녀의 순애보가 어쩌면 가장 고귀한 가치일지도 모른다.

그런데 낙소스에는, 디오니소스와는 전혀 다른, 지혜의 신 아폴론의 신전이 있다. 디오니소스의 신전이 있을 법한 이곳 낙소스에 아폴론은 어딘가 어울리지 않는다. 아폴론은 쌍둥이 아르테미스와 함께 델로스에서 출생했다. 헤라는 제우스와 바람을 피운 레토에게 출산 장소로 그 당시 불안정했던 델로스를 정해 준다. 하지만 제우스는 레토가 잘 출산할 수 있게 이곳을 밧줄로 꽁꽁 묶어 안전하게 해 준다. 이렇게 어렵게 아폴론이 태어난 곳이 델로스이다. 그래서 델로스는 아폴론의 섬이다. 아테네가 이곳에서 동맹을 맺은 것은 아폴론이 아테네를 지켜 주리라는 종교적 믿음 때문이다. 델로스에는 아폴론 외에도 레토와 아르테미스 그리고 헤라의 신전까지 있다. 가히 신전의 박물관이라 할 정도이다. 낙소스의 신

낙소스 섬의 아폴론 신전

전이 아폴론 신전으로 유추되는 것은 아폴론의 고향 델로스 쪽을 향해 지어졌다는 것 외에도, 당시 낙소스와 델로스는 매우 좋은 관계였다는 사실 때문이기도 하다. 낙소스인들이 델로스에 사자상을 봉헌할 정도로 밀접한 라포르가 형성된 것으로 보인다.

아폴론은 자신이 태어날 때 어머니 레토의 출산을 방해했던 왕뱀 퓌톤을 활로 쏘아 죽이고 우쭐해져 에로스에게 오만하게 대했다가 다프네와의 사랑을 이루지 못한 당사자이다. 아폴론과의 사랑을 이루지 못한 다프네는 월계수로 변한다. 애틋한 사랑 이야기이다. 아리아드네와 아폴론이 겹친다. 이곳에 아폴론 신전의 유적이 우연히 남아 있는 게 아니다. 아폴론의 사랑, 다프네는 가도 지극했던 그의 사랑은 영원히 이 신전을 맴돌고 있다. 다프네가 월계수로 변했기에 아폴론은 더 그리운 것이다.

루브르의 안주인 비너스

　　육체를 영혼을 둘러싸고 있는 외피처럼 생각하거나 육체라는 기계 안에 영혼이 마치 유령처럼 들어 있을 것이라는 생각은 오래된 교설이다. 하지만 육체와 영혼의 작위적인 경계를 허물고 만난 몸은 영혼의 다른 이름이다. 몸은 영혼 그 자체이다. 사랑하는 사람 앞에서 나의 몸은 나의 영혼이다. 몸은 누군가를 사랑하면서 사랑하지 않는 척 시치미를 뗄 수는 없다. 이성이 진리를 말할 때, 몸은 진실을 말한다.

　　루브르 박물관에서 만난 비너스에게 그녀의 몸을 꽁꽁 싸매고 있는 옷은 진실을 가리는 장막일 뿐이다. 하얀 대리석의 물질성으로 은유된 인간의 몸은 아름답기 그지없다. 반라(半裸)의 비너스 조형물 앞에서 이방인은 조금의 민망함도 없이 몸의 민낯에 취한다. 고대 그리스인들은 가장 인간다운 모습을 대리석의 물질성으로 조형했다. 물질성은 인간의 영혼의 지향성을 불러내면서 나와 타자가 정념적(情念的)으로 하나가 되게 한다. 비너스의 몸은 지각하는 나와 지각되는 타자를 분리하는 경계를 해체한다. 나와 타자를 정념적으로 상호 하나가 되게 한다. 물질의 현상학자 미셸 앙리[2]는 나와 타자의 상호 지향성을 '공-정념(pathos-avec)'(앙리: 252)으로 더욱 물질화한다.

　　옷으로 치장하고 포장하기 이전의 원초적 모습이 더욱

인간답고 자연스럽다. 처음 방문한 나에게 루브르의 안주인은 아테나가 아닌 비너스였다. 거의 남성적 외양을 하고 옷으로 몸을 정숙하게 가린 아테나보다는 모든 걸 벗어 던지고 단적인 여성성을 노출하는 비너스가 더욱 아름답다. 물론 비너스 상이 누구를 대상으로 해 만든 것인지는 확실하지 않다. 플라톤의 『향연』에서 추측할 수 있는 것은 아마 잔치의 도우미 역할을 한 여자들 중 누군가가 오브제였을 것이라는 것이다. 당시 여성은 마음대로 벗을 자유조차 없었다.

아테나는 메두사와 역사적 쌍둥이이다. 북아프리카에 네이트라는 여신이 있었다. 이 여신은 리비아 쪽에선 '아나타'라고 불리었는데, 그리스로 합류하면서 메두사의 여성성을 벗어던지고 그리스의 이성과 남성 중심의 사회에 적합한 정체성으로 탄생하였다. 바로 아테나이다. 아테나는 자신의 정체성 중 메두사의 여성성을 추한 모습으로 바꾸어 무시하면서 그리스 신화의 안주인이 된다. 아테나는 자신이 그리스의 안주인이 되기 위해 페르세우스에게 청동 방패를 주어 메두사의 머리를 베어 오게 한다. 그리고 그 머리를 자신의 방패에 달고 다녔다.

그리스 사회에 익숙하게 정체성을 바꾼 아테나는 지혜와 이성의 옷으로 몸을 가린다. 허리띠로 몸을 동여매고 있다. 이성으로 가려진 몸은 인간의 이성에 의해 조작된 몸이다. 물론 이성과 몸이 분리되었던 시대의 생각이다. 가능한 한 이성은 몸으로부터 자유로워야 한다. 하지만 이성으로 가려진 몸은 더 이상 몸이 아니다. 형이상학적으로 해석된 몸이고, 덕

아테나(상)와 비너스(하), 루브르박물관.

스럽지 못한 악의 메타포이다.

비너스는 옷을 벗는 데 인색하지 않다. 이성으로 가릴 것
도 없다. 그녀에게는 몸 자체가 자신의 자아이다. 몸 이외의
또 다른 자아가 없다. 여성스러움을 단적으로 드러내는 비너
스는 더 이상 남성의 욕정의 대상이 되거나 형이상학적으로
해석되기를 기다리는 소박한 물질이 아니다. 여성을 가장 여
성스럽게 만들어 주는 그녀의 몸은 권력과 타협하기를 거부
한다. 오직 사랑뿐이다. 비너스와 마르스의 사랑 이야기는 도
덕 이전의 몸의 윤리이다. 가장 아름다운 모습으로 그리고 가
장 자유로운 모습으로 한껏 물질성을 드러낸다. 몸이 몸다울
때 가장 아름답다.

몸은 악의 메타포도 아니고 영혼을 가두는 감옥도 아니
다. 플라톤에 의해 몸은 영혼을 가두는 감옥과 같이 주조되
었다. 하지만 몸의 지향성은 영혼과 육체라는 낡은 이분법의
경계가 해체되는 과정에서 드러난다. 몸은 영혼과 육체라는
낡은 이분법적 선악의 피안에서 노정되는 인간성 자체이다.
돌이 단지 돌일 뿐이듯, 몸은 단지 몸일 뿐이다. 돌이 인간의
욕정을 촉발하는 대상일 수 없듯이, 몸 역시 권력에 의해 물
상화(物象化)되어야 할 욕정의 덩어리가 아니다.

제우스의 머리와 허벅지

아크로폴리스 남동쪽 아래로 디오니소스 극장이 보인다. 아크로폴리스와는 대조적이다. 그 높이나 형상에서 차이가 있다. 아크로폴리스가 아테네인들의 이성적이고 귀족적인 흥취를 충족시켜 주는 곳이라면, 디오니소스 극장은 격정적이고 민중적인 정서를 달래 주는 위로의 공간이다. 민주주의의 산실인 아테네에도 이 경계는 뚜렷하다. 다수자와 소수자 사이의 갈등이 엄존했던 당시 아테네의 계층 간의 문화적 갈등이 이 공간에도 육화되어 있다.

아테나와 디오니소스의 출생 배경이 대조적이다. 제우스는 메티스와의 사이에서 태어날 아들이 자신의 권력을 빼앗아 갈 것을 두려워한 나머지, 스스로 개구리로 변신하여 파리로 변신시킨 메티스를 잡아먹는다. 이후 두통이 심해 머리를 깼는데, 그 속에서 나온 여신이 아테나이다. 메티스는 가장 지혜로운 여자로서, 1세대 티탄인 오케아노스와 테티스 사이에서 태어난 3,000명의 오케아니스 중 한 명이다. 아테나는 아크로폴리스 언덕 중심에 우뚝 서 저 아래로 아버지 제우스의 신전을 수호신처럼 내려다본다. 제우스 역시 자신의 딸 아테나를 보면서 권력의 위태로움을 치유 받고 있다.

로마인들은 아테나에게 '미네르바'란 별칭을 부여했다. 아테나의 이름은 19세기 철학자 헤겔을 통해 다시 살아난다.

올빼미는 현실의 혼잡스러움이 끝나는 황혼이 시작될 때 비로소 움직인다. 마치 철학이 냉정한 이성의 학으로서 그리고 가장 완전한 학문으로서 황혼녘에 태어나듯이. 전쟁의 신 아테나이지만 평화를 위해선 과감하게 투구와 방패를 내려놓는다. 태양의 신 헬리오스가 내려주는 평화 속에서 냉정한 지혜의 눈으로 세상을 살핀다. 덕의 정원에서 악의 무리들을 추방하는 미네르바는 무지를 이기고 덕을 수호하는 신으로 아크로폴리스 언덕에 우뚝 서 있다. 아테나는 단순히 아테네 시민들을 지켜 주는 수호신만이 아니다. 어머니로부터 지혜를, 아버지로부터 힘과 권력을 부여받은 그녀는 인간이 갖지 못한 것을 다 가지고 있는 완벽한 신이다. 아크로폴리스 언덕에 우뚝 서 있는 파르테논의 주인이 아테나이다.

도시 아테네를 서로 지배하려고 아테나와 포세이돈이 싸운다. 아테나와 포세이돈은 족보상으로는 조카와 삼촌 사이이다. 포세이돈은 아테나의 아버지인 제우스의 형으로 태어났다. 하지만 제우스보다 먼저 태어난 누이와 형들은 아버지 크로노스에게 다 삼켜진다. 아버지 우라노스를 거세하고 얻은 권력에 취해 있던 크로노스에게 그의 어머니 가이아는 "네 자식 가운데 한 명이 너를 몰아내고 왕좌를 차지할 것이다"라고 저주한다. 물론 그 한 명이 바로 제우스이다. 어머니 레아의 재치로 막내인 제우스만 유일하게 살아남았고, 그는 결국 크로노스와 싸워 이기고, 삼켜졌던 누이와 형들이 다시 세상의 빛을 보게 하여 세운 올림포스의 주신이 된다. 그러므로 제우스는 포세이돈의 동생이면서도 형인 애매한 사이이다. 아테나와 포세이돈은 메두사를 중간에 두고 일종의 삼각관계에 있다. 포세이돈이 메두사와 아테나의 신전에서 사랑놀이를 하다가 아테나에게 들킨다. 포세이돈을 은근히 사랑했던 아테나는 분을 이기지 못해 페르세우스를 시켜 메두사를 죽여 버린다. 치정(癡情)으로 얽힌 아테나와 포세이돈이 아테나의 주도권을 차지하기 위해 싸운다. 누군가의 중재가 필요하다. 올림포스 신들이 중재안을 낸다. 아테네 시민들이 좋아하는 선물을 주는 자가 이 도시를 수호할 자격이 있다는 중재안이다. 포세이돈은 말을, 아테나는 올리브를 선물로 내어 놓았다. 아테네 시민들이 아테나의 선물을 선택함으로써, 아테나는 아테네의 수호신이 된다.

디오니소스는 제우스와 테바이의 공주 세멜레 사이에서 태어난 아들이다. 헤라는 세멜레에게 제우스의 정체를 확인하라고 꼬드긴다. "나에게 접근할 때와 똑같은 모습으로 나타나 달라고 해 보세요. 그래야 진짜 제우스인지 알 수 있지요." 어떤 약속이라도 들어주기로 한 제우스는 세멜레의 간청을 안 들어줄 수 없다. 그래서 그가 본래 모습대로 나타나자, 세멜레는 그 광채에 타 죽는다. 제우스는 세멜레의 배에서 꺼낸 아이를 자신의 허벅지에 넣은 다음, 달을 다 채워 끄집어낸다. 이렇게 출생한 디오니소스이다. 그는 제우스가 아버지란 이유로 헤스티아를 제치고 올림포스 12신의 반열에 들어가기도 한다. 이처럼 지혜의 신 아테나는 제우스의 머리에서, 격정의 디오니소스는 제우스의 허벅지에서 출생한다. 아테나가 지혜의 신이 되고, 디오니소스가 술의 신 바쿠스가 된 배경이다. 디오니소스는 태어나 니사산에서 님프들에 의해 길러졌다. 제우스가 헤라 몰래 바람피워 낳은 자식을 산에서 키우도록 조치한 것이다.

디오니소스가 산에서 자라면서 우연히 먹고 뱉은 씨가 자라서 포도가 되었다. 그것을 그릇에 담아 두었는데, 어쩌다 밟아 뭉개자 즙이 풍부하게 쏟아져 나와 술이 되었다. 디오니소스가 포도의 즙처럼 이글거리는 광기의 신으로 불린 이유이다. 이 디오니소스의 광기에서 니체는 삶의 의지를 읽는다. 마치 흘러넘치는 포도의 즙과 같이, 삶은 이성으로 헤아릴 수 없는 힘을 분출한다. 우리가 아테나와 디오니소스에서 이성과 광기를 읽는 이유가 여기에 있다.

베누스의 허리띠

아프로디테의 후손인 키프로스 처녀는 욕정을 불러일으키는 '케스토스 히마스(kestos himas),' 즉 '마법의 허리띠'를 두르고 있다. 호메로스는 『일리아드』에서 이 허리띠에 대해 "거기에는 사랑과 욕망이 있으며, 아무리 지혜로운 자라도 속여 넘길 수 있는 사랑의 속삭임이 담겨져 있었다"(호우머: 233)라고 쓰고 있다. '베누스의 허리띠'는 뭇 남성을 욕정에 빠지게 하여 자제력을 상실하게 할 정도로 음란한 여성을 상징한다.

분노 때문에 자제력을 상실한 트로이의 영웅이 아킬레우스라면, 욕정에 못 이겨 자제력을 상실하고 결국은 비극으로 삶을 마무리한 이는 아가멤논이다. 트로이 전쟁의 빌미가 된 파리스 역시 아프로디테의 간계에 빠져 황금 사과를 그녀에게 주고 그 대가로 헬레나를 납치하여 트로이로 간다. 이렇게 하여 일어난 트로이 전쟁으로 인해 트로이는 멸망한다. 아버지 프리아모스 왕이 장남 헥토르의 시신을 돌려 달라고 아들 나이의 아킬레우스 앞에 무릎을 꿇어야 하는 신세가 된 것도 파리스의 자제력을 상실한 욕정 때문이다. 파리스에게는 헤라의 권위나 아테나의 지혜도 쓸모없다. 단지 그는 아프로디테가 줄 선물인 헬레나에게만 눈독을 들인 것이다.

그리스 연합군 총사령관 아가멤논은 딸 이피게네이아를

아울리스 항에서 바다의 제물로 바친 비정한 아버지이다. 그는 트로이를 치고 전리품으로 가져온 크리세이스를 할 수 없이 돌려준다. 크리세이스의 아버지가 아폴론의 사제였기 때문에, 아폴론이 그리스 군에 역병이 돌게 하자, 이를 막기 위해 하는 수 없이 크리세이스를 돌려준다. 이렇게 끝이 난 게 아니다. 아가멤논은 아킬레우스에게 그의 연인 브리세이스를 내놓으라고 한다. 아킬레우스는 분노하지만, 결국 돌려준다. 그리고 둘은 영혼 없는 화해를 한다. 또 아가멤논은 트로이 왕 프리아모스의 딸인 예언자 카산드라를 전리품으로 챙겨 귀국한다. 카산드라는 아가멤논과 그 자신의 죽음을 예언하지만, 자신의 예언을 믿게 할 능력이 없다. 그녀는 아폴론의 사랑을 받아들이기로 하고 그로부터 예언의 능력을 받지만, 곧 아폴론의 사랑을 거절한다. 이에 분노한 아폴론은 그녀의 예언을 아무도 믿지 않도록 해 버렸다. 그녀는 아가멤논과 함께 처참한 최후를 맞는다. 아가멤논의 아내 클리타임네스트라와 그녀의 정부(情夫) 아이기스토스에게 죽임을 당한다. 또 클리타임네스트라와 아이기스토스는 아가멤논의 딸과 아들인 엘렉트라와 오레스테스에게 죽는다. 온 집안이 비극을 맞는다. 욕정을 견디지 못한 아가멤논 가족의 최후이다.

아킬레우스는 그의 어머니 테티스의 예언에 따라 전투에 나가지 않았다. 전투에 나가면 반드시 죽는다는 것을 테티스가 알았기 때문이다. 그래서 여자로 분장하는 꼼수를 부렸다. 하지만 자신을 대신하여 전투에 나간 절친 파트로클로스가 적장인 트로이의 헥토르에게 죽자, 그는 분노를 억누르지 못

하고 기어이 죽음을 무릅쓰고 전장으로 나간다. 아킬레우스
와 아가멤논은 인간이라 죽을 수밖에 없는 존재이다. 하지만
이들의 죽음의 의미가 동일하지는 않다. 분노와 욕정의 차이
다. 분노는 시간이 지나면 차츰 이치로 따져 내려놓을 수 있
다. 하지만 욕정에 자제력을 상실하면 이치로 따져서 내려놓
을 수 없다. 그래서 아리스토텔레스는 분노보다 욕정에 휘둘
리는 게 더 큰 잘못이라고 말한다(아리스토텔레스 I: 267).

불의 존재론

외출했다가 집으로 들어서는 순간의 썰렁함이 화로의 존재를 불러온다. 불의 부재(不在)가 불의 현존을 상기시킨다. 그리스 신화 중 가장 존재감이 없는 신이 헤스티아란 사실은 잘 알려져 있다. 화로의 신으로 평생 결혼도 하지 않은 채 조용히 집 안에서 불을 관리한다. 포세이돈과 아폴론의 구애도 멀리하고 긴 망토를 걸친 정숙한 모습으로 가정을 지킨다. 헤스티아는 크로노스와 레아의 맏딸로 태어났지만 아버지 크로노스에게 삼켜지고 가장 늦게 다시 태어난 존재감 없는 신이다. 가장 먼저 태어난 맏딸이면서 가장 늦게 태어난 막내딸인 그녀는 세상의 온갖 궂은일을 다 경험한 듯 항상 조용히 불을 관리한다. 헤스티아는 올림포스 12신의 자리를 디오니소스에게 양보하기도 한다. 두 신의 구애도 제우스를 통해 정중하게 거절하고 화로의 신으로 가정에 들어앉는다. 로마의 베스타신과 동급이다.

화로는 가끔 우리를 성찰의 시간으로 안내한다. 꺼져 가는 불을 보면서 죽음을 성찰하고, 다시 살아나는 불꽃을 보면서 희망을 노래한다. 꺼져 가는 불을 보고 있는 나의 의식도 언젠가는 꺼져 갈 것이라는 불안도 불러온다. 불은 우리를 사유로 안내한다. 촛불 앞에서 성찰하는 데카르트를 상상해 보자. 근대 철학의 문을 연 그에게는 나 이외의 다른 확실한 근거는 없다. 신도, 타자도, 세계도 모두 나에겐 회의의 대상들이다. 그러면 나의 존재에 대한 확실성은 어디에서 확인할 수 있는가?

내 앞에 촛불이 있다. 바람이 불면 곧 꺼질 듯하다가 다시 살아나곤 한다. 그러다가 어느 순간 촛불이 꺼진다. 그 꺼져 가는 촛불을 나의 의식으로 비유해 보자. 나의 의식 역시 촛불처럼 꺼져 버릴 수 있다. 그런데 의식이 꺼진다는 걸 어떻게 의식할 수 있는가? 꺼져 가는 의식을 의식하는 또 다른 의식이 있다. 이 의식 역시 꺼져 가는 걸 상상해 보자. 이 꺼져 가는 의식을 의식하는 또 다른 의식은 확실하게 존재한다. 의식의 현존을 의심하는 것은 어리석다. 왜냐하면 의심하는 자로서의 의식은 항상 현존하기 때문이다. 나에게 사유는 존재의 다른 이름이다. 촛불 실험은 사유와 존재의 일치를 천명하며, 데카르트를 근대적 사유의 채널 속으로 안내한다.

아킬레우스의 성마른 분노는 헤스티아의 시간이 결핍된 결과이다. 아프로디테의 자제력 없음은 헤스티아의 성찰의 시간을 놓친 결과이다. 질투에 휩싸여 바쁘게 쫓아다니는 헤라, 트로이 전쟁을 바쁘게 지휘하는 아테나, 엄친 딸 페르세포네를 찾아 종일토록 헤매고 다니는 데메테르, 그리고 사냥으로 세월을 보내는 아르테미스 등의 여신들은 모두 불 앞에서의 성찰의 시간을 놓치고 있다.

12신 중 존재감이 없는 남신은 헤파이스토스이다. 헤스티아만큼이나 존재감이 없다. 제우스의 맏아들로 태어났지만 그 존재감은 그리 돋보이지 않는다. 외모도 그렇고 몸도

〈제우스의 번개 창을 만드는 헤파이스토스〉, 파울 루벤스, 1638

장애이다. 그도 역시 불을 만진다. 대장간의 신이다. 헤파이스토스의 대장간 일은 자신의 아픔을 치유하는 일이다. 어차피 아프로디테는 자신의 손재주 때문에 우연히 맞아들인 아내이다. 아내는 마르스를 불러들여 바람을 피운다. 피워도 너무 소문나게 피워 댄다. 헤파이스토스는 청동으로 가늘게 짠 그물로 불륜의 현장을 덮치지만 별 뾰족한 수가 없다. 다만 참을 수밖에 없다. 그는 불로 물건을 만들면서 자신의 아픔을 스스로 치유한다. 그 아픔이 새로운 것을 만들어 내는 창조의 원동력이 되기도 한다. 그에게 불은 인내하고 치유하는 거울이다. 헤스티아의 불이 성찰의 거울이듯, 헤파이스토스의 불 역시 자기 존재를 긍정하면서 힘을 얻어 내는 거울이다. 헤스티아와 헤파이스토스에게 불은 그들의 존재이다. 이후 에페수스의 헤라클레이토스[3]는 불을 만물의 아르케로 성찰할 수 있었다.

신화 기호학

신화에 등장하는 '황금'이란 기호를 몇 개 들어 보자. 헤라클레스의 '황금' 사과, 파리스의 심판에 등장하는 '황금' 사과, 에로스가 메고 다니는 '황금' 화살, 그리고 청동 탑에 갇혀 있는 다나에에게 '황금' 비로 변신하여 접근한 제우스 등이다. 이 '황금'이란 기호는 각각의 의미가 다 다르다. 왜 그런가? 이 기호의 의미는 어디를 가나 다 동일한 의미를 갖지 않는다. 그 의미를 결정하는 것은 그 기호가 사용되는 맥락이다. 헤라클레스의 황금 사과는 헤라가 제우스와 결혼할 때 가이아가 헤라에게 선물로 준 가지에서 열매를 맺은 것이다. 헤라는 이 사과를 머리가 백 개인 용(龍) 라돈이 지키는 헤스페리데스 정원에 숨긴 채 키운다. 헤라클레스의 12과업 중 11번째 과업이 이 황금 사과를 가져오는 것이다. 파리스가 들고 있는 황금 사과는 테티스와 펠레우스의 결혼식에 초청을 받지 못한 불화의 신 에리스가 손에 쥐고 나타났던 사과이다. 그 사과에는 '가장 예쁜 여인에게'란 글귀가 새겨져 있다. 파리스는 이 사과를 헤라도 아니고 아테나도 아닌 아프로디테에게 준다. 그에 대한 대가로 아프로디테는 파리스에게 당시 스파르타의 메넬라오스 왕의 헬레나 왕비를 소개시킨다. 그는 메넬라오스가 집을 비운 사이 헬레나를 납치해 트로이로 간다. 이것이 트로이 전쟁의 불씨가 된다. 에로스, 로마식으론 큐피드의 황금 화살은 사랑의 화살이다. 구스타프 클림트의 그림에서 황금 비로 변신한 제우스는 다나에와 욕정을 나누고 있다.

이처럼 '황금'이란 기호의 의미는 사뭇 다르다. 왜 이 같이 '황금'이란 기호의 의미가 다른가? 한 단어의 뜻은 하나로 고정된 것이 아니다. 주어진 맥락에서 어떻게 사용되는가에 따라 의미는 달라진다. 기호와 의미 사이의 관계가 고정된 것이 아니라, 상대적으로 그때그때 변한다는 것을 처음 얘기한 사람은 스위스의 언어학자인 소쉬르[4]이다. 동일한 기호가 동일한 의미를 갖는 게 아니라는 말이다. 그 당시로서는 매우 획기적인 발상이었다. 인간이 기호의 의미를 결정하는 것이 아니라 구조가 결정한다. 인간 주체도 대상도 모두 객관적인 구조에 의해 비로소 그 의미가 발생한다는 발상이다. 고전 언어학에서는 일물일언(一物一言), 즉 하나의 사물에 하나의 언어가 대칭한다는 게 통상적 견해였다. 하지만 소쉬르는 사물과 언어 사이의 일대일의 고정된 관계는 없고, 하나의 기호는 그것을 둘러싸고 있는 다른 기호들과의 관계 속에서 그 의미가 그때그때 결정된다는 기호학(semiotics)을 정립한다.

언어의 의미는 위치가 결정한다고도 할 수 있다. 굳이 언어가 아니더라도 그렇다. 바둑판 위 흰색과 검은색 돌이 그 판의 어디에 위치하고 있는가가 그 의미를 결정한다. '나'란 기호도 마찬가지이다. 집에서 '나'는 아버지고 남편이지만, 직장에서 '나'는 과장이고 선생이다. 저녁에 누구와 만나 무엇을 하는가에 따라 '나'는 다양하게 변신한다. 예를 하나 더 들어 보자. '빨강'이란 기호의 의미는 다양하다. '빨간' 신호등, '빨간' 머리띠, '빨간' 카펫, 축구 경기 때의 '레드' 카드 등등. 그리고 각국의 문화 속에서 '빨강'의 의미도 다르다. 기호학자들은 하나의 기호가 가지는 뜻을 의미란 단어로 표현하기보다 '이미지'란 단어로 표현한다. 의미와는 달리 이미지는 주어진 상황에 따라 그때그때 떠오르는 의미체이다. 기호는 이미지이다. 그것도 항상 변하는 이미지이다. 아침에 본 '해'와 저녁에 본 '해'의 이미지가 다르듯. 이처럼 하나의 기호의 의미는 그 기호와 관련된 다른 기호와의 차이에서 발생된다. 큐피드의 '황금' 화살은 '납' 화살과 대비되어 사랑과 미움이란 의미를 가질 수 있다. 신호등의 '빨강'은 다른 기호 '노랑'과 '녹색'과의 관계 속에서 '정지'라는 이미지(의미)가 발생된다. 신호체계가 구조이다. 각각의 기호의 이미지를 결정하는 것은 형식인 '구조'이다. 이 구조주의(structuralism)를 문화인류학에 적용한 건 프랑스 문화인류학자 레비스트로스이다. 그는 각각의 문화를 결정하는 구조를 발견한다. 모든 문화를 관통하는 보편적 구조가 따로 있는 게 아니며, 모든 문화는 각각의 구조를 가지고 있어 그 나름의 가치가 있다는 상대주의적인 시각을 발견한 것이다. 이로써 유럽 문화의 우월이란 편견을 해체한다. 그는 뉴질랜드 마오리족과 함께 살면서 그들의 문화 속에 존재하는 '구조'를 발견한다. 유럽 문화는 비유럽 문화와의 관계 속에서 비로소 의미를 가질 수 있다.

브래드 피트와 에릭 바나

트로이 전쟁의 영웅은 아킬레우스다. 저자 호메로스는 그리스의 입장에서 『일리아드』를 쓴다. 아킬레우스가 영웅으로 서술될 수밖에 없다. 상대적으로 트로이의 헥토르를 영웅적으로 서술하는 데는 인색하다. 그리스 편에서 아킬레우스는 당연히 전승한 영웅이다. 하지만 헥토르는 아킬레우스보다 영웅적인 면을 더 가지고 있다. 『일리아드』는 아킬레우스의 복수혈전으로 시작해 헥토르의 장례로 끝이 난다. 영웅의 위상은 죽음을 어떻게 맞이하는가에 달려 있다. 헥토르의 죽음에 비하면, 아킬레우스의 죽음은 파리스의 화살에 맞아 죽는 비영웅적인 것이다. 아킬레우스는 전투를 피하고 피하다가 절친 파트로클로스가 대신 전장에 나가 헥토르에게 죽자 그 복수를 위해 전투에 나선다. 『일리아드』는 군데군데 아킬레우스와 헥토르의 면모가 대비되어 중첩된다. 아킬레우스는 전리품으로 챙긴 브리세이스를 아가멤논에게 빼앗기자 전장에 나가지 않겠다고 떼를 쓴다. 하지만 헥토르는 못난 동생 파리스 때문에 일어난 전쟁에 기꺼이 참전한다. 그의 아내 안드로마케와 아들을 뒤로 하고 영웅답게 싸우다 죽는다. 민족을 위해 기꺼이 가족을 떠나는 헥토르이다. 헥토르는 분노를 쏟아 내지 않는다. 이지적으로 형편을 따진다. 엉뚱한 일로 엄청난 전쟁이 일어났지만, 매우 합리적인 판단을 하면서 전쟁을 수행한다.

독일의 영화감독 볼프강 페터젠(Wolfgang Petersen, 1941~)이 2004년에 만든 영화 〈트로이〉에서 아킬레우스는 브래드 피트(Brad Pitt)를 통해 재현된다. 피트의 강렬한 남성성과 그의 흐트러진 머리카락은 아킬레우스의 분노를 표현하기에 부족함이 없다. 이에 비해 헥토르 역은 호주 출신으로 그리 유명세가 없는 에릭 바나(Eric Bana)이다. 그는 코미디언 출신이다. 생뚱맞은 배역이다. 하지만 감독은 이런 면을 오히려 좋게 본 것 같다. 이는 헥토르에게서 영웅적인 면보다 진실한 인간적인 면모를 드러내기 위한 감독의 선택이다. 브래드 피트가 아킬레우스 역을 맡은 건 우연일까? 현재도 여성 편력으로 회자되는 피트이다. 할리우드 배우에서 모나코 공주에 이르기까지 그의 연애는 현재진행형이다. 에릭 바나가 헥토르 역을 맡은 이유를 한 영화 전문 잡지는 이렇게 쓰고 있다. "헥토르는 아킬레스처럼 타고난 전사가 아니다. 전쟁과 살육을 싫어하면서도, 동생을 보호하고, 나라를 지키기 위해 전쟁터로 나간다. 형제애를 위해 스스로를 희생하는 그의 고결한 여정이 매력적으로 느껴졌다. 그의 여정에 동참하면서, 진심으로 그를 이해하고 존경하게 됐다"(박은영).

이탈리아 화가 조르지오 데 키리코는 〈헥토르와 안드로마케〉(1917)를 그렸다. 그는 철도 엔지니어인 아버지를 따라 그리스로 가 미술 공부를 했다. 이후 독일에 와서도 계속 그리스 미술에 관심을 가졌다. 그는 헥토르와 그의 아내 안드로마케를 입체적으로 그린다. 그들의 사랑과 삶을 평면에 표현하기에는 너무 부족하다. 하지만 기하학의 흔적을 포기하지 않는다. 헥토르가 전쟁에서 죽을 것을 알면서도 아내를 두고 떠나야 하는 슬픈 감정을 잘 이겨내는 이지적인 면을 그린다.

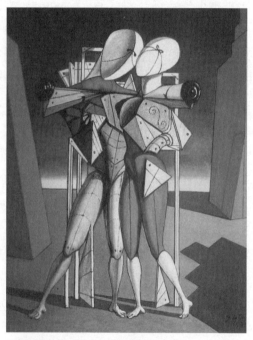

조르지오 데 키리코, 〈헥토르와 안드로마케〉, 1917

나우시카의 환대

나이가 들면서 라디오 한 대를 갖고 싶다는 생각이 든다. 듣는 것은 보는 것과 다르다. 보는 것도 내가 보고, 듣는 것도 내가 듣는다. 하지만 보는 건 능동적이다. 듣는 건 수동적이다. 눈은 타자를 응시한다. 하지만 귀는 타자에게로 기울어진다. 주체 중심의 시각 활동과 타자 중심의 청각 활동은 그래서 다르다. 타자에게로 귀를 기울이는 게 철학이다. 존재는 보이는 게 아니라 들리는 것이다. 철학은 이 존재의 소리에 귀를 기울이는 것이다. 귀는 겸손하다. 들음은 존재에게로 다가가려는 움직임일 뿐이다. 그리고 항상 존재의 신비에 경탄할 뿐이다. 자신의 목소리를 죽이지 않고서는 타자의 목소리를 들을 수 없다. 나란 주체가 죽을 때 타자의 목소리가 들린다. 타자에 대한 환대는 그의 존재에 귀를 기울이는 겸손함에서 비롯된다.

철학 공부를 하면서 차츰 '나'의 자리에 '타자'가 들어선다. 나는 '타자'를 위해 기꺼이 자리를 양보한다. 나의 얼굴에 타자의 얼굴이 자리한다. 타자는 이제 더 이상 나의 시선 안에 유폐될 수 없다. 난 이미 타자의 그늘 안에 존재할 뿐이다. 나는 이미 타자이다. 이 타자는 나와 마주하고 있는 또 하나의 대상이 아니다. 나를 존재하게끔 해 준 거룩한 타자이다. 그래서 타자가 아니라 타자성(Alterity)이다. 이 'Alterity'란 어휘가 '제단(祭壇)'이란 의미와 중첩되는 게 우연은 아니다. 그에 대해 책임을 져야 할 도덕적 주체의 얼굴이 바로 타자성이다. 이걸 깨닫는 데 오랜 시간이 걸렸다. 서양철학에서는 '탈주체'란 용어로 이 현상을 통칭한다. 그건 근대의 극단적 나 중심의 철학에 식상한 현대인들의 저항을 담고 있다. 타자는 이제 이방인이 아니다. 나의 손님이고 상전이다. 배제의 대상이 아니라 환대의 대상이다.

에마누엘 레비나스는 2차 세계대전 때 프랑스군으로 참전해 독일군의 포로로 5년간 수용소 생활을 했다. 그의 가족은 모두 나치에 의해 몰살당했다. 그에게 나치는 결코 용납할 수 없는 타자이다. 하지만 그의 윤리는 나치든 유대인이든 서로가 타자를 자신의 상전으로 대하는 세상을 꿈꾼다. 난이미 그의 종이라고 겸손의 윤리를 가르친다. 이제 철학은 도도한 자아론적 형이상학을 논할 게 아니라, 한없이 낮아져 타자를 배려하는 윤리학으로 전환해야 한다고 주문한다. 이에 반해 데리다는 레비나스와는 조금 다른 결에서 환대론을 제시한다. 데리다는 타자에 대한 무조건적 환대가 가져올 피환대자의 적대성을 최악의 경우로 상정한다. 그는 무조건적인 레비나스적 환대가 불러올 재앙을 구속하는 환대의 법을 강조한다. 데리다는 타자에 대한 무조건적 환대가 불러올 위험이나 우연적인 상황에 관심을 갖는다. 칸트로 대표되는 조건적 환대론을 레비나스의 무조건적 환대론과 교차시키는 듯한 인식이 데리다에게 있다. 왜냐하면 타자에 대한 주체의 무조건적 개방은 자칫 가장된 타자 혹은 불량한 타자에 의해

〈오디세우스와 나우시카의 만남〉, 미켈레 데수블레오, 1591~1602

주체가 위험에 직면할 수 있기 때문이다. 그러므로 데리다는 레비나스의 무조건적 환대를 수용하면서도 우연스럽게 발생할 수 있는 타자로부터의 폭력이나 타자를 회생 불가능한 불쌍한 존재로 만들어 버릴 우려에서 조건적 환대의 필요성을 강조한다.

  오디세우스는 10년의 귀향길에서 여러 타자를 만난다. 키클롭스, 키르케, 칼립소, 사이렌 등이다. 그가 만난 타자 중 자신을 진정으로 환대해 준 건 나우시카이다. '환대(hospital-ity)'는 조건 없는 베풂이다. 아이올리스 왕이 오디세우스에게 바람 주머니를 주면서 충고한 것도 서풍 이외의 다른 바람을 묶은 주머니를 풀어서는 안 된다는 조건 있는 베풂이었다. 키르케도 오디세우스를 환대했고 섬을 떠날 땐 그에게 충고도 해 주었지만, 그건 단지 오디세우스가 그녀의 마력을 이긴 것에 대한 경외감 때문이었다. 조건적인 환대의 관용이다. 칼립소 역시 자신과 살아 준다면 영원한 생명을 주겠다는 조건적 환대를 베풀었다. 타자에게로 완전히 열리지 않은 채 주체의 주권성을 여전히 손에 쥐고 있는 칸트의 근대적 환대의 경우들이다. 근대적 환대는 자민족의 영역 안에서의 타민족에 대한 제한된 조건적 환대이다. "낯선 땅에서 적대적으로 대우받지 않을 권리" 정도의 환대이다(문성원: 117).

진정한 환대는 주체로부터 선별된 타자를 초대하는 것이 아니라 타자의 방문에 대해 주체가 열리는 것이다. 오디세우스가 사이렌과 스킬라와 카리브디스를 만나 온갖 고초를 겪고 가까스로 도달한 곳이 스케리아이다. 여기서 나우시카를 만난다. 칼립소와 이별하고 20일 만에 우연히 도착한 곳에서 오디세우스는 극진한 환대를 받고 고향 이타카로 돌아간다. 나우시카는 무조건적 환대를 베푼다. 아리스토텔레스는 나우시카가 훗날 오디세우스의 아들 텔레마코스와 결혼한다고 말한다. 물론 그것이 조건이라고 볼 수는 없다.

슬픈 열대 시칠리아

　　문화인류학자 레비스트로스는 문명인들의 시각에서 야만성으로 고발되는 야생의 밀림을 슬픈 눈으로 바라본다. 그는 문화를 진보의 과정으로 재단하고 문화의 우열을 정당화하는 이데올로기를 고발한다. 레비스트로스와 함께 오디세우스의 여정을 따라가 보자. 오디세우스 일행은 트라케 키코네스족이 살던 이스마루스에 당도한다. 일행은 10년간 트로이 전쟁에서 몸에 밴 약탈과 살육의 습성을 버리지 못하고 그 섬 원주민을 살육하고 약탈한 대가로 12척 배에서 6명씩 부하를 잃고 간신히 그 섬을 빠져 나온다. 일행은 빠져 나오면서 죽이지 않고 살려 준 사제의 아들 마론으로부터 포도주를 선물받는다. 그리고 로토파고이족의 섬을 지나 키클롭스족의 섬에 도착한다. 키클롭스는 둥근 눈의 외눈박이다. 신화에 따르면, 호메로스의 『오디세이』에 등장하는 키클롭스족은 시칠리아 동부 에트나산 기슭에 살았다고 한다.

　　키클롭스족은 제우스와 거인 티탄족의 10년 전쟁인 티타노마키아에서 제우스의 편을 들어 승리하게 해 준 대가로 제우스로부터 은총을 받은 족속이다. 그들은 천성이 게을러 규범이나 문화적 제도도 없이 그저 야생으로 살아가는 원시인들이다. 게으르다는 것은 우리의 기준에서 그럴 뿐이다. 그들이 사는 섬에서 조금 떨어진 곳에 야생의 섬이 있다. 양과 염소들이 평화롭게 풀을 뜯어 먹고 사는, 더 이상 모자랄 게 없는 섬이다. 필요한 게 있으면 그때그때 손재주를 부려 만들어 산다. 레비스트로스의 '브리콜뢰르(bricoleur)'[5]와 같은 개념이다.

오디세우스 일행은 바로 이 야생의 무인도에 당도한다. 트로이에서 10년간 온갖 학살과 피로 얼룩진 세속인의 얼굴로 이 신비스러운 야생 속으로 침입한 것이다. 일행은 건너편 키클롭스족이 살고 있는 시칠리아 섬으로 정탐을 나가 섬 주인들이 돌아오기를 기다린다. 오디세우스 일행은 숨어서 그들이 하는 일을 지켜본다. 키클롭스족은 매일 하던 대로 양의 젖을 짜서 치즈를 만들고 먹거리를 준비한다. 그리고 화덕에 불을 피우려고 동굴로 들어오다가 오디세우스 일행과 마주친다. 그들은 뭐하려고 이곳에 왔느냐고 묻는다. 그러자 오디세우스는 귀향 도중 길을 잃었으니 도와 달라고 간청한다. 키클롭스인 폴리페모스는 버럭 화를 내며 오디세우스 부하 두 명을 순식간에 잡아먹고는 잠들어 버린다. 다음 날도 일상에는 변화가 없다. 그리고 부하 둘이 잡아먹힌다.

오디세우스는 잔꾀를 부려 폴리페모스에게 이스마루스의 마론으로부터 선물 받은 포도주를 마시게 하고, 잠들자 외눈을 찔러 장님으로 만든다. 눈을 찌른 너는 누구냐는 폴리페모스에게 오디세우스는 자신이 '우티스'라고 거짓말을 한다. 다른 키클롭스가 달려 와 누가 눈을 찔렀느냐고 물었을 때, 폴리페모스는 '우티스,' 즉 '아무도 아닌 자'가 찔렀다고 말한다. 그러자 다른 키클롭스들은 대책 없이 돌아선다. 오디세우스는 무사히 동굴을 빠져 나온다. 하지만 폴리페모스는 자신의 아버지 포세이돈에게 라에르테스의 아들 오디세우스가 귀향하지 못하거나 하더라도 다 잃고 홀로 고통스럽게 귀향하게 해 달라고 기도한다. 포세이돈은 아들의 기도에 응답해 오디세우스 일행의 귀향을 매번 방해한다.

필자는 오디세우스 일행이 키클롭스족의 섬에서 겪었던 이야기에 초점을 맞추고 싶다. 일행이 동굴에 침입해도 키클롭스들은 일상의 변화 없이 주어진 방식대로 하루를 시작하고 마무리한다. 그들의 삶은 양의 젖을 짜 치즈를 만들어 먹거리를 준비하는 문명인의 삶과 다르지 않다. 소인국 문명인의 문화로 재단할 수 없는 거인국 나름의 식문화가 있다. 자신의 공동체를 지키기 위해 이방인 침략자를 잡아먹는 습관이 그것이다. 그것도 하루에 두 명씩으로 정해져 있다. 그리고 술을 대접한 자에게는 마지막에 잡아먹겠다고 덕을 베풀기도 한다. 이 야생의 정원에 살육자 문명인이 침입한 것이다. 키클롭스족 공동체에도 그들 나름의 논리적이고 합리적인 질서가 있다. 다만 침략자의 눈에만 안 보였을 뿐인지도 모른다. 소인국의 문명인에게는 보이지 않는 거인국 나름의 문화적 상상력을 가지고 살았다.

레비스트로스는 사르트르의 실존주의가 유럽을 휩쓸고, 같은 해에 태어난 동료이자 경쟁자였던 메를로퐁티가 자신을 추월하던 시기에, 명성도 없이 평범한 사람으로 생활한다. 하지만 브라질 상파울루 대학으로 추천 받아 간 것을 계기로, 그곳에서의 대학생활을 뒤로 한 채, 아내와 결별하면서까지, 브라질 원주민과 함께 살면서 연구를 한다. 이후 프랑스로 돌아와서도 평범하게 살다가, 미국으로 건너가면서 학문적 전성기를 맞는다. 『친족의 구조』나 『야생의 사고』 등은 그의 삶의 결과물들이다. 그는 당시 아무도 신경 쓰지 않던 신화와 토템 연구를 통해 '구조'라는 질서를 발견했다. 물론 소쉬르나 로만 야콥슨[6]의 영향을 받았지만, 문화인류학에 접목시켜 연구를 수행한 점이 남다르다. 특히 야만과 문명의 이분법적 경계를 야생의 사고로 해체하고, 모든 문화는 그 나름의 가치가 있다는 상호 문화주의의 인식 체계를 구축한 것은 중요한 작업이 아닐 수 없다. 후기 구조주의로 연결되면서 그의 학문적 성과는 더욱 돋보인다.

레비스트로스의 시각에서 보자. 우리가 오디세우스를 환대하고 이타카로 잘 돌아가도록 배려해 준 스케리아 섬의 파이아케스족 나우시카와 시칠리아의 키클롭스를 문명과 야만으로 대척점에 두는 것이 가능할까? 스케리아와 시칠리아는 서로 얼마 떨어지지 않은 지중해의 섬들이다. 이 두 섬 사이의 문화적 구조의 동일성을 말하기는 망설여지지만, 문명과 야만의 두 얼굴로 대립시키는 것은 구조주의적 관점에서는 그리 달갑지 않은 재단(裁斷)이다. 레비스트로스가 모든 걸 뒤로 하고 브라질, 남미 등을 돌아다니면서 체험한 야생의 슬픈 이야기들이 오디세우스의 귀향길에서도 들리고 있다. 트로이에서 이타카로 돌아가는 여정이 10년이나 걸린 것은 키클롭스족의 폴리페모스를 장님으로 만든 오디세우스의 문화적 오만 때문이다. 오디세우스는 키클롭스 일행이 돌아오기 전에 섬을 떠나자는 부하들의 말에 귀를 기울이지 않은 채, 이 섬의 야만인들이 어떻게 사는가를 보고 싶었던 문화적 오만으로 가득 차 있었다. 이것이 화근이 되어 이후의 여정이 더욱 힘들어졌다. 어쩌면 이타카로 돌아가는 오디세우스가 여정 중에 만난 모든 족속들 역시 오디세우스 일행의 눈에는 보이지 않는 거대한 야생의 질서를 공유하고 있었을지도 모른다.

암소 이오가 건넌 보스포루스

제우스는 에우로파의 아름다움에 반해 흰 소로 변신하여 그녀를 크레타로 납치해 온다. 유럽의 역사는 바로 이 납치 사건으로부터 시작된다. 제우스와 에우로파 사이에서 태어난 미노스왕이 포세이돈과 한 약속을 어기자, 포세이돈은 다이달로스에게 명령해 황소를 만들어 미노스왕의 아내인 파시파에를 유혹하도록 한다. 파시파에는 소와 동침하여 괴물 미노타우로스를 낳는다.

그리스 신화에서 '소'가 등장하는 것은 딴 곳에서도 찾을 수 있다. 소고기라는 좋은 선물을 인간세계에 보내 준 건 프로메테우스이다. 프로메테우스는 소를 가지고 제우스와 담판한다. 프로메테우스는 소고기 중 맛있는 부분인 살코기와 내장은 가죽으로 싸고, 뼈는 윤기가 흐르는 비계로 싸서, 제우스에게 둘 중 하나를 고르라고 한다. 프로메테우스의 계략을 이미 아는 제우스는 인간으로부터 불을 뺏기 위한 구실로 삼기 위해 비계로 싼 것을 고른다. 그리고 화가 난 제우스는 인간에게서 불을 빼앗아 간다. 하지만 프로메테우스는 제우스를 속이고 불을 훔쳐 인간에게 전해 준다.

헤르메스는 태어난 날 바로 아폴론의 소 떼를 훔친다. 한 마리가 아니라 몇 무리를 대담하게 훔친다. 아폴론이 찾아와 돌려 달라고 하자, 헤르메스는 자기가 거북 껍질로 만든 수

금을 주면서 협상한다. 헤르메스는 소를 떼로 훔치고도 상대가 무엇을 좋아하는지 잘 파악하여 악기를 주고 지팡이를 얻어 내는 협상을 한다.

제우스는 구름으로 변신하여 이오에게 접근해 바람을 피운다. 이오는 강의 신 이나코스의 딸이다. 헤라는 이 현장을 급습한다. 제우스는 헤라를 가장 무서워한다. 헤라가 갑자기 나타나자 이오를 암소로 변신시킨다. 헤라가 누구인가? 모를 리 없다. 소를 선물로 달라고 한다. 제우스는 주지 않을 수 없다. 이오의 시련은 지금부터다. 자신의 의지와 무관하게 제우스에게 겁탈당한 이오가 치러야 할 대가는 처절하다. 질투가 하늘을 찌를 듯한 헤라는 암소로 변한 이오의 등에 쇠파리를 붙여 그녀의 고통을 절정에 다다르게 한다. 헤라는 100개의 눈을 가진 아르고스에게 이오를 감시하도록 한다. 하지만 제우스는 헤르메스를 보내 그를 죽인다. 헤라는 죽은 아르고스의 눈 100개를 자신의 망토에 단다. 제우스의 일거수일투족을 감시하기 위한 것이다. 소로 변한 이오는 지금의 터키의 보스포루스 해협과 그녀의 이름을 딴 이오니아해를 지나 이집트에 이르는 험난한 여정에 오른다. 보스포루스는 '암소가 지나간 자리'를 의미한다. 이 해협은 유럽과 아시아를 이어 주는 연결 고리이면서도 지중해를 몸통으로, 흑해를 머리로 연결하는 긴 목구멍과 같은 좁은 통로이다. 이 해협은 터키어로 Boğaziçi로 불리는데, 그 뜻은 '목' 혹은 '목구멍'이다. 제 모습을 찾기 위해, 이오는 목구멍과 같은 이 좁고 긴 해협을 지나 이집트로 가지 않을 수 없었다. 그렇게 도착한 이집트에서 제우스와 동침하여 에파포스를 낳고, 이후 여신 이시스로 숭배 받게 된다. 이 해협은, 헤라의 질투가 절정에 달해 가장 고통스러울 때, 미래의 희망을 일구어 내기 위해 이오가 건너야 했던 길목이다. 이오에게 이 해협은 프로메테우스가 결박당해 있는 코카서스 산맥만큼이나 고통스러운 공간이다.

비극 작가 아이스킬로스[7]는 이오의 고통을 프로메테우스의 고통과 연결한다. 헤라의 여사제였던 이오는 자신의 어머니가 아폴론에게 강간당했던 장소인 레르나 초원에서 제우스에게 강간당한다. 아폴론의 신탁 때문에, 이오의 아버지 이나코스는 딸을 아르고스에서 추방한다. 이오는 자신의 종족을 살리기 위해 제우스의 욕망의 재물이 된 채 먼 길을 떠난다. 그 길에서 프로메테우스와 조우한다. 신이기에 죽음으로도 벗어날 수 없는 프로메테우스가 고통에서 해방될 수 있는 자신의 미래를 이오에게 암시한다. 제우스와 이오 사이에서 태어날 자식들 중 한 명이 자신을 구해 줄 것이라고 예언한다. 그 자식이 바로 헤라클레스이다. 낭만으로 위장한 보스포루스는 권력자에 저항한 프로메테우스와 변변한 저항조차 못한 채 고통을 짊어진 이오가 건너야 했던 희망의 길목이었다.

포스트휴먼 갈라테이아

　　구글의 알파고를 개발한 레이 커즈와일은 『특이점이 온다(*The Singularity is Near*)』(2005)라는 저서에서 2045년에 지금은 상상할 수 없는 특이점의 시대가 온다고 주장한다. 특이점(singularity)이란 이전의 사고로는 상상할 수 없는 것이다. 인공지능이 지금의 인간의 지능을 넘어서는 시대, 즉 포스트휴먼(post-human)이 등장하는 4차 산업 시대를 예고한다.

　　고대 그리스 신화에서 4차 산업의 고리를 찾아보자. "그[헤파이스토스]는 얼굴과 양팔, 굳센 목, 털난 가슴 등을 해면으로 닦고 튜닉을 입고 굵직한 지팡이를 짚고 두 소녀의 부축을 받아 비틀거리고 나간다. 이 소녀는 산 사람과 꼭 같게 순전히 금으로 만들었다. 이들은 머리에 의식이 있어 말도 하며 몸도 놀리고 신의 은총을 받아 실도 낳고 길쌈 등 여러 가지 일도 한다"(호우머: 306). 로봇 공학자 헤파이스토스의 작업 현장에서는 이미 인공지능의 출현을 앞당겨 상상하고 있었다. 크레타를 수호하던 탈로스(Talos)는 헤파이스토스가 만들어 크레타 왕 미노스에게 선물한 청동 거인이다. 이 거인은 적이 오면 스스로 몸을 달구어 적을 껴안으면서 죽이는 일종의 로보캅이다. 헤파이스토스는 배의 자동 조타수와 같은 퀴베르네테스(Cybernetes)를 만들었다. 이것은 인공두뇌학인 사이버네틱스(cybernetics)의 원조이다.

아리스토텔레스 역시 스스로 움직이는 인공지능의 출현을 그의 『정치학』에서 언급한다. "가정을 운영하는 사람이 하인이 필요치 않거나 주인이 노예가 필요치 않은 경우는 꼭 한 가지밖에 없다. 이것은 생명이 없는 도구들이 각기 마치 다이달로스가 만든 동상들이나 헤파이스토스가 만든 제기처럼 명령을 받아서 혹은 주인의 뜻을 스스로 헤아려서 일을 하는 경우이다. 호메로스는 이런 것들을 다음과 같이 시로 읊었다. 그것들은 스스로 움직여서 올림포스 산 위에 있는 신들의 회의 장소로 들어갔다. 다시 말하면 베틀의 북이 스스로 천을 짜고 현악기의 픽이 스스로 하프를 연주하는 식이다"(아리스토텔레스 II: 19).

다이달로스는 헤파이스토스의 자손이다. 그리고 다이달로스의 조카는 페르딕스이다. 이 조카 역시 타고난 핏줄대로 천재 발명가였다. 그러나 조카의 재능이 점점 삼촌을 능가하자, 다이달로스는 아크로폴리스 언덕에서 그를 밀어 죽인다. 이것이 발각되자 다이달로스는 아테나에서 추방되어 크레타로 간다. 그의 재능은 이 크레타 섬에서 명성을 얻는다. 그는 크레타 섬의 왕비 파시파에에게 나무로 된 정교한 황소를 만들어 준다. 그는 또한 왕비와 이 황소 사이에서 태어난 괴물 자식 미노타우로스를 감금하기 위해, 미노스왕이 주문한 미로를 만든다. 다이달로스는 헤파이스토스를 닮아 무엇이든 못 만드는 게 없다. 그가 만든 미로는 알고리즘을 연상시킨다. 다이달로스는 아리아드네에게 미로의 비밀을 알려 주었

〈이카루스의 추락〉, 제이콥 고위, 1636

다는 이유로 미노스에 의해 아들 이카루스와 함께 감금된다. 아이러니하게, 자신이 만든 미로에 자신이 감금된다. 다이달로스는 아들과 함께 탈출한다. 아들에게 밀랍으로 만든 날개를 달아 함께 하늘로 날아오른다. 하지만 아들은 태양 가까이 가지 말라는 아버지의 충고를 따르지 않고, 호기심에 이끌려 태양 가까이 가는 바람에 날개가 타서 추락한다. 마치 인공지능의 대폭발이 가져다줄 재앙을 앞서 경고하듯이.

피그말리온은 지중해 동부에 위치한, 세 번째로 큰 섬인 키프로스의 파포스 출신이다. 이곳은 아프로디테와 아도니스의 고향이다. 아프로디테가 우라노스의 정액을 받아 바다에서 태어나 조가비에 실려 도착한 곳이 키프로스이다. 아프로디테의 유전자를 이어받은 이곳의 여인들은 음란하다. 청년 피그말리온은 음란한 여인들과는 다른 정숙한 여인을 상상 속에 그리고 있다. 그는 이상적인 여인을 조각으로 만들어 놓고 매일 아프로디테에게 그 조각이 살아나도록 기도한다. 지성이면 감천이다. 아프로디테가 소원을 들어주어 조각이 살아나 갈라테이아라는 우유 빛깔의 인공 미인이 탄생한다. 키프로스의 현실에서는 탄생할 수 없는 인공 인간, 즉 포스트-휴먼(post-human)이 탄생한 것이다.

제우스의 화려한 외출

　　제우스의 외출은 잦다. 마음에 드는 여성이 있으면 변신하여 접근한다. 쉬는 날이 없다. 에우로페에게는 황소로, 이오에게는 구름으로, 레다에게는 백조로, 알크메네에게는 그의 남편 암피트리온으로 변신한다. 그의 외출 중 가장 화려한 외출은 다나에를 향한 외출이다. 구스타프 클림트[8]는 이 화려한 외출을 황금색으로 그린다. 황금보다 더 화려한 건 없다. 그 외출이 더 화려한 것은 비로 접근하기 때문이다. 비는 마른 땅을 촉촉이 적신다. 그렇게 황금 비로 변신하여 다나에를 찾는다. 좁은 창으로 들어가는 것은 비로 변신하지 않고서는 불가능하다.

　　다나에는 누구인가? 그녀는 아르고스 왕 아크리시오스의 딸이다. 아크리시오스는 자신의 딸이 낳은 손자에게 살해당할 것이라는 신탁을 듣는다. 왕은 다나에를 높은 청동 탑에 유폐시킨다. 그 다나에에게 황금 비로 변신하여 제우스가 찾아온다. 이렇게 제우스와 다나에 사이에 페르세우스가 태어난다. 왕은 이 손자를 죽이고 싶었지만, 아버지가 제우스라서 죽일 수가 없었다. 왕은 다나에와 페르세우스를 나무 궤짝에 넣어 바다에 던져 버렸다. 이리저리 휩쓸려 세리포스 섬에 닿자, 어부 딕티스가 모자(母子)를 구해 주었다. 이 모자와 관련된 이야기는 해피엔딩으로 끝이 난다. 세리포스 섬의 왕

〈페르세우스와 안드로메다〉, 피에르 푸제, 1684

폴리덱테스는 다나에를 아내로 맞기 위해 방해꾼인 페르세우스를 죽이려고 한다. 이를 위해 페르세우스에게 메두사의 머리를 가져오게 한다. 가져오지 못하면 다나에를 아내로 맞을 거라고 담판한다. 하지만 페르세우스는 아버지 제우스의 도움으로 메두사의 머리도 가져오고, 세리포스로 돌아오던 중 안드로메다를 아내로 맞는다. 페르세우스가 가져온 메두사의 머리가 든 자루를 열자 세리포스의 왕 폴리덱테스와 신하들 모두 돌로 변하고 만다. 페르세우스는 자신과 어머니를 구해 준 폴리덱테스의 동생 딕티스에게 세리포스를 넘겨주고 섬을 떠난다. 이후 우연히 원반던지기 대회에 참석하는데, 페르세우스가 던진 원반에 한 노인이 죽는다. 그 노인이 바로 아크리시오스 왕이다. 신탁대로 손자에 의해 할아버지가 죽은 것이다.

높은 청동 탑에 유폐되어 있던 다나에를 찾아온 제우스는 더 이상 올림포스를 다스리는 주신이 아니다. 아크리시오스에 의해 갇혀 있던 이 탑은 다나에의 욕망을 억압하는 자크 라캉의 '상징계'이다.[9] 왕의 권력을 유지하기 위한 금욕의 탑이다. 금지된 것을 욕망하는 다나에의 처소이다. 그리고 어디에선가 그녀를 감시하고 있는 파놉티콘이다. 욕망을 채워 주는 비로, 그것도 황금 비로 이 탑을 찾아온 제우스는 인간 세상이 만들어 놓은 상징적 질서를 자유롭게 넘나든다. 아버지에 의해 금지당한 것을 더욱 절망적으로 기다리던 다나에에게 황금 비는 그것을 채워 주는 화려한 선물이다.

욕망은 '이성'이란 거울로 아무리 갈고 닦아도 더욱 화려

〈다나에〉, 클림트, 1907

하게 빛난다. 청동 탑으로 아무리 가두어도 욕망은 흘러넘친
다. 그 밀폐된 공간으로 제우스는 비로 흘러 들어온다. 비에
촉촉이 젖어 드는 다나에는 세상 어느 여성보다 행복해 보인
다. 이 황홀한 순간을 클림트는 아르누보 양식[10]으로 표현했
다. 욕망의 아름다움을 이보다 더 잘 표현할 수 있을까? 그녀
의 몸과 살포시 내려감은 눈 그리고 하반신으로 밀려오는 남
성성. 클림트는 에곤 실레와는 다른 기법으로 욕망을 그린다.
에곤 실레[11]가 자신의 욕망을 다소 어둡고 울퉁불퉁하게 야
수성으로 표현한다면, 클림트는 화려하지만 관능을 방해하
지 않게 그린다. 실레가 욕망을 쏟아내듯 표현한다면, 클림트

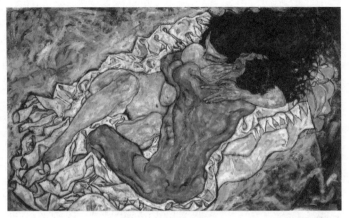

<포옹>, 실레, 1917

는 욕망을 화려하게 표현한다. 클림트는 고전주의를 허물고 열리는 욕망과 광기의 질서를 상징적 질서로부터 자유롭게 노출시킨다.

라캉의 말처럼, 인간은 금지된 것을 욕망한다. 인간에게 덧씌워진 상징적 질서인 초자아(super ego)는 아버지가 딸에게 강요한 청동 탑이다. 인간의 이성이 만든 이 탑도 인간의 근원적 욕망을 담아내기엔 역부족이다. 고전(古典)은 이 흘러넘치는 욕망을 자제하는 능력을 기르라고 가르친다. 아리스토텔레스는 『니코마코스 윤리학』에서 욕망에 휘둘리는 인간이 자제력을 갖추는 것이 행복한 삶이라고 가르친다. 그러나 자제력을 갖추기는 매우 힘들다. 이성이 탁월성[덕]을 발휘할 때만 가능하다. 덕성을 갖추지 않으면 욕망을 잠재울 수 없다. 얼마나 어려우면 '제비 한 마리가 왔다고 봄이 오는 것도 아니요, 하루아침에 여름이 되는 것도 아니듯이'(아리스토텔레스 I: 48) 꾸준한 실천이 필요하다고 했을까? 다나에처럼 인간은, 아무리 청동으로 만든 탑으로 욕망을 억제한다고 하더라도, 비가 오면 쉽게 녹아드는 나약한 존재이다.

욕망은 금지되기 전에는 욕망이 아니었다. 이성에 의해 억압되어야 할 대상으로 규정되면서 '욕망'이란 이름을 가진다. 욕망은 이성 이전의 인간 그 자체였다. 스피노자가 말하듯, 인간은 원래 욕망적 존재이다(스피노자: 188-189). 자신의 존재를 보존하려는 욕망인 코나투스(conatus)보다 더 근원적인 것은 없다. 이걸 부정할 때만큼 비인간적일 때가 없다. '욕망'이란 한자는 욕심 慾에 바랄 望이다. 왜 望인가? 인간에게 욕심은 근본적인 소망이고 희망이다. 욕망은 그 어휘부터 욕심이고 희망이다. 그 희망은 '이성'이란 거울 이면에 잠재되어 있을 뿐이다. 이성의 거울을 아무리 갈고 닦아도, 닦을수록 욕망은 더욱 화려하게 빛난다. 그래서 제우스의 화려한 외출은 다나에에겐 더 없는 기쁨이다. 그 외출이 화려하면 할수록 그녀의 기쁨은 더욱더 크다.

오이디푸스의 아모르파티

　　오이디푸스가 태어난 테바이는 비극의 국가였
다. 카드모스는 아버지 아게노르의 명을 받아 제우스가 납치
해 간 누이 에우로페를 찾아 나섰지만 찾지 못한다. 그래서
페니키아로 돌아가지 못한 그는 자신을 안내하는 소가 드러
누운 보이오티아에 나라를 세운다. 그 나라가 바로 테바이이
다. 아버지에게로 돌아가지 못하는 아들이 자신의 의지와 관
계없이 테바이의 왕이 되었다. 카드모스는 하르모니아와 결
혼하여 여러 자녀를 낳았지만, 불행하게도 모두 죽고 딸 세멜
레만 살아남았다. 세멜레는 이후 제우스와의 사이에서 디오
니소스를 낳는다.

　　테바이는 아테네와 스파르타 사이에 낀 지정학적 위치
때문에 비극적 운명을 감당해야 할 국가였다. 역사적으로 때
로는 아테네와 또 때로는 스파르타와 연합하지 않으면 생존
할 수 없는 운명을 타고난 국가이다. 한때 패권을 쥔 적이 있
긴 하지만, 기원전 371년에서 362년까지 10년 정도뿐이다.

　　오이디푸스는 그 출생부터 비극적이다. 그는 테바이 출생
의 헤라클레스처럼 영웅이 아니다. 그저 운좋게(?) 스핑크스
의 수수께끼를 풀고 테바이의 왕이 된 자이다. 오이디푸스만
큼 자신의 운명을 사랑한 자가 또 있을까? 철학자 니체는 자
신에게 주어진 운명을 피하지 않고 적극적으로 받아들여 긍

정적으로 살아가는 힘을 아모르파티, 즉 운명(fati)을 사랑하는(amor) '운명애'라고 말한다. 니체는 자신의 운명을 초월적 힘에 의존해 피하려는 기독교인들이나 운명을 부정적으로 받아들여 자살이나 불교적 해탈을 통해 극복하려는 쇼펜하우어와는 다른 길을 택한다. 인간은 자신에게 주어진 운명에 대해 알지 못한다. 이 운명을 피할 수는 없다. 니체는 자신에게 주어진 운명을 새로운 삶으로 전환해 가는 동력으로 받아들이는 태도를 긍정적으로 평가한다.

친부모에 의해 추방되었다가 산에서 발(pous)이 부르튼(oidos) 채로 발견된 오이디푸스는 코린토스의 왕 폴리보스와 왕비 멜로페의 양자로 겨우 생을 연명한다. 나무에 거꾸로 매달려 있어 '부푼 발'이라는 의미를 지닌 '오이디푸스'는 그 이름조차 비극적이다. 델포이 신전을 우연히 찾아간 오이디푸스는 자신이 아버지를 죽이고 어머니와 결혼할 것이라는 신탁을 듣는다. 그에게 닥친 피할 수 없는 운명이다. 이를 피하기 위해 코린토스를 떠나 방황하던 길에서, 그는 우연히 마주친 생부(生父) 라이오스 왕을 죽인다. 헤라는 바람을 피우는 라이오스 왕의 버릇을 고쳐 주려고 스핑크스를 테바이 성문으로 보낸다. 수수께끼를 풀지 못하는 자는 성 안으로 들여 놓지 못하게 하여 테바이를 궁지에 몰아넣을 계산이었다. 하지만 스핑크스의 수수께끼를 풀고 테바이에 도착한 오이디푸스는 테바이의 왕이 되고, 낳아 준 어머니 이오카스테를 왕비로 맞는다. 하지만 테바이에 굶주림과 돌림병이 돈 이유가 그곳에 라이오스 왕을 죽인 자가 있어 그렇다는 풍문을 듣고, 오이디푸스는 그자를 찾으면 두 눈을 뽑고 추방하겠다고 시민들에게 약속한다. 결국 테이레시아스로부터 오이디푸스 자신이 생부 라이오스 왕을 죽였다는 사실을 알게 되면서 비극은 시작된다. 어머니이자 아내였던 이오카스테는 아들이 남편을 죽이고 자신과 살고 있다는 사실을 알게 되자 충격에 빠져 자살한다. 오이디푸스는 자신의 두 눈을 찔러 스스로 장님이 되어 큰딸 안티고네와 테바이를 떠나 기약 없는 머나먼 방랑을 시작한다.

왜 눈을 찔러 장님이 되는가? 본다는 것은 안다는 것이고, 진리를 아는 것이 눈의 능력이고 힘이다. 하지만 오이디푸스는 코앞에 닥친 자신의 운명을 눈을 뜨고도 알지 못했다. 자신의 무지를 실명(失明)으로 후회한다. 오이디푸스의 실명은 맹인 예언자 테이레시아스와 대비된다. 눈은 모든 것을 아는 능력이 있지만, 동시에 보이는 것만 알 수 있는 한계도 갖는다. 테이레시아스는 눈을 감고도 오이디푸스의 운명을 정확히 예언한다. 이에 반해 오이디푸스는 눈을 뜨고도 자신의 운명을 알지 못한다. 테이레시아스가 눈을 뜨고 있는 오이디푸스에게 "그대는 눈이 있어도 보지 못하고 있소. 그대가 어떤 불행에 빠졌는지, 누구와 사는지 말이오. 그대가 누구의 자손인지 알고나 있나요?"(소포클레스: 414-415행)라고 반박한다. 이에 대해 오이디푸스는 눈이 보이지 않는 테이레시아스는 진리를 알 수 없다고 매도한다. 하지만 오이디푸스는 볼 수 없는 상태가 되어서야 비로소 자신 안에 존재하는 욕망을 직관할 수 있었다. 눈이 보이지 않게 되자 마음의 눈을 뜨게 된 것이다. 오이디푸스는 자신에게 찾아온 운명을 피하지 않는다. 현실을 현실로 인정하고 긍정한다.

또 다른 해석은 오이디푸스를 아버지 라이오스 왕의 비행 때문에 헤라의 저주를 받은 희생자로 설정하는 것이다. 라이오스는 랍다코스의 아들로 태어난다. 한 살 때 아버지를 잃자, 외가 쪽 사람 리코스가 섭정한다. 하지만 쌍둥이 형제인 암피온과 제토스가 테바이 왕권을 빼앗자, 라이오스는 피사의 펠롭스 왕국으로 피신한다. 라이오스는 자신을 돌봐 준 왕가의 은혜를 배신하고, 테바이로 돌아오는 와중에 펠롭스의 아들인 미청년 크리시포스를 성추행한다. 크리시포스는 목매어 자살한다. 가정의 수호신 헤라가 가만히 있을 리 없다. 헤라는 라이오스에게 아내 이오카스테는 아들과 결혼하고 그는 아들에게 죽임을 당하게 될 것이라는 저주를 내린다. 라이오스 일가의 비극의 근원은 바로 라이오스 자신에게서 찾아야 한다. 라이오스는 자신이 미소년을 성추행했다는 사실을 혼자만의 비밀로 숨기다 보니, 그는 아들에게 죽고 아내는 아들의 처가 된다는 신탁도 이오카스테에게 말할 수 없었다. 미소년을 추행했다는 사실 때문이다. 라이오스가 아내와 소통을 단절하자, 아내는 남편을 술 취하게 하여 소통 없는 관계에서 아들을 낳는다. 부부간의 소통의 단절이 일가의 비극을 잉태한 것이다. 이렇게 태어난 아들을 산으로 데려가 죽이라고 한 것이 이후 일가의 비극적 삶의 씨앗이 된 것이다. 우리는 때론 자신과 무관하게 주어지는 피할 수 없는 일들을 만난다. 피하려는 나약한 의지보다는 그것을 적극적으

로 인정하고 극복하려는 강한 힘이 절실할 때가 있다. 니체가
말한 권력에의 의지이다. 자신의 운명을 사랑하고 그것을 통
해 자신의 삶을 미래지향적으로 극복해 가는 힘이 오이디푸
스를 견디게 한 힘이다.

　안티고네 역시 아버지의 운명을 받아들인다. 늙은 아버
지의 운명을 피하지 않고 동반자가 된다. 소포클레스[12]의 『콜
로노스의 오이디푸스』에 의하면, 이들 부녀가 스스로 자신의
삶을 끝내려고 도착한 곳이 아테네 국경 콜로노스이다. 여기
서 이 부녀는 새로운 운명을 창조해 나간다. 『오이디푸스왕』
에서의 오이디푸스의 삶이 비극적이라면, 『콜로노스의 오이
디푸스』에서는 새로운 삶을 찾아 나서고 있다. 오이디푸스
와 안티고네는 아테네 콜로노스의 주민으로 살 수 있도록 간
청한다. 자신에게 주어진 운명을 자신과는 무관한 것으로 변
명하지 않고 받아들이기 위해 이방의 나라로 떠나왔다. 그곳
에서 오이디푸스는 자신이 의도치 않게 저지른 일에 대해 용
서해 달라고 애원한다. 운명은 주어진 것이지만, 그것을 새로
운 가능성으로 창조해 나가는 것이 더 중요하다. "우리는 이
방인인지라 이곳 주민에게 배워야 하고 그들의 지시에 따라
야"(소포클레스: 155행) 한다고 말하면서, 아테네의 테세우스에
게 자신들의 이주를 허락해 주기를 간청한다. 코린토스에서
테바이로 그리고 이곳 아테네로 방랑하면서 자신의 삶의 운
명을 새롭게 개척해 간다. 콜로노스 주민들은 괴물로 여겼던
부녀를 차츰 인정하고 그들의 운명을 받아들이기 시작한다.
테세우스는 오이디푸스에게 거주를 허락한다. "나는 그(오이

〈오이디푸스와 스핑크스〉, 장 도미니크 앵그르, 1827

〈오이디푸스와 스핑크스〉, 귀스타브 모로, 1864

디푸스)를 시민으로 이 나라에 받아들일 것이오. 이곳에 머무
는 것이 나그네 마음에 든다면, 나는 그대들(콜로노스 주민들)
에게 명해 그를 지켜주게 할 것이오"(소포클레스: 637-639행).
이로써 오이디푸스는 생의 마지막에 이르러 새로운 삶의 가
능성을 찾은 것이다.

　모든 것은 지속적으로 변한다. 운명은 주어진 것이지만,
이 또한 변한다. 주어진 운명을 피해 갈 수 있는 또 다른 현
실은 없다. 현실은 현실로 인정할 뿐이다. 현실을 비껴가서
만날 새로운 세계나 이상은 없다. 오이디푸스는 정해진 운명
을 받아들이되 항상 무엇이 진정한 운명애인지를 물으면서
유랑의 길을 걸어왔다. 오이디푸스는 그냥 걸은 게 아니다.
그는 코린토스에서 테바이로, 테바이에서 아테네로 걸으면서
새로운 풍경과 기회들을 만났다. 영원한 것은 없다고 생각한
다. 자신의 운명을 피하기 위해 테바이에 머물러 앉았다면 새
로운 기회와 풍경은 만날 수 없었을 것이다. 오히려 그는 주
어진 운명을 새로운 운명을 열어 가는 기회로 삼는다. 운명은
주어진 것이기도 하지만 만들어 가는 것이기도 하다.

　오이디푸스와 스핑크스를 그린 두 점의 그림이 있다. 하
나는 앵그르가 1808년에 초안하여 1827년에 완성한 그림이
고, 다른 하나는 모로가 1864년에 그린 것이다. 모로가 앵그
르의 영향을 받았지만, 두 그림의 방점은 다소 다르다. 모로가
스핑크스의 위력에 다소 긴장한 듯한 오이디푸스를 그린 데
반해, 앵그르의 그림에서 스핑크스의 존재는 사이드로 밀려나
고 오이디푸스가 생생하게 화면의 중심을 잡고 있다.

소포클레스는 소크라테스와 동시대의 작가이다. 아테네의 인간 중심의 민주주의가 꽃을 피우기 시작한 시점에 인간 오이디푸스에 방점을 찍어 서술한다. 아이스킬로스보다 30년 정도 후에 출생한 소포클레스는 아이스킬로스의 신 중심적 서술 방식과는 다소 결을 달리하고 있다. 모로의 그림 역시 스핑크스의 위력에 다소 긴장한 듯한 오이디푸스의 모습이지만, 결국 수수께끼를 푼 그에게, 스핑크스는 곧 죽어 버릴 괴물일 뿐이다.

오이디푸스는 한 곳에 닻을 내리는 안전한 삶을 추구하기보다 유랑하면서 새로운 삶을 개척하는 유목민, 호모 노마드(Homo nomad)이다. 그는 친부를 살해하고 친모를 아내로 삼았다는 죄의식과 양심의 가책에 자신을 맡기지 않았다. 그는 비극적 운명을 자신의 바깥에 내던지지 않고 자신이 기꺼이 감수해야 할 현실로 인정한다. 오이디푸스는 그에게 주어진 운명을 변명하거나 피하지 않고 긍정하며 살아낸 초인이 아닐까?

배꼽과 사다리

2017년 루브르를 다녀온 후 사진 정리를 하다 보니, 박물관에서 제일 먼저 찍은 석 장 모두 에로스가 있다. 이른바 고대 그리스 신화에 약방의 감초로 등장하는 게 에로스이다. 아프로디테의 사랑의 현장에는 어김없이 등장한다. 마르스와의 밀회 현장에도, 테티스와 펠레우스의 결혼식장과 파리스의 심판 현장에도 나타난다. 그리고 알렉상드르 카바넬의 명화 〈비너스의 탄생〉(1863)에도 하늘에 떠 있다. 이 신을 주제로 다룬 것이 플라톤의 『향연』이다. 에로스 신은 신화에서 두 개의 다른 신으로 등장한다. 창세 신화에서는 우주의 원리로 등장하는가 하면, 아프로디테의 아들로 황금과 납으로 된 두 개의 화살을 가지고 다니는 사랑의 메신저이기도 하다. 그리고 플라톤은 에로스를 인간이 결핍한 정말 좋은 것을 가지려는 욕망으로 정의한다.

기원전 416년 아가톤이 비극 경연 대회에서 우승한 것을 기념하기 위해 잔치를 베푼 것이 『향연(symposium)』의 배경이다. 향연은 함께(sym) 마시는 것(posium)이다. 파이드로스의 건의에 따라 사회자 에릭시마코스가 주제를 어떻게 정할지 제안을 하자, 참석자들이 의논 끝에 에로스를 주제로 정한다. 여기에는 '디오티마'라는 가상의 인물을 제외하고 7명이 등장한다. 술이 이어지고 약간 취한 상태에서 토론을 마무리한다. 당시에 술은 대화를 위해 필요한 만큼의 양으로 만족해야 했다.

이 토론 중 눈에 띄는 인물이 아리스토파네스[13]이다. 아리스토파네스는 당시 희극 작품을 11편이나 쓴 대표적인 희극작가였다. 그는 소크라테스와는 앙숙이다. 이 두 사람은 7년 전인 기원전 423년 디오니소스 대희극제에서 만난 적이 있다. 당시 아리스토파네스는 〈구름〉이라는 작품 속에서 소크라테스를 망나니로 부정적으로 묘사했다. 당시에도 희극은 현실 비판의 도구였다. 아리스토파네스는 소크라테스보다 20살 정도 연하이다. 동시대를 살면서 서로 다른 생각을 가지고 산 두 사람이다. 어느 시대든 그 시대를 지배하는 주류 담론이 있고, 그에 저항하는 비주류 담론이 있다.

〈구름〉의 내용은 대충 이렇다. 아들을 잘못 가르친 학교에 아버지가 불을 지른다. 불난 학교에서 살려고 허둥지둥 뛰쳐나오는 이가 바로 소크라테스이다. 아버지는 왜 불을 질렀는가? 아들이 아버지를 때리고서는 아무렇지도 않게 여긴다. 아들이 아버지를 때린 이유는, 아버지가 아들을 사랑하여 때리듯이, 아들도 아버지를 사랑하기 때문에 때린다는 것이다. 이 궤변을 가르친 선생이 바로 소크라테스이다. 이 공연은 소크라테스가 법정에 서게 되고 결국 스스로 생을 마감하게 된 원인 중 하나가 되었다. 이 둘 사이의 관계가 좋을 리 없다. 그리고 에로스에 대한 정의도 같을 수 없다.

아리스토파네스는 에로스에 대해 '배꼽 이론'으로 설명

한다. 인간의 배꼽이 왜 생겼는가? 인간은 원래 두 사람이 한 몸을 이루었다. 그때 인간의 힘은 막강했다. 눈이 네 개이니 더 멀리 더 잘 볼 수 있고, 귀가 네 개이니 더 잘 들을 수 있다. 하지만 제우스는 인간이 강해지는 걸 볼 수 없었다. 그래서 인간을 반으로 자르고 가운데를 실로 꿰맨 것이다. 그 자국이 배꼽이다. 원래 둘이던 것이 하나로 줄어드니 다른 하나에 대한 그리움이 솟구칠 수밖에 없다. 나의 반쪽 — 그것이 좋든 그렇지 않든 간에 — 에 대한 그리움이 바로 에로스이다. 권력이든, 명예든, 혹은 부든, 인간이 그것으로 인해 보다 완전해지고 싶은 욕망이 에로스이다.

이에 반해 소크라테스의 대변인 플라톤은 '사다리 이론'으로 설명한다. 그는 소크라테스의 입장에서 정말로 좋은 것을 그리워하는 것이 에로스라고 말한다. 여기서 정말로 좋은 것은 이데아이다. 플라톤은 육체적인 사랑은 좋아 보이는 것일 뿐, 정말로 좋은 사랑은 정신적 사랑이라고 가르친다. 그는 쾌락, 돈, 명예, 권력이 좋아 보이지만, 정말로 좋은 것은 아니라고 말한다. 정말로 좋은 것은 정말로 행복한 것이다. 행복한 것처럼 보이는 것들은 정말로 행복한 것과는 다르다고 가르친다. 그래서 우리는 덜 가져도, 명예가 없어도, 심지어 그리 건강하지 못해도 행복할 수 있다. 좋아 보이는 것들에서 정말로 좋은 것 자체로 사다리를 타고 상승하는 힘이 에로스이다.

소크라테스가 빚진 닭

요즘 닭만큼 흔한 고기가 없다. 소크라테스는 이 흔한 닭 한 마리를 빚으로 남기고 죽었다. 소크라테스가 독배를 마시고 죽기 전에 친구이자 제자이며 돈이 많은 크리톤[14]에게 다음과 같은 말을 남겼다고 한다. "오 크리톤, 아스클레피오스에게 내가 닭 한 마리를 빚졌네. 기억해 두었다가 갚아 주게."

아스클레피오스는 고대 그리스의 의술의 신이다. 당시에 환자들은 병이 치유된 고마움을 닭 한 마리로 대신했다. 소크라테스 역시 치유 받았다. 그에 대한 대가로 닭을 바쳐야 하는데, 그러지 못하고 죽어야 하기에 크리톤에게 대신 갚아 줄 것을 부탁한다. 그런데 병이 나은 것도 아닌데 웬 대가인가? 소크라테스는 죽음을 육체의 고통으로부터 영혼이 해방되는 치유라고 생각한다. 그래서 의술의 신에게 빚을 졌다고 생각한 것이다. 그에게 죽음은 육체에 감금되어 있는 영혼이 다시 고향으로 옮겨 가는 것일 뿐이다. 그래서 당당하게 죽는다.

유명한 〈소크라테스의 죽음〉은 자크 루이 다비드[15]가 루이 16세 때, 당시의 폭정을 고발하는 의미로 그린 그림이다. 대혁명 직전인 1787년에 그렸다. 인간의 육체는 소멸하지만 영혼은 영원하다고, 진리는 영원하다고 그림으로 말한다.

15년 전에, 터키에서 에게해를 통해 그리스로 넘어간 적

〈소크라테스의 죽음〉, 자크 루이 다비드, 1787

이 있다. 그렇게 도착한 곳이 에게해 남동부에 있는 코스 섬
이다. 코스와 다소가 헷갈렸던 기억이 난다. 다소는 사도 바
울의 고향이고, 코스는 히포크라테스가 기원전 460년경에 태
어난 곳이다. 이 코스 섬은 히포크라테스의 선조격인 아스클
레피오스의 고향이기도 하다. 의술의 신 아스클레피오스는
모든 병을 다 고쳤다. 아버지 아폴론의 의술을 이어받았기 때
문이다. 그래서 신이다. 그런데 하데스의 사업이 영향을 받는
다. 죽은 사람이 많이 와야 번창할 사업인데, 아스클레피오스
때문에 불황인 것이다. 그래서 하데스가 제우스에게 어려운
사정을 하소연한다. 제우스는 하데스의 말을 듣고 아스클레
피오스를 벼락으로 죽인다. 그러나 제우스는 자신의 손자뻘
인 아스클레피오스를 하늘의 뱀자리별로 다시 살아나게 한
다. 세계보건기구(WHO)의 로고에 뱀이 등장하는 이유이다.

엘레아와 에페수스

　　이탈리아 남부의 옛 그리스 식민지인 엘레아와 이오니아의 에페수스 출신의 두 철학자 이야기다. 엘레아는 로마에 의해 합병될 때까지 외침을 받거나 이방 문화에 노출되지 않고 문화적 정체성을 오래 간직해 온 땅이다. 그 땅에서 사유한 파르메니데스[16]는 변화 대신 존재의 동일성을 철학적으로 변론한다. 아테네와 마주하고 있는 에페수스는 상업 도시로서 번창한 곳이다. 다양한 문화들을 가로지르는 동일한 정체성에 미련을 가질 수 없다. 변화를 진리로 사유한 헤라클레이토스의 고향이다. 헤라클레이토스의 입장에서는 변화를 거부하는 것만큼 어리석은 일은 없다. 엘레아의 파르메니데스는 헤라클레이토스가 보기에 어리석은 사람이다.

　　그리스 신화 속의 무녀 쿠마이의 시빌레는 아폴론의 구애를 받아들이는 대가로 장수를 허락받긴 하지만, 사랑을 거부당한 아폴론은 그녀에게서 젊음을 거두어 간다. 시빌레는 평생을 노인으로 살아간다. 하지만 그녀는 자신의 늙음을 받아들인다. 시간이 가면서 모습조차 남성적인 얼굴로 변하지만, 그녀는 자신의 운명을 기꺼이 받아들인다. 변화를 운명으로 받아들인다. 자신의 변화를 받아들이고 책을 들여다보는 여유까지 보이는 시빌레는 헤라클레이토스에게 변화가 진리임을 전수하는 듯하다. 단순히 변하는 게 진리가 아니라

〈쿠마이의 시빌레〉, 미켈란젤로, 1510

그 변화의 원리(logos)가 진리이다. 서로 대립되는 것들이 싸우면서 공존하는 방식으로 변하는 게 진리라는 것이다. 불은 공기를 죽임으로써 살고, 낮은 밤을 죽임으로써 산다. 그에게 싸움은 정의이다. 변화의 동인(動因)이 바로 싸움이다.

엘레아는 이오니아의 그리스인들이 페르시아군에 쫓

겨 와 정착한 곳으로서, 지금의 이태리 남부의 조용한 곳
이다. 이태리 남부 나폴리의 옛 그리스 이름은 네아폴리스
(Neapolis), 신도시였다. 해안의 남부를 따라 그리스인들에 의
해 개척된 식민 도시였다. 그리스인들에 의해 새로운 도시로
이름 붙여진 곳이다. 나폴리에서 남쪽으로 150킬로미터 정도
떨어진 히엘레(Hyele) ― 엘레아(지금의 벨리아)로 더 알려진
곳 ― 에 파르메니데스가 살고 있었다. 그의 흉상도 이곳에서
발굴되었다. 그의 제자 제논에 의해 '엘레아학파의 도시'로
유명세를 탔다.

엘레아는 아테네를 가운데 두고 이오니아의 정반대편에
있다. 엘레아학파는 이오니아의 번잡을 피해 이곳에 정착하
였다. 이탈리아의 다른 그리스 식민지와는 달리 엘레아는 비
교적 평화로운 공간이었다. 다양한 문화들이 교차하는 에게
해로부터 좀 떨어진 이곳에서 비교적 평온한 삶을 사는 엘레
아인들은 변화의 혼란스러움 대신 존재의 동일성에 안주한
다. 파르메니데스는 사유와 존재는 동일하다는 심오한 통찰
을 후대에 유산으로 남긴다. 비존재는 존재하지도 않고 사유
할 수도 없다. 왜냐하면 비존재를 사유할 수 있다면, 변화를
설명하지 않을 수 없기 때문이다.

에페수스의 헤테로토피아

에페수스는 지금의 터키 셀주크 지역이다. 한국인들이 가장 많이 방문하는 곳 중 하나일 것이다. 필자가 오래 전 그곳에 갔을 때도 한국 사람들 목소리가 그곳을 가득 메웠던 기억이 난다. 난 개인적으로 이곳을 두 번 다녀왔다. 셀수스 도서관도 기억이 나고, 그 당시의 비데식 공중 화장실도 기억이 생생하다. 그중 가장 기억에 남아 있는 것이 바로 입구 대리석에 찍혀 있던 남성의 발자국이다. 누가 왜 이곳에 새겨 놓은 것일까 하고 신기하게 보았던 게 생각난다. 모든 관광객들이 나와 마찬가지로 그런 생각을 했을 것이다. 남성 발자국 옆에 희미하지만 여성의 얼굴도 보인다. 이 발자국이 향하는 쪽에 공창(公娼)이 있었다. 한마디로 이 대리석 발자국은 당시의 공창을 말해 주는 유적이다. 남성 발자국의 크기는 성인(adult)의 것이다. 성이 허락되는 성인을 위한 공창이었던 것 같다. 공창은 셀수스 도서관과 그리 멀지 않은 곳에 있다. 셀수스 도서관은 기원후 117년 셀수스가 이곳의 총독이었던 아버지를 기념하기 위해 지은 것이다. 2층의 코린토 양식의 건물이다.

프랑스 철학자 미셸 푸코는 도시 공간에 따로 만들어진 환상향, 즉 헤테로토피아(hétérotopie)에 관해 말한 적이 있다. 유토피아는 인간이 그리는 이상향으로서, 현실 공간에

서는 찾을 수 없다. 하지만 푸코가 유토피아 개념과 상대적으로 달리 사용하는 헤테로토피아는 현실 공간에 존재하는 이상향이다. 유토피아(utopia)가 밝은 곳이라면, 디스토피아(dystopia)는 어두운 곳이다. 헤테로토피아는 밝음과 어두움이 혼재하는 현실적 이상 공간이다. 이 공간은 현실 공간에 대한 반(反)-공간이다. 위치를 가지는 유토피아이다(푸코: 13). 일상적 공간에 반대되는 공간으로서, 현실 공간을 대체하는 다른 공간이다. 이 공간은 광장을 떠나 자신만의 환락과 쾌락을 위해 존재하는 밀실이다. 만약 우리에게 광장만 있다면, 삶은 각박하다. 광장은 밀실이 있어 그 존재 의미를 부여받는다. 이 공간은 도심으로부터 다소 떨어져 있는, 이질적이고

다양한 문화들이 다층적으로 존재하는 공간이다. 도심의 일률적인 문화 패턴에 식상한 도시인들에겐 쉼과 환락 그리고 시간에 방해 받지 않으면서 즐거운 여행을 할 수 있는 공간이다. 극장이 그렇고, 도서관이 그렇다. 도심의 카페 한쪽에서 노트북을 들고 씨름하는 청년에게 그 공간은 헤테로토피아이다. 도심의 정원 역시 자연성과 인공성이 혼종하면서 심리적 안정감을 허락하는 헤테로토피아이다. 그것은 모든 도시 공간에 존재하며, 시대에 따라 다양하게 옮겨 다닌다.

이곳 에페수스의 공창은 당시로서는 환락의 헤테로토피아였다. 현실에서 매를 맞고 살아가는 인간들에게 그곳은 환락이라는 즐거움을 허락하는 환상적인 공간이었다. 일종의 자기 배려를 위한 밀실이었다. 이 공창은 현실에 분명히 존재하지만 현실을 흐릿하게 하면서 현실에서의 고통을 쾌락으로 치유하는 공간이었다. 이 공간은 근대로 들어서면서 매음굴로 다스려지고, 도시 주변으로 밀려나거나 소멸되어 또 다른 헤테로토피아로 대체되었다.

에페수스는 도서관과 공창이 혼종되어 있던 도시이다. 도시는 그 시대의 성(sexuality)을 이야기한다. 성은 감시와 처벌의 대상일 수 없다. 푸코는 인간의 성이 침묵을 강요받아 왔다고 말한다. 18세기 이후 성은 이성에 의해 억압되고, 통제를 넘어 처벌의 대상이 된 것이다. 고대 도시 에페수스에서 성은 도서관과 분리된 채 유리되어 있지 않았다. 성은 자유로운 인간의 본성이었다. 고대에 성은 관리와 감시의 대상이 아니라, 필요시 분리하여 그들만의 성을 즐길 자유를 허락한다.

근대로 접어들면서 성은 사회학적인 주제가 된다. 푸코는 현대 자본주의 사회에서 성은 권력과 무관하지 않다고 주장한다. 권력은 인간을 성적으로 무력하게 만든다. 성적으로 무력하게 된다는 말은 권력에 예속된다는 것이다. 푸코는 근대의 성 억압의 역사가 권력의 역사와 무관하지 않다고 고발한다. 성의 억압은 인간의 억압이다. 성의 감시는 인간의 감시이다. 성의 본질이 무엇인지 알려는 것은 결국 성을 효율적으로 관리하기 위한 과학의 야욕이다. 이것을 푸코는 지식과 권력의 야합이라고 말한다. 우리는 눈에 보이지 않는 파놉티콘에 의해 감시당한다. 파놉티콘은 모든 걸 다 본다는 것이고, 모든 것이 다 보인다는 것이다. 성을 잘 관리하고 있는지를 마치 CCTV처럼 감시한다. 성은 관리의 대상이 아니다. 성은 그 자체로 성일 뿐이다. 혐오스러운 것도, 그렇다고 지나치게 미화할 대상도 아니다. 고대 에페수스에는 파놉티콘이 없었다.

사모스의 피타고라스

피타고라스는 사모스 섬에서 출생하여 이오니아 밀레토스의 탈레스와 아낙시만드로스로부터 교육을 받았다. 그 후 오랜 타향 생활을 하다가 60세가 되어 고향으로 돌아와 자신의 학파를 형성한다. 그는 폭군 폴리크라테스[17]의 통치 기간 중 사모스를 떠나, 기원전 530년경 당시 그리스의 식민지였던 이탈리아 남부의 크로톤(현재 크로토네)으로 이주하였다. 그의 나이 40세였을 때이다. 이곳으로 300여 명을 데리고 와 학파를 이루어 공동체 생활을 하였다.

사모스 섬은 밀레토스와 마주 보고 있다. 이 두 도시는 오랜 분쟁을 겪었는데, 페리클레스[18]의 침공을 받아 아테네에 복속되었다. 사모스는 이오니아와는 달리 터키에 복속되지 않고 여전히 그리스의 문화를 전승하고 있었다. 섬나라의 정체성이 그렇듯, 외부와 단절된 채 내밀한 폐쇄성을 띠고 있다. 그들의 철학 역시 심오하고 그들만의 완결적인 사유 체계를 담고 있다. 밖으로 드러내기를 거부하고 자기 폐쇄적 문화를 고스란히 간직하려고 하니 자신들만의 신비 사상을 안으로 곱씹고 있었다.

피타고라스학파는 사물들 자체를 수로 이해한다. 감각적으로는 아무렇게나 변하는 거 같아도 그 배후에는 일정한 수적 비례관계가 있음을 그들은 관찰하였다. 만물의 아르케를 수적인 원리로 이해했다는 점은 그들이 매우 높은 형이상학적 식견을 가졌던 것으로 이해할 수 있다. 그들은 자신들의 체계의 이방인인 무리수를 발견한 히파수스를 수장(水葬)하였는데, 당시 만물을 수적 비례관계로 이해했던 피타고라스학파에게 무리수를 주장한 히파수스는 그들 학파의 정체성을 무너트리는 이단으로 여겨졌다. 자연을 코스모스(cosmos; 우주)로 부르기 시작한 피타고라스학파는 자연의 질서를 수적 비례관계로 표현하여 그 조화로움을 강조하였다. 무리수(無理數)를 나타내는 alogos는 비례적 관계를 나타내는 logos와는 반대로 비례적이지 않은, 이치에 맞지 않고 불합리하다는 의미를 갖고 있다. 우리가 합리적인 것과는 반대로 이치에 맞지 않는 경우를 무리하다고 말하는 이유이다. 그들만의 수리 형이상학은 섬나라 밖의 이방인들로부터 자신들의 문화적 정체성을 지키는 도구이면서 동시에 타문화에 대한 강력한 저항의 도구이기도 했다.

사모스의 북쪽은 물이 풍족했지만, 사람이 많이 모여 사는 남쪽은 항상 물이 부족하였다. 그래서 북쪽의 물을 남쪽으로 보내는 에우팔리노스 터널이 만들어졌다. 그 건설 과정에서 신비한 측량학적 토목 기술이 발견된다. 피타고라스학파의 수학적 형이상학은 그저 얻어진 것이 아니라, 바로 이 터널 공사를 통해 축적된 기하학적 측량술 덕분이다. 그들의 기하학은 그들의 문화와 역사로 형성된 당시의 생활세계에 이념의 옷을 입힌 것이다. 아무리 객관적인 수학이라고 하더라도 그들의 삶의 세계와 분리되어 있지 않다. 남쪽에도 물이 풍족해지면서 이곳의 문화는 전성기에 달한다. 음악이 발달하고 그 음악에 익숙했던 사모스인들은 음악에서 조화의 원리를 발견한 것이다. 물 부족이 사모스인들에게는 자연을 물질이 아닌 원리적 측면에서 이해한 토대가 된 것이다. 직각삼각형을 활용한 측량술이 이른바 피타고라스의 정리를 발견하는 기초가 된 것은 확실해 보인다(김재성).

아테네 변방의 보헤미안들

압데라는 프로타고라스와 데모크리토스의 고향이다. 빌란트[19]는 압데라를 멍청이들의 천국으로 묘사한다. 아테네로부터 700km 정도 떨어진, 그리스 북부에 위치한 압데라에 사는 사람들은 좋게 말하면 소박하고 단순하지만, 거칠게 말하면 멍청이들이다. 유복한 집안에서 태어난 데모크리토스는 젊은 시절에 여러 도시를 돌아다니면서 다양한 경험을 한 철학자이다. 심오한 철학자들과 만나 높은 수준의 철학을 다양하게 경험한 그는 사물에 대해 단순하게 파악한다. 물질이 아닌 다른 것으로 자연을 이해하기보다, 단순하게 눈에 보이고 만져지는 '원자'라는 물질을 만물의 토대로 이해한다. 그의 원자론은 윤리학의 기초가 된다. 영혼을 이루는 원자들의 과격한 운동은 쾌락을 줄지 몰라도 정신적인 만족감은 주지 못한다. 주어진 것에 만족하고 절도와 신중함을 잃지 말아야 한다고 말한다. 자연을 가장 단순하게 이해했다는 점에서는 다소 멍청해 보이긴 하지만, 어쩌면 진리는 단순한 것일지도 모른다. 그는 지적 로맨티스트였다. 자신의 능력을 초월하는 어떤 것에 집착하는 삶에서 자유로운 삶을 살았다. 보편적인 틀에 매이지 않는 보헤미안 기질을 가지고 살았다.

프로타고라스 역시 감각을 초월해 존재하는 진리를 사

유하는 데 힘을 들이지 않는, 사유 경제학자의 모습을 보여준다. 진리는 눈에 보이는 것이다. 보편적 진리는 존재하지도, 알 수도 없는 것이다. 당나귀를 빌린 자가 당나귀 그림자에 앉아 쉬고 있다. 당나귀 주인은 따진다. 당신이 나의 당나귀를 빌린 것이지 당나귀 그림자를 빌린 것은 아니니 대가를 지불하라고 말한다. 당나귀 당과 그림자 당으로 갈라져 서로 대가를 지불해야 한다고, 아니면 대가를 지불하지 않아도 된다고 멍청하게 싸운다. 당나귀 당과 그림자 당의 논쟁을 잠재울 보편적 진리는 없다. 그래서 인간이 만물의 척도이다. 이들의 눈에는 멍청하게 살지 않으려고 스스로 죽음을 택한 소크라테스야말로 어쩌면 아테네의 멍청이 중의 멍청이일지도 모른다.

당시 아테네는 그리스 문화의 다수자 공간이었다. 이에 반해 그리스 변방이나 식민 도시는 소수자들의 공간이었다. 또 한 사람의 걸출한 소피스트인 고르기아스는 당시 그리스 식민지였던 수사술(rhetoric)의 도시, 시칠리아의 레온티노이(현재 렌티니)에서 태어났다. 그는 플라톤의 대화편『고르기아스』에서 소크라테스의 대화 상대자로 등장하면서 후세에 더욱 유명세를 탔다. 그의 출생과 죽음에 대해 다소 다른 견해들이 있지만, 어쨌든 가장 오래 산 철학자 중의 한 사람이었음은 분명하다. 그는 그리스 식민지였던 엘레아 출신의 파르메니데스와는 달리 비존재의 철학을 주장한다. 이처럼 같은 지역이지만, 당시 이탈리아 남부는 다양한 사상과 문화가 공존하는 다문화 벨트였음을 알 수 있다. 고르기아스는 탁월한 수사술로 '아무것도 존재하지 않는다. 존재한다 하더라도 아무것도 알 수 없고, 알 수 있다 하더라도 언어로 표현하거나 전달할 수 없다'고 주장한다. 일종의 존재론적-인식론적 허무주의를 강변한다. 존재의 동일성에 집착했던 엘레아학파와는 결을 달리하고 있다. 고르기아스의 허무주의적 태도가 그를 장수한 철학자로 만들었는지도 모른다. 동일하고 보편적인 것에 대한 집착에서 자유로운 그의 삶의 태도는 아테네 중심의 다수자(보편자) 철학에 대한 소수자의 목소리를 대변하기도 한다. 이에 대해 탁월한 수사술로 진리가 아닌 것을 진리인 것으로 설득할 수 있다고 하더라도 진리가 아닌 것이 진리가 될 수 없다는 소크라테스는, 대화는 결코 설득이 목적이 아니라 진리를 인식하는 절차라고 목소리를 높인다.

글로벌 리더 알렉산더

마케도니아는 그리스 북쪽에 있다. 이곳은 인접한 마케도니아 공화국과 오랜 분쟁을 벌이다가, 2018년 6월 마케도니아를 '북마케도니아'로 국명을 변경하기로 양국 간 합의하였고, 2019년 1월 25일 이 합의안이 진통 끝에 의회를 통과하였다. 이곳은 아리스토텔레스와 알렉산더 대왕의 고향이다.

플라톤은 아테네 명문가 귀족 집안에서 태어났다. 아리스토텔레스는 그리스 최북단에 있는 옛 마케도니아 땅 스타게이라, 정확히는 올림피아 산악 지역 출신이다. 아리스토텔레스의 아버지는 당시 그곳 왕인 필리포스 2세의 주치의였다. 아테네에서 마케도니아까지는 670킬로미터 정도의 거리이다. 당시로서는 매우 먼 거리이다. 스타게이라는 아테네가 주도하는 델로스 동맹에 가입했으나, 이후 탈퇴하였고, 펠로폰네소스 전쟁 때는 스파르타 편을 들었다. 그래서 아테네와는 역사적으로 불편한 관계였다. 결국 아리스토텔레스는 반마케도니아의 중심에 섰던 아테네인들에 의해 불경죄로 고발당하지만, 아테네 시민들이 소크라테스를 무고하게 죽인 범죄를 다시 짓게 하지는 않겠다는 이유로 피신하여 죽음을 면한다.

마케도니아인의 뿌리는, 헤로도토스에 의하면, 도리아족

의 시조인 헬렌의 아들 도루스로 이어진다. 헬렌은 프로메테우스의 아들 데우칼리온과 판도라의 딸 피라 사이에 태어난 자식이다. 그러므로 마케도니아인은 제우스의 딸 아테나의 정신을 유산으로 이어 받은 아테네인들과는 그 뿌리가 다르다. 마케도니아인은 그 출생이 제우스 본가의 다수자가 아닌 비주류 소수자의 후손들이다. 필리포스 2세(기원전 382~336)가 암살당한 뒤에 왕위를 이은 그의 아들 알렉산더에 의해 마케도니아는 문화적 제국의 기틀을 마련한다. 그리스를 명실상부한 제국으로 이끈 왕은 알렉산더이다. 제국은 제국주의와는 다르다. 소수 문화를 다수 문화에 동화시키는 문화 제국주의는 그리 오래 가지 못했다. 알렉산더는 스스로 페르시아인과 결혼했고, 부하들에게도 국제결혼을 장려했다. 그는 "모든 사람은 세계를 자기 모국과 같이 생각하라. 선한 사람은 부모와 같이 대하고 악한 사람은 짐승과 같이 취급하라"고 하면서 민족적 차이를 초월한 세계주의를 주창했다(한태규: 60). 글로벌 리더로서의 그의 역량은 그가 정복한 지역들에서 이루어진 다문화 정책을 통해서 잘 드러난다.

'헬레니즘'은 알렉산더 대왕의 다문화 창조력의 산물이다. 그는 후기 그리스의 다문화주의의 토대를 마련하고, 30살을 갓 넘긴 기원전 323년에 그의 철학 선생이었던 아리스토텔레스보다 1년 먼저 죽었다. 아리스토텔레스로부터 공동체 윤리를 배웠고, 필리아(philia)의 실천을 통해 공동체 모두가 행복하게 사는 방법을 배운 제자였다. 타자의 행복 없이 나의 행복도 불가능하다는 아리스토텔레스의 가르침에 힘입

나가세나 상

었다. 타문화에 대한 배려와 코스모폴리턴적인 태도 역시 스승에게 배운 것이다. 그의 사후에 그리스 문화는 인도의 동방 문화와 자연스럽게 융합된다. 플라톤의 이데아로 동화될 수 없는 개개의 실체성을 철학의 기체로 삼는 아리스토텔레스의 형이상학은 후기 헬레니즘 창조에 토대가 된다.

후기 그리스의 다문화 창조의 예를 살펴보자. 당시 그리스 점령지였던 인도를 다스렸던 메난드로스 왕(재위: 기원전 155-130)이 인도 수도승 나가세나를 찾아가 나눈 대화가 『밀린다왕문경(彌蘭陀王問經)』으로 전해진다. 그리스적 자아론과 불교의 무아(無我)가 만난다. '그레코-불교'[20]는 다문화 창조물이다. 필자가 중국 시안 명·청대 주택박물관에서 찍은 인도 나가세나 상이 문화의 흐름을 말해 준다. 문화는 밀폐된 상자가 아니라 부단한 흐름이다.

원성왕릉에서 그리 멀리 않은 경주시 외동읍 밀방리의 외진 곳에 숭복사(崇福寺) 터가 있다. 이 사찰은 원성왕의 명복을 비는 원찰(願刹)로 지어진 것이다. 2020년 5월 현장을 방문했을 때 동서 두 개의 삼층 석탑이 복원을 위해 해체되어 있는 상태였다. 이 두 개의 탑에 부조되어 있는 불상들이 마치 머리에 관을 쓰고 있는 듯하다. 불국사 석굴암의 건달바

숭복사 삼층석탑

와 마찬가지로, 멀리 고대 그리스에서 중앙아시아를 거쳐 흘
러들어 온 헤라클레스의 사자관의 형상을 읽을 수 있다.

코린토스의 디오게네스

그리스 중남부 펠로폰네소스반도에 위치한 코린토스는 아테네와 스파르타 사이에 끼여 있어 펠로폰네소스 전쟁의 원인을 제공한 곳이기도 하다. 한때 이곳은 상업이 발달한 곳이었다. 코린토스는 아테네와는 78킬로미터, 스파르타와는 134킬로미터 거리에 있다. 코린토스는 항상 아테네의 위협에 노출되어 있었다. 위협을 느낀 코린토스는 거리가 더 먼 스파르타 편을 든다. 역사적으로 코린토스는 아테네와 그리 좋지 않은 관계였다.

알렉산더 대왕이 이 코린토스를 정복했을 당시 그곳에 살았던 디오게네스[21]는 이탈리아 화가 라파엘로가 그린 〈아테네 학당〉에서 플라톤의 앞길을 불량한 태도로 막고 있다. 그는 시노페에서 출생하였으나, 코린토스에서 살다가 그곳에서 알렉산더 대왕과 같은 해인 기원전 323년에 사망하였다. 그는 플라톤주의자들이 지나가면 그들의 사상에 오염되지 않기 위해 우산을 펼치곤 했다는 소문이 있다. 플라톤의 제자들이 인간을 '깃털 없는 이족(二足) 동물'로 정의하자, 마침 아카데메이아 옆을 지나던 디오게네스가 털을 뽑아 버린 닭 한 마리를 담장 안으로 던지면서 '여기 또 한 명의 인간이 있다'고 플라톤주의자들을 시니컬하게 비웃은 적도 있다.

바울의 선교 대상이 되었던 이곳은 예부터 아프로디테를

도리아 양식

이오니아 양식

코린토스 양식

숭상하는 사랑꾼들이 많았다. 창녀가 득실거리던 곳이다. 이성적으로 훈련되기를 강요받던 아테네인들에 비해 비교적 자유분방하다. 그 자유분방함이 그들의 건축양식에도 재현된다. 코린토스 양식은 파르테논 신전의 도리아 양식의 직선적이고 남성적인 것과는 대조적으로, 이오니아 양식에 여성성을 더 가미하고 곡선의 자유분방함을 더한 양식이다. 이 자유분방한 도시에서 역설적으로 금욕의 철학이 탄생한다.

훗날 알렉산더 대왕과 디오게네스는 코린토스에서 조우한다. 디오게네스를 찾아간 알렉산더 대왕은 마케도니아인의 과도한 욕망이 부끄러운 것임을 안으로 곱씹는다. 당신이 가리고 있는 자연의 빛이 그립다는 걸인 디오게네스의 말은 플라톤주의의 어두운 민낯을 그리고 인간의 언어로 자연의 원리를 합리적으로 설명할 수 있다는 아테네 철학자의 오만을 고발하였다. 중국의 노자(老子)를 연상케 한다. 음욕의 도가니였던 코린토스를 향해 디오게네스는 자연에 빚지고 살라고 절규한다.

레스보스의 아리스토텔레스

　　레스보스 섬은 크레타보다는 작지만 그리스에서 세 번째로 큰 휴양 도시이다. 이 섬의 이름에서 '레즈비언'이라는 어휘가 바로 연상된다. 2008년, 이 섬 주민들이 동성애 단체인 레즈비언협회를 상대로 레스보스 주민이라는 뜻을 가진 '레즈비언'이란 단어를 사용하지 말도록 아테네 법원에 소송을 제기했지만, 기각된 적이 있다. 이 섬이 레즈비언의 섬으로 불린 이유는 이 섬의 수도인 미틸리니(한때는 이 섬의 명칭이기도 했다)에 서 있는 '사포(Sappho)'라는 이 섬 출신의 여류 시인의 동상 때문이다. 사포는 부유층 부인들을 모아서 시도 짓고 읽고 하면서 이런저런 얘기를 확대 재생산하는 모임을 가지곤 하였다. 남성 중심의 사회에서 여성들만 모여 그들의 스토리텔링을 자유롭게 늘어놓는 것만 해도 페미니스트적인 것이었다. 하지만 이 여성에게 '레즈비언'이란 명칭이 붙은 이유는 여성들끼리 애정에 가까운 친밀한 관계를 유지했기 때문이라고 추측된다. 레스보스에는 사포 외의 다른 역사적 인물은 없다.

　　그리스 신화에는 오르페우스[22]가 마이나데스[23]에 의해 죽임을 당한 후, 그의 머리와 리라가 이 섬으로 흘러왔는데, 이 섬의 주민들이 그를 묻어 주었다는 기록이 있다. 아마 이 때문에 이 섬의 주민들이 음악과 예술에 조예가 깊어진 것인지도 모른다. 알다시피 오르페우스는 음악과 예술의 신이다.

　이 섬은 철학자 아리스토텔레스가 잠시 머물렀던 곳으로 알려져 있다. 플라톤이 죽으면 당연히 그의 뒤를 이어 아카데메이아의 원장이 될 것으로 생각했던 아리스토텔레스였다. 하지만 플라톤의 조카인 스페우시포스(Speusippos)가 원장이 된다. 일종의 지역감정 때문에 경쟁 구도에서 밀려난 것이다. 기원전 338년 아테네와 마케도니아 사이에 카이로네이아 전투가 발발하자, 반마케도니아 세력이 마케도니아의 알렉산더 대왕의 친구이자 스승이었던 아리스토텔레스를 추방한다. 아리스토텔레스는 추방당해 이곳으로 유배 온 것이다. 레스보스 섬에서 그는 동물학과 관련된 책을 썼고, 물고기와 철새 등에 대해 연구했다. 생물학적 사유가 무르익게 된 것은 아마 섬이라는 환경 때문일 것으로 추측된다. 지역감정 때문에 서로를 불신하는 인간 세상을 뒤로 하고 동물의 생태학적 진리를 탐구한 것인지도 모른다. 다산의 형 정약종이 흑산도 유배 생활 중에 어류의 족보를 다룬 『자산어보(玆山魚譜)』[24]를 쓴 것도 그 예로 볼 수 있을 듯하다.

　아리스토텔레스가 이 섬에 머무는 동안, 대리석을 손질하는 석공들의 놀라운 기술을 보면서 '실천적 지혜'의 중요성을 깨달았을 것으로 추론할 수 있다. 그는 자신의 『니코마코스 윤리학』에서 프로네시스(phronesis), 즉 실천적 지혜를 중요하게 생각한다. 철학적 지혜 못지않게 아는 것을 실천에 옮길 수 있는 지혜에 방점을 둔 점이 그의 스승 플라톤과 다른 점이다. 덕을 실천하는 지혜는 가르쳐지는 것이 아니다. 지속적인 실천을 통해 얻어진 좋은 습관 없이는 덕을 실천할 수 없다. 석공들의 기술은 하루아침에 이루어진 것이 아니라 오랜 실천을 통해 획득된 것이다. 아리스토텔레스는 "먼저 실천함으로써 비로소 덕을 얻게 된다"(아리스토텔레스 I: 69)는 진리를 그 섬의 석공들의 손재주를 보고 배운 것이다.

『장자』, 「외편」에 제나라 환공과 윤편의 이야기가 나온다. 제나라 환공이 마루에 앉아 책을 읽고 있다. 마루 아래에서 수레바퀴를 손질하던 윤편이 묻는다. 임금님께서 지금 읽고 있는 책이 무엇입니까? 임금이 성인의 말씀이라고 말하자, 윤편은 대뜸 다시 묻는다. 그 성인이 지금 살아 있는지요? 임금이 대답한다. 이미 돌아가신 분이다. 그러자 윤편은 '임금님은 지금 성인의 찌꺼기를 읽고 계십니다'라고 말한다. 요지는 이렇다. 수레바퀴를 깎는다는 것은 보통의 기술이 아니다. 너무 느슨하게도 너무 딱 맞게도 깎으면 안 되는 기술이다. 손에 익지 않으면 누구도 할 수 없는 기술이다. 윤편은 스스로 실천할 수 있는 덕을 오래 쌓은 것이다. 아리스토텔레스가 덕을 아레테(arete), 즉 탁월성으로 정의한 이유이다. 오랜 실천을 통해 획득된 탁월한 습관이 바로 덕이다. 행복 역시 스스로 실천하지 않으면 안 된다. 행복은 행복하기 위한 오랜 실천을 통해 얻어지는 것이다. 아리스토텔레스는 환공이 윤편과 대화하면서 깨달은 것을 석공들을 보면서 깨닫는다. 이후 아리스토텔레스는 알렉산더 대왕을 가르치기 위해 펠라에 2년 머물다가 다시 아테네로 돌아와 자신의 학교 리케이온을 세우고 교육한다.

아테네 학당

   라파엘로의 〈아테네 학당〉은 익숙한 그림이다.
르네상스 시대의 거장 라파엘로 산치오가 교황 율리오 2세
의 주문으로 27세인 1509~1510년에 바티칸 궁전 내부의 방
들 가운데서 교황의 개인 서재인 '서명의 방'에 그린 가로
823.5cm, 세로 579.5cm 크기의 프레스코화이다. 그림은 플
라톤과 아리스토텔레스가 아테네 철학의 중심인물임을 보여
주고 있다. 그림의 배경 벽면에는 왼쪽의 아폴론과 오른쪽의
아테나 신을 형상화하여 이성과 지혜의 그리스철학을 표현
하고 있다. 소크라테스에 의해 기초가 놓이고, 플라톤에 의해
절정에 이르고, 아리스토텔레스에 의해 완전체로 종합을 이
룬 그리스철학의 계보가 그려지고 있다. 전체 그림 중 소크라
테스는 중앙에서 약간 비켜나 알키비아데스와 알렉산더 대왕
과 짝을 이루는 비주류의 인물로 묘사된다.
   라파엘로는 레오나르도 다빈치와 미켈란젤로와 함께 르
네상스를 대표한다. 이 그림의 중앙에는 두 철학자가 걸어 나
오는 장면이 있다. 한 사람은 한 손으로 하늘을 가리키고, 다
른 손에는 『티마이오스』를 들고 있다. 플라톤이다. 다른 한
사람은 한 손으로 땅을 가리키고, 다른 손에는 『윤리학』이
들려 있다. 아리스토텔레스이다. 하늘과 땅으로 대조되고, 우
주론을 담고 있는 『티마이오스』와 현실 인문학인 『윤리학』

으로 대조를 이룬다. 특히 그들은 나이 차이도 있지만, 패션이 대조적이다. 빨간색과 푸른색이다. 라파엘로는 다빈치나 미켈란젤로와 같이 피렌체의 영향 하에서 성장했지만, 성장하면서 베네치아학파의 색채주의에도 영향을 받았다. 요절한 것이 아쉽다. 베네치아는 피렌체와는 달리 해상무역으로 발전한 도시이다. 이태리 동쪽에 위치해 있어 서쪽에 있는 피렌체보다 동양의 색채에 영향을 많이 받았다. 그래서 독특한 색채 화법을 특징으로 하는 것이 베네치아학파이다. 라파엘로 역시 이런 쪽으로 영향을 받았다. 그래서 이 그림의 색채 역시 독특하다.

라파엘로는 플라톤을 다빈치로, 아리스토텔레스를 미켈란젤로로 은유한다. 다빈치와 미켈란젤로는 나이가 23살 차이인데, 플라톤과 아리스토텔레스는 43살 차이다. 두 그룹은 나이 차이에도 불구하고 피렌체와 아테네를 대표한다. 서로가 다른 생각을 가졌지만, 서로에게 영향을 주고받은 사이다. 다빈치와 미켈란젤로처럼, 플라톤과 아리스토텔레스 두 사람이 아테네의 두 기둥이라는 사실을 라파엘로가 강조한 것이다. 라파엘로는 미켈란젤로보다 8살 아래다. 다빈치와 미켈란젤로는 다 같이 피렌체 미술을 대표하지만, 미켈란젤로의 조각에 대해 다빈치는 부정적 시선을 보인다. 조각은 예술이 아니라는 이유로. 라파엘로는 이 차이를 붉은색과 푸른색으로 대비하고 있다. 라파엘로는 그가 존경했던 다빈치를 당대의 리더인 플라톤으로 비유하고, 다빈치를 더욱 눈에 띄게 하기 위해 그가 평소에 라이벌로 생각했던 미켈란젤로를 대

〈아테네 학당〉, 라파엘로, 1509–1510

비시킨다. 이 그림의 앞면에 전체 구조와는 잘 어울리지 않는 헤라클레이토스가 팔을 턱에 괴고 있다. 당대의 은둔자로 다른 철학자들과는 어울리지 못한 외톨이 헤라클레이토스는 라파엘로가 자신을 연상하면서 덧붙여 그려 넣은 것이다.

플라톤과 다빈치의 모습이 닮아 있다. 그런데 다빈치는 일상적 경험을 중시하고 관찰과 실험이라는 자연과학적 방법을 강조한다. 이 두 사람은 외양은 닮았지만, 생각은 서로 다르다. 그럼에도 불구하고 라파엘로가 다빈치를 모델로 플라톤을 그린 이유는 아마도 두 사람이 공유한 기하학적 사유 때문일 것이다. 기하학적 사유는 다양한 현상들을 초월하여 그 원리를 추리할 수 있는 인간의 고유한 능력이기 때문이다. 미켈란젤로는 다빈치와는 달리 조각을 예술의 원천이라

다비드 상

생각한다. 그의 〈다비드〉 상은 이전의 다비드 상과는 다르다. 이전의 다비드 상은 골리앗에게 돌을 던진 후 승리한 모습인데, 미켈란젤로의 〈다비드〉 상은 손에 돌을 쥐고 있는 상이다. 형상, 즉 플라톤의 이데아는 개별적 사물을 떠나 있는 불변의 원리이다. 동일한 대리석으로 빚은 상이지만, 미켈란젤로의 〈다비드〉 상은 다른 다비드 상들과 달리 개체성이 더 중요한 원리이다. 미켈란젤로의 개체성은 손과 발 등 인체 구조가 기하학적 균형에 구속되지 않는다. 유난히 긴 팔과 상대적으로 짧은 다리가 그렇다. 아리스토텔레스와 미켈란젤로의 닮은 점이다. 아리스토텔레스의 존재 4원인설을 설명하는 데 가장 적합한 모델이 조각 작품인 이유이기도 하다.

에피쿠로스와 제논

그리스 사모스 섬에는 두 개의 유네스코 문화유산이 있다. 피타고리온과 헤라 신전이다. 이곳은 철학자 피타고라스가 태어난 곳이다. 신화 속에서는 제우스가 태어난 크레타와 그리 멀지 않은 이곳에서 그의 아내 헤라가 태어났다. 그리고 에피쿠로스가 태어난 곳이기도 하다. 피타고라스는 익히 알려진 대로 우주의 질서를 '수'로 표현한 철학자였다. 인류에게 수학적 사유라는 유산을 전해 준 철학자이다. 수는 우주의 질서를 상징하는 메타포이다. 이 세계 속에 살고 있는 인간들은 이 질서에 따라 살지 않으면 안 된다. 이것을 플라톤은 이데아로 옷을 입힌다. 합리적 질서 혹은 정상적인 규범이라는 원리를 인간들에게 선물한 피타고라스이다.

사모스 섬에서 태어난 헤라는 누구인가? 제우스의 유일한 합법적 아내이다. 남편의 방탕한 생활을 감시하고 온전히 가정을 지켜내려 했던 헤라는 가정의 수호신이다. 결혼 제도를 가장 합리적인 규범으로 여기고 결혼 제도의 질서를 무너트리는 여러 여성들을 아르고스의 백 개의 눈으로 감시하고 질투로 대응했던 신이다. 그 헤라 신전이 피타고라스의 고향에 서 있는 게 우연일까? 피타고라스도 헤라도 중요한 건 질서였다. 조화를 뜻하는 '코스모스,' 즉 '우주'란 말을 처음 사용한 것이 피타고라스였다. 삶의 규범인 질서를 강조한 것은 이후 고대 그리스인들의 합리적 사고 형성에 중요한 역할을 한다.

이 질서의 도시에서 쾌락주의자로 알려진 에피쿠로스학파가 활동한다. 당시 세속적인 쾌락에 취해 사는 사람을 '에피쿠로스 같은 사람'이라고 부를 정도로 에피쿠로스(기원전 341~271)는 유명한 쾌락주의자이다. 그에게 쾌락만큼 선과 악을 구분하는 규준은 없다. 쾌락은 행복의 절대 불가결한 조건이다. 쾌락을 위해서라면 다소 비윤리적이라도 좋다. 그는 요로결석을 앓았고, 그것 때문에 죽는다. 그런 그에게 무통(無痛, aponia), 즉 고통의 부재만큼 쾌락적인 게 없다. 쾌락은 따져 볼 필요 없는 삶의 유일한 선이다. 오로지 즐거워서 행복하면 된다. 이들의 방점은 행복에 있지 쾌락 자체에 있는 것은 아니다. 행복하면 즐겁다. 즐거워서 행복한 게 아니다. 쾌락은 단지 행복을 위한 수단에 지나지 않는다. 그는 결코 육체적 쾌락만을 행복으로 생각하지 않았다. 오히려 그는 인간의 자유를 제한하는 사회적 규범에서 초월하는 삶을 원했다. 물질과 명예와 권력 등에서 자유로운 삶을 진정한 쾌락인 행복으로 생각했다. 에피쿠로스는 감각적 쾌락을 중요하게 생각하지만, 영혼조차 원자로 규정하는 데모크리토스와는 다르다. 인간의 영혼은 육체적 쾌락과는 다른 정신적 쾌락을 추구하는 자유를 가지고 있다. 그는 기원전 306년 그의 나이 서른다섯에 아테네로 돌아와 자신의 집 앞에 철학의 정원을 만들어 공동체 생활을 하면서 진정한 마음의 행복과 평안을 찾는 삶을 살았다. 선비들의 정원이었다. 행복 결핍 시

대에 에피쿠로스는 행복을 전달하는 전도사였다. 그는 어떤 삶이 행복한 삶인지를 상담해 주는 철학 상담의 시조이다.

키프로스는 아프로디테와 피그말리온의 고향이다. 아프로디테의 이름이 그렇듯, 키프로스는 거품의 도시이다. 거품이 상징하듯, 광기의 도시이다. 음란하기 짝이 없는 곳이라서, 피그말리온은 키프로스 여성들과는 다른 순정(純情)의 여인 갈라테이아를 이상적인 여성으로 사모했다. 이곳에서 제논이 출생한 건 우연이 아니다. 물론 엘레아의 제논과는 동명이인이다. 제논의 스토아학파는 우주의 질서를 인식하고 쓸데없는 정념에서 해방되는 자유로운 삶을 추구한다. 그들은 우주의 질서를 그들이 살았던 공간에 도리아식 주랑으로 육화해 놓았다. 대칭적이고 균형 잡힌 그들의 공간에는 정념에 의해 훼손되기를 거부하는 이성의 질서가 육화되어 있다. 무엇이 선이고 악인지를 명확하게 재단하는 기하학적 규준이 또렷하게 새겨져 있다.

리좀의 도시 시칠리아

시칠리아는 지중해에서 가장 큰 섬이다. 이 섬과 관련된 인물로는 플라톤과 알키비아데스 그리고 고르기아스[25]와 엠페도클레스[26]가 있다. 플라톤이 이상 정치를 실현하고자 했던 곳이 동부의 시라쿠사이다. 물론 성공하지는 못했다. 그리고 기원전 413년 아테네 병사 7,000명이 시라쿠사 북쪽 라토미 채석장에서 암매장당했다. 시라쿠사 원정대이다. 그 실패한 원정대를 이끈 장군이 알키비아데스이다. 그리고 기원전 427년 막강한 도시 시라쿠사에 대항하기 위해 아테네에 지원을 요청하러 온 지도자가 레온티노이(오늘날 렌티니) 출신의 고르기아스이다.

지중해는 유럽과 아시아 그리고 아프리카로 둘러싸인 바다이다. 말 그대로 지구의 중심이다. 이 중심에 시칠리아가 있다. 시칠리아는 중심의 중심에 있지만, 정작 시칠리아에는 중심이 없다. 중심은 주변의 변두리가 만들어 놓은 개념일 뿐이다. '시칠리아'란 기호의 정체성은 그 섬을 둘러싸고 있는 '유럽,' '아프리카,' '아시아' 등과 같은 다른 기호와의 관계 속에서 결정된다. 이 기호들과의 관계 속에서 서로 분리될 수 없이 섞이어 있다. 어느 한 곳으로 환원될 수 없이 엉클어져 있는 뿌리와 같은 리좀(rhizome)의 도시이다.

메시나해협은 그리스와 시칠리아를 이어 주는 끈이면서

동시에 장벽이다. 시칠리아로 유입된 문화는 일단 한번 유입되면 섬 안에서 스스로 자생력을 키워 나간다. 폐쇄성과 개방성을 한꺼번에 가진 섬이며, 그리스와 로마 본토를 잇는 다리이다. 하지만 이 다리는 다른 면에서 보면 담장이다. 스킬라와 카리브디스 그리고 사이렌이 출몰하는 위험한 곳이다. 쉽게 지나지도 못하고, 한번 지나가면 되돌아오기도 힘들다. 그래서 시칠리아는 로마 본토와 그리스로부터 단절과 개방이라는 이중적 공간으로 성격지어진다. 그래서 그리스보다 더 그리스적인 문화를 간직하고 본토 이탈리아와는 다른 로마 문화를 간직한 곳이다. 육지와 통할 수 있는 유일한 이 메시나해협은 시칠리아의 고유한 문화를 보존하는 역할도 하면서 동시에 서쪽은 아프리카로, 북쪽은 유럽으로 개방되어 있어 다양한 문화들을 마치 스펀지처럼 잘 수용하는 섬이다. 기원전 8세기에서 기원전 5세기까지 페니키아인들과 그리스인들이 새로운 신천지로 여기고 이곳으로 속속 찾아들었다. 그리스인들이 찾아든 것은 기원전 734년부터이다.

시칠리아는 역삼각형이다. 세 꼭짓점에 팔레르모와 시라쿠사 그리고 메시나가 자리하고 있다. 역삼각형인 만큼 그래서 불안정한 공간이다. 영토를 아프리카로 확장하려는 로마의 입장에서 보면, 이 섬은 마치 컬링 경기의 가드와 같은 눈엣가시이다. 이 섬을 지나지 않고서는 아프리카와 유럽으로 확장해 갈 수 없다. 포에니 전쟁이 발발할 수밖에 없다. 그리고 동남부의 시라쿠사와 서부의 카르타고 그리고 동북부의 이탈리아 본토와 해협으로 연결되어 있는 메시나해협 사이의 영토 분쟁이 로마를 이 섬으로 불러들이는 결과를 낳고, 결국 포에니 전쟁으로 그리스와 카르타고는 로마제국에 복속된다. 이미 이주해 온 그리스인들의 영토에 아프리카 북부에서 세력을 키우던 페니키아인들이 들어와 로마에 저항하기 위해 오월동주를 형성한다. 이렇게 로마와 카르타고 사이에 전쟁이 발발한다. 세 차례 전쟁을 주고받은 끝에 결국 기원전 146년 카르타고는 물러난다. 이 전쟁의 결과로 로마는 유럽의 제국이 된다. 그리스 역시 로마에 병합된다. 시칠리아는 로마의 지배하에 들어간다. 물론 로마의 영토로 복속되긴 하지만, 그리스 문화를 계승한 헬레니즘-로마의 다문화 벨트가 자연스럽게 형성된다. 카르타고의 문화가 남아 있는 팔레르모에는 페니키아인의 모자이크 문양이 주를 이룬다. 시칠리아는 로마에 속했지만 가장 비로마적인 곳이다. 그러면서도 비잔틴 양식이 혼용되어 있다. 반대로 그리스 바깥에서 가장 그리스적인 문화를 간직한 곳이다. 옛 그리스 도시 아그리젠토의 신들의 계곡에는 그리스 신전이 그대로 남아 있다.

엠페도클레스는 당시에 아크라가스라고 불렸던 아그리젠토에서 출생했다. 섬의 서남부에 위치한 도시이다. 이곳은 이태리 남부 엘레아와 가까운 탓에 크세노파네스[27]와 파르메니데스의 영향을 받아 변화를 부정하는가 하면, 일찍이 이곳으로 건너온 이오니아인들의 영향으로 변화를 긍정하기도 한다. 그래서 엠페도클레스는 만물의 뿌리를 물, 불, 공기, 흙으로 정의한다. 이들은 변하지 않는 만물의 원소들이다. 그러면 변화는 어떻게 설명해야 하는가? 이오니아의 철학자들처

콩코르디아와 헤라 신전

럼 물질이 스스로 운동하는 것이 아니라, 움직이게 하는 외적
원인이 있다는 다소 과학적인 근거를 제시한다. 그 원인이 사
랑(philia)과 미움(neikos)이다. 변화와 불변을 종합적으로 정
리한다. 이오니아와 엘레아의 문화를 다문화적으로 재구성한
다. 다원론자인 엠페도클레스의 눈에는, 이오니아나 엘레아
학파처럼 만물의 뿌리를 하나로 규정하기에는, 세계는 너무
나 다양하다. 그의 다원론은 문화적 수용성을 상징한다. 4개
의 원소가 스스로의 정체성을 유지하면서 다른 원소들과 마
치 뿌리처럼 엉클어져 섞여 있다. 특히 사랑으로 서로를 이해
하고 포용하지 못해 로마에 병합되는 결과를 미리 예견이나
한 것처럼, 엠페도클레스는 다문화적 감수성을 강조한다. 카
르타고의 도시였던 팔레르모의 대성당은 리좀의 원형이다.
르네상스식 주랑과 모자이크로 처리된 비잔틴양식과 고딕

그리고 동양의 돔이 혼융되어 있다.

엠페도클레스의 삶 역시 리좀적이다. 신과 인간의 경계를 자유롭게 넘나들면서 신에게도 인간에게도 환원되기를 거부한 삶이다. 에트나 화산에 신처럼 뛰어들었지만, 그의 청동 샌들을 인간 세계에 남긴 것은 신과 인간의 경계를 무의미하게 만들었다. 낭만주의 작가 노발리스[28]는 '엠페도클레스의 샌들'을 노래했고, 횔덜린[29]은 '엠페도클레스의 죽음'을 썼다. 그는 청동 샌들을 신고 다니면서 기이한 행동을 한 신적인 존재였다. 마법사이기도 한 그는 치명적인 병에 걸린 사람을 고쳐 준다. 그 무거운 청동 샌들을 어떻게 신고 걸었으며, 왜 하필 청동으로 만든 샌들을 신고 다녔을까? 그는 청동 샌들이라는 상징적인 의미만 남기고 사라졌다. 모든 것은 사랑으로 조화를 이루고 미움으로 분산된다는 금언을 남기고 홀연히 떠났다. 무덤조차 남기지 않고. 하지만 지금 그는 우리와 함께 동행하고 있다. 사랑으로 하나 되지 못할 때 카르타고도, 그리스도 로마에 복속될 것이라는 예언을 남기고 그렇게 떠났다. 사랑 이외는 조화의 원리가 없다고 되뇌면서….

II. 중국

카이펑엔 송이 없었다

2012년 여름, 하얼빈, 스자좡, 안양, 한단을 거쳐 정저우로 왔다. 황허를 끼고 있는 정저우는 말 그대로 중국의 중원이다. 이 황허 줄기를 따라 중국의 대하드라마가 연출된다. 이 도시는 구도시와 신도시로 또렷이 구분되는데, 신도시는 급속도로 발전한 도시이다. 장강(양쯔강)과 황허는 중국의 두 젖줄이다. 황허는 중국의 모든 스토리텔링을 끌어안고 묵묵히 흐른다. 난 한참 동안 황허의 장대한 흐름 속에서 대륙의 얼굴을 마주하고 서 있었다. 그리고 버스로 두어 시간 정도의 거리에 있는 북송의 수도였던 비운의 도시 카이펑(開封)으로 간다.

옥스퍼드 너필드(Nuffield) 칼리지의 스티븐 브로드베리(Stephen Broadberry) 교수가 2017년에 발표한 논문에 따르면, 송나라는 1020년에 1인당 GDP가 1,000달러(1990년 가치 기준)를 돌파했다. 영국이 1,000달러를 돌파한 것은 이로부터 400년가량 지난 1400년대부터이다. 하지만 송 이후 중국은 700년간 제자리를 맴돌았다. 아니 GDP는 오히려 후퇴했다. 송나라 도학 정치가 남긴 후유증이다(유성운). 송이 금과 요 그리고 몽골 등 주변의 약소국에게 망한 이유가 추론되는 대목이다. 그 답을 카이펑에서 찾을 수 있을 듯하다. 거리는 텅 비었고, 박물관에 유물은 거의 없다. 거리 어디에서도 옛 북송의 영광을 발견할 수 없었다.

송은 중국 역사에서 비운의 국가이다. 안으로는 부패하고 밖으로는 금과 요 사이에서 우왕좌왕하다가 결국은 금에게 나라를 빼앗긴다. 수집광이었던 휘종[1]은 나라가 망해 가는 줄도 모르고 온갖 예술품들을 수집하는 데 나라를 통째로 바친다. 보다 못한 방랍[2]이 반기를 든다. 이 방랍의 난을 토벌하는 데만 1년이 걸렸다. 당시 방랍의 반란군 10만을 제압하기 위해, 요나라 군대에 대응하기 위해 준비하였던 15만의 병력을 동원했으며, 진압 과정에서 죽인 백성만 300만에 달하였을 정도였다.

그 화려했던 카이펑은 결국 금의 군사 단 6만에 의해 무너진다. 오대십국 중 카이펑에 수도를 정한 나라는 후량, 후진, 후한, 후주였다. 이 네 나라를 통일하여 카이펑을 수도로 송을 세웠다. 카이펑은 당시 인구 150여만 명 규모의 큰 도시였다. 하지만 금의 침입으로 강남으로 쫓겨 가 임안(현재 항저우)으로 수도를 옮긴다. 바로 남송이다. 남송 역시 당시 송의 인구의 50분의 1도 채 안 되는 몽골에 무너진다. 한족 1억 2천의 명(明)이 40만도 채 안 되던 청에 멸망한 것과 유사하지만 다르다. 당시 청의 팔기군은 만주족과 몽골족 그리고 대부분이 한족으로 구성된 막강한 정예부대였다. 이 정예부대를 유약했던 명은 감당할 수 없었다.

이처럼 당시의 카이펑은 북송과 금의 수도였던 만큼 글로벌한 도시였으리라 추론할 수 있다. 하지만 현재 이 도시는 옛 명성을 내려놓은 조용한 도시로 변해 있다. 황허 유역

카이펑의 용정공원

의 도시가 그렇듯, 카이펑 역시 7차례나 물에 잠기는 화를 입었다. 지금 박물관이 거의 텅 비어 있는 이유이기도 하다. 한때 이곳에서 포청천이 공직 생활을 했다는 이유로 지은 포공사(包公祠)는 이 도시의 정체성과는 그리 어울리지 않아 보인다. 하지만 당시의 부패를 방증(傍證)하는 듯하다. 정체성이 분명하지 않아 보이는 철탑(유약이 칠해진 돌로 지은 탑이지만, 멀리서 보면 쇠로 지은 철탑 같다고 하여 '철탑'으로도 불림) 같은 높은 구조물도 눈에 띈다. 얼른 보면 이 탑이 이 도시의 랜드마크처럼 보이지만, 그 철탑 어디에도 옛 북송의 화려했던 문화는 없다.

　이곳에서 악비[3] 얘기를 하지 않을 수 없다. 여진족이 세운 금의 침략으로 북송이 멸망하자('정강의 변'[4]) 휘종과 흠종 그리고 여타 황족과 기술자 등 3,000명이 만주로 끌려간다. 먼 훗날 금은 명을 멸망시킨 후 국호를 청으로 바꾼다. 이때 카이펑에 있지 않았던 휘종의 아홉 번째 아들 조구[5]가 남송을 세우는데, 그가 바로 고종이다. 악비는 고종을 도와 남송에서 금과 싸우는 데 성공한다. 조선에 청을 상대로 화친파가 있고 주전파가 있었듯이, 남송에도 악비와 같은 주전파가 있는가 하면 진회[6]와 같은 주화파도 있었다. 진회는 1142년 주전파 악비를 죽인다. 악비는 겨우 39세였다. 하지만 이후 진회는 금에 치욕스런 굴복을 했다는 이유로 매국노로 지목된다. 진회는 죽은 지 51년 지난 1206년 왕작이 박탈당한다. 악비는 진회가 왕작을 박탈당하기 2년 전인 1204년 악왕으로 추존된다. 그가 죽고 62년 후의 일이다. 악비의 묘에는 머리를 조아리고 무릎을 꿇고 있는 남녀 한 쌍이 있다. 바로 진회와 그의 아내 왕천(王天)이다.

인물에 대한 역사적 평가는 시대에 제약되어 있다. 악비를 영웅으로 옹립한 것은 원에 의해 훼손된 한족의 자존심을 회복하기 위한 명과 중화민국의 정치적 전략이었을 것으로 추론된다. 상대적으로 진회는 후세에 한간(漢奸)으로 평가받을 수밖에 없었다. 하지만 56개의 민족으로 이루어진 현대 중국의 다원일체(多元一体)의 전략에서 보면, 진회에 대한 긍정적인 평가에 대해서 마냥 인색할 수만은 없을 것이다.

중국을 여행하면서 느끼는 것은 대중교통 수단인 버스나 지하철 요금과 인민들이 허기를 달래기 위해 먹는 간단한 음식 값이 매우 저렴하다는 것이다. 중국의 항저우 지방에서 유래된 대표적인 먹거리인 요우티아오(油條)가 있다. 중국인들의 아침 간편식이다. 밀가루를 30센티미터 정도의 길이로 길쭉하게 반죽한 것을 기름에 튀긴 음식이다. 조식(早食)을 매식(買食)으로 해결하는 중국인들의 간편한 음식이다. 그들은 느끼한 기름기를 달래기 위해 요우티아오를 또우장(豆醬)이라는 콩으로 만든 장에 찍어 먹는다. 요우티아오를 중국어 사전으로 검색하면, 교활한 사람이라는 의미가 있다. 교활한 진회에 의해 희생된 악비의 한을 달래기 위해, 중국인들이 요우티아오를 갈기갈기 찢어 또우장에 짓눌러 찍어 먹는다. 이 음식에 담긴 역사이다. 진회의 소행에 불만을 가진 민중이 밀가루로 만든 그의 인형을 고열의 기름에 튀겨 지옥의 고통을 맛보게 하려고 했던 데서 탄생한 것이다. 광동 지역에서는 '요우짜궤이(油炸鬼)'라고도 하는데, 이는 기름에 튀긴 진회라는 뜻의 '유작회(油炸檜)'에서 왔다는 설도 있다.

눈을 뜨니 문 밖에 눈이 한 자나

뤄양은 옛 동주(東周)의 수도가 된 이후로 9개 왕조의 수도였던 곳이다. 기원전 771년 서주가 북방 오랑캐에게 함락되자, 수도를 서주의 호경(현재의 시안)에서 이곳으로 옮겨 동주를 세웠다. 뤄양은 뤄수이(洛水)의 북쪽에 위치한다. 강의 북쪽은 항상 강의 남쪽에서 드는 햇빛을 받는 위치라고 '뤄양(洛陽)'이라는 이름이 붙었다. 황허를 끼고 있는 이곳은 예부터 권력자나 돈 많은 부자들이 많이 살았다고 한다. 이들은 죽어서도 북망산 명당에 묻히고 싶어 했다. 살아서는 쑤저우(蘇州)와 항저우(杭州)라고 하고, 죽어서는 북망산이라고 한다. 북망산은 산이 아니라 300미터 높이의 구릉이다. 나는 뤄양 변두리 북망산의 무덤박물관을 가 보았다. 지하에 조성된 박물관은 역대 권력자들의 무덤들을 한곳에 모아둔 곳이다. 모든 무덤은 도굴당해 텅 빈 모습이고, 권력의 무상함을 죽어서 말하고 있는 듯하다.

뤄양은 영웅호걸이 죽어서 가고 싶은 곳이기도 하지만 학문의 요람이기도 하다. 어떻게 사는 것이 올바른 삶인지를 성찰하며 살았던 학자들의 고향이기도 하다. 그들이 모여 이룬 학문을 '낙학(洛學)'이라 한다. 뤄양을 중심으로 북송의 학자들이 지성 집단을 이루었던 지역이다. 북송의 학자이며 정치가인 범중엄[7]이 이곳에서 태어났다. 이곳에서 주돈이,[8] 장

장재와 함께 '북송오자(北宋五子)'라 불렸던 소옹과 정호[9]와 정이[10] 형제의 발자취를 만났다. 정문입설(程門立雪)이란 고사가 있다. 양시(楊時)와 유작(遊酢)은 형 정호의 제자였는데, 형이 죽자 동생 정이를 스승으로 모신다. 이 두 사람이 하루는 스승 정이를 찾아왔는데, 마침 스승은 정좌 중이었다. 두 사람은 스승을 깨울 수가 없어 그대로 선 채로 기다렸고, 스승이 눈을 떴을 땐 이미 눈이 한 자나 쌓여 있었다(頤旣覺, 則門外雪深一尺矣). 이 이야기는 『송사(宋史)』「양시전(楊時傳)」에 나온다. 이 두 제자는 여대림(呂大臨, 1046-1092), 사량좌(謝良佐, 1050-1103)와 함께 정문(程門: 정호와 정이의 문하)의 4대 제자가 되어, 후대에 '정문사선생(程門四先生)'으로 불리게 된다. 스승에 대한 제자의 공경심을 읽을 수 있는 유명한 고사이다.

소옹[11]은 허베이성 범양(範陽, 현 줘저우涿州) 출신인데, 30세가 되어 뤄양으로 이사한다. 평생을 관직에 나가지 않고 은거하면서 주역에 심취한다. 소옹의 사상 체계는 주역의 상수학(象數學)을 발전시킨 것으로 중국 사상사에서 매우 독특한 위치를 차지한다. 그의 주역 해석은 주로 수를 중심으로 이루어진다. 그의 상수학은 수가 모든 존재의 기본이라는 고대 그리스의 피타고라스학파를 연상시키는 일종의 수리철학과 같은 것이다.

백마사로 간다. 중국에 최초로 불교가 들어온 장소이다. 후한 명제 11년(68년), 가섭마등과 축법란 두 승려가 대월지(아프가니스탄) 경내에서 만난 왕준(王遵), 채음(蔡愔) 등 후한의 사신을 따라 흰 말에 『사십이장경(四十二章經)』과 불상을 싣고 수도 뤄양에 왔다는 전설에 따라 백마사라는 이름을 얻었다. 백마사는 고대 중국 후한 명제 때의 불교의 중국 전래와 관련된 감몽구법(感夢求法) 설화를 토대로 뤄양 교외에 지어진 절이다. 뤄양 교외 동쪽 12km 지점에 위치하고 있으며, 전승 및 문헌으로 확인되는 중국 최고(最古)의 절이기도 하다. 이곳에서 중국 불교의 기초가 다져지기 시작한다. 백마사는, 중국 사찰이 그렇듯, 그 규모 면에서 웅장하다. 그리고 노장(老莊)의 분위기와 혼융되어 있다. 중국의 전통 사상인 노장이나 유교를 바탕으로 불교를 재해석한다. 이것을 '격의불교(格義佛教)'라고 한다. 예를 들면 중국의 위진(魏晉) 시대에 노장사상이 성행하여, 불교의 반야(般若)의 '공(空)'을 노장의 '무(無)'로써 설명 해석하는 방법이 행해졌다. 이런 방법으로 이해된 불교이다. 이는 불교의 중국화에 기여하기도 했으나 폐해도 적지 않아서, 도안(道安) 등은 이를 배척하였다. 백마사는 붉은 색으로 칠해진 높은 벽으로 둘러싸인 전통적인 사합원의 구조이다. 사찰 역시 우리와는 사뭇 다르다. 주변 자연에 살짝 얹혀 있어 낮은 담장도 거추장스러워 보이는 우리의 절과는 우선 그 장대함이 다르다.

관림(關林)에 대해 메모라도 하지 않고 뤄양을 떠나기엔 아쉽다. 관림은 중국인들이 아직도 숭배하는 관우의 머리가 배향되어 있는 곳이다. 왜 머리인가. 삼국지의 무대가 된 이 뤄양에서 조조, 손권 그리고 관우 사이의 한판 겨루기가 있었다. 관우가 대세인 상황에서 조조가 손권과 손을 잡는다. 그에 대한 조조의 대가는 손권에게 강남의 땅을 주어 그를 부동산 부자로 만들어 주는 것이었다. 이 사실을 전혀 몰랐던 관우는 패주하다가 손권에게 잡혀 죽는다. 손권은 약속한 땅을 달라는 뜻으로 조조에게 관우의 목을 보낸다. 조조는 관우를 좋아했었다. 그가 관우를 이곳에 모신 이유이다. 관림은 한대에는 관우총으로, 송대에는 관왕총, 명대에는 관제릉, 그리고 청대 강희 5년에 지금의 관림이 되었다.

춘래불사춘

1206년 여진족이 세운 금을 물리치고, 칭기즈 칸의 몽골제국이 중국을 지배한다. 1279년 남송을 정복한 쿠빌라이는 나라 이름을 원으로 바꾼다. 그리고 그들은 1368년 한족의 명에 의해 멸망할 때까지 대륙을 지배한다. 중국인들이 '네이멍구'라고 부르는 내몽고는 중국 내 몽고족 자치구이다. 울란바토르가 수도인 몽골인민공화국과는 다르다. 몽골은 청나라 때 외몽고였던 곳이다. 현재 중국인들이 '와이멍구'라고 부르는 지역이 몽골이다. '몽고(蒙古)'는 한때 중국 한족이 몽골족을 낮추어서 무지몽매한 집단이라는 뜻으로 불렀던 어휘이다. 글로벌한 의식을 가진 사람들은 '몽골공화국' 혹은 영어식 표현으로 '몽골리아'라고 부른다.

중국 스요우(石油)대학 바이춘위(白春雨) 교수의 초청으로 국제 학술 대회에 참석차 내몽고 수도인 후허하오터(呼和浩特)로 갔다. 바이 교수는 몽골족이다. 서양철학을 전공한다. 국제 학술 대회에 참석하기 위해 한국에 세 번 온 적이 있다. 내가 만난 몽골인들은 한국에 대해 매우 우호적이다. 그들의 전통 가요는 우리의 아리랑과 정서적으로 맥이 닿아 있다. 내몽고는 한국에서 멀어 가기 힘든 곳이다. 하지만 학회라는 핑계로 다녀왔다. 몽골식 식사는 고기를 좋아하는 나에겐 일품이다. 특히 전통식으로 요리한 양고기 갈비는 말 그대로 '하

끌려가는 왕소군

오츠!'이다. 여행 중 입에 맞는 음식을 만나는 건 복 중의 복
이다.

내몽고에서 왕소군(王昭君)을 만났다. 그녀는 중국 4대
미인 중 한 명이다. 왕소군은 전한 시대 흉노족의 군주인 호
한야 선우의 아내로 선택되어 간다. 그곳에서 호한야의 첫 아
들을 낳고, 호한야가 죽자 그의 아들 복주누약제의 처가 되
어 둘째를 낳았다. 당시 한족으로서는 상상할 수 없는 관습
이었다. 그녀는 원래 미모가 출중하다. 그런데 당시 그림을
그리는 화상(畫商)에게 뇌물을 주지 못해 가장 흉하게 그린
것이 오히려 화가 되었다. 전한의 원제가 선우에게 가장 흉하
게 생긴 여성을 보내려고 하다 보니 가장 흉하게 그려진 왕

소군이 선택되었다. 이를 뒤늦게 안 원제는 화상의 목을 쳤다고 한다. 왕소군의 슬픈 이야기가 전해 내려오는 내몽고이다.

　선우에게 끌려간 그녀는 흉노의 땅에서 봄이 와도 봄이 아닌 척박한 삶을 살아낸다. 당나라 시인 동방규의 시 「소군원(昭君怨)」은 왕소군의 슬픈 사연을 담고 있다. 시인은 그녀의 고향 그리는 마음을 '춘래불사춘(春來不似春)'으로 표현한다. 그녀가 장안(지금의 시안) 거리를 지날 때, 마침 그 위를 날던 기러기가 그녀의 미모에 취하여 날갯짓하는 것을 잊어버리고 땅에 떨어졌다는 소문이 있다. 그리하여 왕소군의 미모를 '낙안(落雁)'이라고도 부른다.

신음하는 고구려

단둥을 거쳐 지안(集安)으로 들어서면서 한편으로는 민족의 고토 고구려에 대한 기대감, 다른 한편으로는 이미 탈색되어 버린 사이비 고구려를 만날 당혹감이 교차한다. 고구려가 어떤 나라인가? 한때 대제국이 아니었던가! 광개토대왕과 장수왕 연간에 주변국들을 통합하거나 통제했던 대고구려였다. 거란, 부여, 물길, 유연, 실위 등을 통제했던 제국이었다. 부왕을 이은 장수왕은 98세까지 장수한다. 그저 장수만 한 게 아니라 당시 동북아의 외교를 리드한 왕이었다. 그는 413년에 즉위하여 491년까지 79년간 통치하면서 고구려를 대제국으로 성장시켰다. 현재 몽골공화국 동부 지역에서도 고구려 성벽으로 추정되는 것이 발견된다. 당시 북위(北魏)와 고구려는 서로 교류도 하면서 긴장 관계를 유지했다. 북위는 당시 남제(南齊)의 사신 못지않게 고구려 사신을 접대했다. 장수왕이 북위와도 외교 관계를 얼마나 잘 유지했는가를 알 수 있다. 다음의 그림(146쪽)은 북위와 고구려의 관계를 알 수 있는 벽돌 그림이다. 네이멍구 박물원에서 찍은 사진이다. 옛 북위 영토였던 간쑤성 자위관(嘉峪關)에서 발굴된 것으로, 고구려 복장을 한 목동이 가축을 돌보고 있다.

　2011년 7월 2일, 지안에 도착. 어디 물을 곳이 없나 해서 주위를 살펴보니, '서울식당'이란 이름이 반갑다. 무조건 들어가 광개토대왕릉으로 간다고 하니, 잘 알아듣지를 못한다. 키가 크고 서울 여자 못지않은 미모의 여성이 강한 북쪽 톤으로 "아! 호태왕릉"이라고 확인해 준다. 이미 '광개토대왕'이란 어휘는 그녀에겐 색이 바랜 단어였다. 감사하게도 중학생인 자기 아들을 가이드로 나와 동행하게 해 준다. 가방을 맡겨 두고 아이와 함께 택시를 타고 고구려 옛터를 찾아간다.

　막연한 기대감이 당혹감을 넘어 분노로 그리고 슬픔으로 이어지는 데는 그리 많은 시간이 걸리지 않았다. 비교적 보관 상태가 좋아 보이는 장군총과는 달리, 광개토대왕릉은 형색이 너무 남루하다. 그나마 한국 관광객들이 많이 온다는 이유로 이만큼이라도 관리한 것 같다. 봉은 허물어져 가고 석실은 한국 지폐 천 원짜리 하나 던져 주면 볼 수 있게 만들어 놓은 중국인들의 야비한 비즈니스에 구역질이 난다. 2019년 12월 중국 지린성 문화여유부가 광개토대왕비와 장수왕릉을

환도산성

국내성 옛터

최고 관광 등급인 5A로 올렸다. 지속적인 한국인의 방문으로 관광 수요가 급증하면서 내려진 조치인데, 이것 역시 비즈니스의 일환으로 읽히는 것은 나만의 억측일까?

아침 장터 구경을 나섰다. 조선족의 익숙한 말마디들이 친밀감을 부추긴다. 환도산성은 입산이 금지되어 있어 오르지는 못했다. 이 성은 고구려 2대 유리왕 22년에 국내성으로 수도를 옮기면서 북쪽으로 2.5킬로미터 떨어진 해발 676미터 산성자산에 축조했다. 산성은 산봉우리를 중심으로 주변 계곡 일대를 돌아가며 벽을 쌓는 방식인 포곡식(包谷式) 산성이며, 성벽은 산능선을 따라 축조되었는데, 성벽의 총 길이는 6,947미터이다. 산성으로 가는 길에 눈에 밟히는 풍광들이 슬퍼진다. 옛 국내성터를 짓누르고 있는 아파트들. 물론 그 돌들이 국내성에 직접 놓였던 돌들이라고 하기는 힘들다. 하지만 곳곳에서 국내성의 흔적들이 방치되어 있고, 아파트의 초석으로 사용된 듯한 기분을 느낀다. G2 중국의 힘에 눌려 신음하는 고구려를 목도한다.

대륙 속의 타이완

지구상에 더 이상 오지(奧地)는 없다. 거리가 멀어 오지인 곳은 없고, 다만 그곳에 대해 관심을 덜 가지면 바로 그곳이 오지가 된다. 패키지여행은 장점도 많지만, 아쉬운 점이 바로 유명 관광지 중심으로 속도 빠르게 일정을 치러내야 한다는 것이다. 그래서 자칫 오지를 많이 남기고 올 수 있다. 나는 타이완을 네 번 다녀왔다. 아리산(阿里山)에 올라 그곳의 신비로움을 맘껏 돌아보았다. 그리고 타이완 남쪽에 있는 가오슝(高雄)에 두 번 다녀왔다. 우리의 부산과 같은 곳이다. 타이완 두 번째 도시이다. 가오슝에 있는 이쇼(義守)대학 그리고 대구교육대학과 자매 관계를 맺고 있는 핑동(屏東)대학을 방문한 적이 있다.

기억에 남는 곳은 성공(成功)대학교였다. 처음 들으면 성공하는 학생들을 양성하는 대학처럼 들리는 평범한 이름이다. 하지만 이 대학은 정성공(鄭成功, 1624-1662)을 기념하여 1931년 타이난(臺南)에 설립한 국립대학이다. 그는 명나라 무인 겸 정치가였다. 그의 아버지는 정지룡(鄭芝龍)이고, 어머니는 일본인이었다. 그의 아버지가 청과 내통하자, 성공은 청과는 계속 등을 돌리면서 해안 지역을 중심으로 무역을 했다. 그는 샤먼(廈門)을 중심으로 명의 부흥을 위해 청에 저항하였지만, 청에게 침공을 당하자 타이완 섬으로 눈을 돌렸다. 그는 1662년 2월 1일 38년 동안 타이완을 지배했던 네덜란드를 몰아낸다. 하지만 타이완을 탈환한 후, 1년도 채 못 넘기고 39세의 나이로 병사한다. 이후 아들 정경(鄭經)이 이어 가지만 결국 1683년 청에 투항한다. 이로써 타이완을 반청복명(反淸復明)의 해방구로 삼으려 했던 정성공의 꿈은 사라지고 말았다.

중국 지도를 펴고 남쪽으로 쭉 내려가면 끝에 샤먼이 있다. 그곳엔 유럽 냄새가 물씬 풍기는 꾸랑위(鼓浪嶼)가 있다. 많은 사람들이 샤먼을 오는 이유가 이곳 때문이다. 중국인들의 제일의 휴양지이다. 날씨도 따듯한 남쪽인데다 서구식 주택과 오래된 집들이 눈을 현란하게 한다. 요즘은 한국인들에게 많이 알려진 곳이다. 이 꾸랑위의 동남쪽 하단 하오위에위엔(皓月園)에 정성공 동상이 타이완을 향해 서 있다. 꾸랑위의 풍광에 마음을 빼앗기면 이곳을 스쳐 가 버린다. 오지를 남기기 쉬운 곳이다.

또 한 곳, 타이완의 한이 서려 있는 곳이 있다. 시안에 가면 병마용과 양귀비 동상이 있는 화청지가 있다. 여기는 양귀비와 현종의 목욕탕을 관광하고, 양귀비 이야기로 마무리를 하는 곳이다. 여기도 자칫 서두르다 보면 오지를 남긴다. 시안사변[12]이 일어난 우지엔팅(五間廳)이다. 장제스와 타이완의 슬픈 역사가 서려 있는 곳이다.

장제스가 마오쩌둥의 공산당을 정복하는 건 시간문제였다. 조금만 더 밀어붙이면 대륙은 장제스의 것이었다. 하지만 '국공합작'이라는 저우언라이[13]와 장쉐량[14]의 프로젝트를 받

1936년 4월 9일 저우언라이와 장쉐량이 비밀회동을 한 옌안 천주교회당

아들이지 않을 수 없었던 장제스였다. 부하 장쉐량의 총부리를 피해 산으로 도망하지만, 결국 국공합작에 승복한다. 국민당의 승리가 물거품이 된다. 그 국공합작에 서명하도록 거사를 일으킨, 5개의 사무실로 만들어진 장제스의 거처가 바로 우지엔팅이다. 이후 장쉐량은 장제스에 의해 타이완으로 끌려가 그곳에서 구금 생활을 50년간 한다. 장제스의 아들 장징궈(蔣經國)[15] 총통이 죽은 후, 나이 90세에 완전히 구금에서 풀려난다. 미국으로 건너가 2001년 101세의 나이로 세상을 떠난다.

민족의 한이 서린 곳

1. 옌지

2011년 겨울, 혼자의 여행이다. 아니 여행이라기보다 한국연구재단의 지원으로 우리 민족의 한이 서려 있는 공간을 찾아 그곳의 이야기를 책으로 쓰기 위한 숙제를 하러 간다. 옌볜조선족자치주의 성도 옌지(延吉)는 이후에도 몇 번 더 다녀왔다. 그해 연말과 이듬해 새해를 옌볜대학교 교수 기숙사에서 보냈다. 따뜻한 온돌방이 좋았다. 영하 20도의 찬바람 맛을 톡톡히 봤다. 감기가 들어 옌볜대학교 내 부설 병원에서 링거를 한 대 맞았다. 그곳에 파견 나온 한국인 의사의 말이다. "공산당 감기 독합네다!"

일제강점기 때 일본에 의한 강제 이주가 심해졌다. 일본인 한 명이 한국 곡창 지역에 와 살기 위해 그 지역 한국인 100명을 중국으로 강제 이주시켰다. 전라도 쪽에 일본인이 많이 산 이유이다. 조선족은 배가 고파 자발적으로 죽음을 무릅쓰고 압록강을 건너기도 했다. 조선족 시인 조룡남은 그의 시 「이민행렬」에서 한을 토로한다.

제 나라 잃고 제 땅 떼우고 가노라 간다. 주림에 밀려 가노라 간다 총칼에 쫓겨 이고지고 고달픈 흰옷의 무리 깨어진

쪽박에는 꿈이 서럽고 괴나리 보짐에는 한이 무거워 타관

의 고개마루 해저무는데 바람찬 이 밤은 어데서 묵노.

투먼(圖們) 정암촌(正岩村)을 가 본다. 일제강점기에 조치
원; 청주 등에서 집단으로 이곳에 강제 이주해 왔다. 뒷산 이
름을 따 '정암촌'이라 부른다. 여기서 뿌리를 내리고 산다. 처
음에는 낯선 이곳에서 나라 잃은 한을 품고 살았지만, 차츰
뿌리를 내리면서 그 한을 희망으로 증류한다. 한은 더 이상
한이 아니다. 이곳은 그 한이 육화(肉化)된 대표적인 공간 중
하나이다.

봉오동 전투 현장을 가 본다. 청산리와 함께 일본을 상대
로 싸워 이긴 전투이다. 이 전투에 패한 후, 조선인에 대한 일
본의 압박이 더 거세진다. 지금은 저수지로 변한 옛 봉오동 전
투 자리. 룽징(龍井)의 윤동주 생가 앞에서는 민족의 한이 더
짙다. 유대인만큼이나 디아스포라의 한을 품고 살았던 우리
민족의 한이 서려 있다. 옌지로 돌아오는 길에 만난 3.13 반일

마을 뒤쪽 산이 정암 봉우리

의사릉은 3.1운동의 역
사적 상처를 오롯이 안
으로 곱씹고 있다. 일송
정에 올라 해란강을 따
라 아직도 흐느끼며 흐
르는 민족의 한을 가슴
으로 품는다. 겨울의 해
란강은 더욱 애달프다.

2. 하얼빈

하얼빈에는 그 낭만적인 이름과는 달리, 우리 민족의 한이 농밀하게 녹아 있는 곳이 여러 군데 있다. 우선 시내에 안중근 의사 기념관이 있고, 조선인 음악가 정율성(鄭律成)의 기념관도 있다. 또 한 곳은 731부대 유적이다. 조선인 6명이 마루타로 희생된 이른바 생체 실험장이다. 패전을 앞두고 마지막 몸부림을 치던 일제가 중국인과 조선인을 대상으로 한 생체 실험이었다. 조선인 희생자 '심득룡'의 이름이 눈에 띈다. 그는 결혼을 며칠 앞두고 이곳으로 잡혀 와 희생당한다. 최근 일제의 생체 실험 만행이 전 세계 과학자 30여만 명이 교육받는 미국 연구 윤리 교재에 실렸다. 재미(在美) 교포인 조 박 펜실베이니아대 의대 교수 가족 4명이 5년 넘게 노력한 결과다. 미국 국립보건원(NIH)이 2020년 1월 1일부터 홈페이지 '연구 윤리 연보'에 일본 731부대 과학자들이 한국인 등에게 저지른 생체 실험 만행을 처음으로 게재했다(이영완).

또 한 곳은 하얼빈에서 한 시간 거리인 우창시 안가진 민락향(五常市 安家鎭 民樂鄕)이다. 2012년 7월 23일, 목적지로 가는 버스 안에서 만난 사람들은 거의 다 경상도 사투리가 강한 조선족들이다. 중국말이 서툰 나에겐 천만다행이다. 혼자, 그것도 말이 서툰 이방인이 낯선 곳을 찾아간다는 게 보통 긴장되는 것이 아니다. 우창은 주로 한국 경상도에서 온 분들이 많은, 중국 속의 경상도이다. 늦게 압록강을 건넌 까닭에, 강 가까운 곳엔 먼저 온 이주민들이 차지하고 있어, 내륙 깊숙한 이곳으로 찾아들었다. 몇 분을 식당으로 모셔 얘기를 들었다. 저마다의 한을 가슴에 묻고 사신 분들이다.

이곳은 쌀 맛 좋기로 소문난 곳이다. 공진항(전 농림부장관)과 이선근(전 영남대총장, 문교부장관, 초대 정신문화연구원장)이 만몽산업주식회사라는 농장을 설립하였던 곳이다. 당시 50만 원이라는 거액을 들여 평안진에 설립하였다. 일제의 조선인 분리 정책에 호응하는 안가농장의 형태였다. 안가농장은 인근의 역 이름을 딴 것이지만, 일제가 조선인을 보호한다는 명분하에 조선인을 한곳에 모아 관리하던 곳이다. 안가농장 사람들은 쌀을 대량생산했지만, 전량을 일제의 군수품으로 공출당한 그들은 정작 좁쌀을 배급받아 연명하였다.

민락향의 조선족들은 13개 마을을 중심으로 살고 있다. 95% 이상이 경상도 출신인, 대표적인 경상도 마을이다. 이곳 어른들의 말로는 한때 민락중심소학교 학생 수가 1,000명이 넘었지만, 지금은 폐교되었다. 일제강점기 만몽산업주식회사가 있을 때 500호 농장(3헥타르) 규모였다고 한다. 그땐 100

호 이상이 살았던 곳인데, 필자가 방문했던 2012년 당시에
는 10호에 노인 18명을 포함해 35명이 살고 있었다. 이곳에
도 소수의 노인들만 마을을 지키고, 젊은 사람들은 중국 다
른 지역과 한국으로 돈 벌러 나가 산다.

3. 타이항산

2012년 7월, 일행은 허베이성 성도 스자좡에서
한단으로 가는 기차를 탔다. 타이항산으로 가는 길이 녹록치
않다. 중국어가 능통한 장윤수 교수의 진가가 발휘된다. 일
반 승합차를 타고 운전기사도 잘 모르는 타이항산으로 찾아
들었다. 이곳은 일제가 패망하기 직전의 격전지였다. 이곳에
서 석정 윤세주는 1942년 6월 마전(麻田) 십자령 전투 중 일
본군의 습격을 받아 사망했다.

이 공간에서 우리가 기억해야 할 인물이 있다. 조선의용
군 최후의 분대장 김학철(본명은 홍성걸)이다. 그는 1916년 11
월 4일 조선 함경남도 덕원군 현면 용동리(현재 함경남도 원산
시 용동)에서 태어났다. 그는 서울 보성고등보통학교를 다녔
다. 그는 작가 조정래와 선후배 사이이다. 그는 26기이고, 조
정래는 52기이다. 그는 상하이임시정부로 건너가, 1936년 그
의 나이 20세 때 조선민족혁명당에 입당하고, 다음 해에 황
포군관학교에 입학하여 그곳에서 김원봉을 만난다. 1940년
그의 나이 24세 때 중국공산당에 입당한다. 그 다음 해에 참

전한 호가장 전투에서 대원 4명이 전사하고, 그는 부상당해
포로가 되어 일본 나가사키 감옥소에 수감된다. 1945년 그의
나이 29세 때 부상당한 좌측 다리를 절단한다. 그해 해방되
자 서울로 돌아와 창작 활동을 하다가 1946년 좌익 탄압으
로 월북한다. 6.25가 발발하자 중국 옌볜의 옌지에 정착한다.
그는 문화대혁명 때 탈고하여 가지고 있던 마오쩌둥 일인 숭
배를 해학적으로 비판한 원고(1996년 『20세기의 신화』로 창작과
비평사에서 출간됨)가 발각되어 10년간 만기 옥살이를 한다. 그
는 1989년 12월 조정래의 대하소설 『태백산맥』 출판 기념회
에 참석하고, 1994년 KBS해외동포특별상을 수상하고, '자랑
스런 보성인'으로 모교를 방문한다. 그의 나이 82세 때이다.
2001년 한국 밀양시 초청으로 '석정 탄신 100주년 국제 학
술 대회'에 참석한다. 그리고 그해 9월 25일 세상을 떠났다.
작가로서의 김학철과 그의 작품 세계에 대한 설명 그리고 조

정래와의 문학적 근친성에 대한 논의는 나의 책 『조선족 디아스포라의 만주아리랑』에서 다루었다.

옆의 사진(156쪽)은 많이 알려져 있다. 조선의용대의 창설을 기념하는 사진이다. 의용대기 바로 뒤 중앙이 약산 김원봉, 왼편으로 한 사람 건너가 석정 윤세주이고, 바로 옆이 운암 김성숙이다. 앞 줄에 있는 두 여성 중 오른쪽은 김위이다. 조선인 영화배우 김염의 여동생이다. 사진에서 화살표로 표시된 이가 김학철이다.

한단은 옛 조나라 수도이다. '한단지보(邯鄲之步)'라는 말이 있다. 한단 여자의 세련된 걸음걸이를 배우러 타 지역에서 올 정도로, 그들의 문화는 고급스럽고 뛰어났다. 따라서 이곳은 자존심의 공간이다. 중국 한단시 교과서에 한국의 경상남도 밀양시가 소개되어 있는 건 우연이 아니다. 김원봉과 윤세주는 밀양시의 같은 동네 앞뒤 집에 살았던 형과 아우이다. 하지만 약산 김원봉은 아직도 귀향의 한을 풀지 못하고, 그 원혼이 북녘 하늘을 떠돌고 있다. 약산에 대한 서훈(敍勳) 문제는 오늘날 한국 사회의 핫이슈

한단 시내에 안장된 윤세주의 진묘

4명의 전사자를 묻고 있는 마을 주민들

(사진 출처: 김해양)

중 하나이다. 그가 북한으로 간 이유에 대한 논쟁이 뜨겁다. 자발적으로 간 건지, 아니면 친일파에 의해 강제로 추방된 것인지에 대한 논쟁이다.

장제스는 김구의 광복군과 김원봉의 조선의용대 대원을 국민당 정부 중앙군관학교 뤄양분교에 한인부를 설치하여 교육시킬 정도로 지원을 아끼지 않았었다. 뤄양분교는 조선의용대 제2분대(분대장 문정일)의 활동 거점이기도 했다. 하지만 이후 장제스는 조선의용대를 광복군에 편입시켰다. 이에 대한 불만 때문에 김원봉이 월북을 한 것으로 분석하기도 한다(신경진: I). 그 이유야 어떻든 그는 한국의 독립운동사의 중심에 서 있는 거봉임에 분명하다. 이제 그에 대한 이념적 평가는 내려놓고, 그를 민족주의자로서 보다 긍정적으로 조명해 볼 때가 된 것 같다. 한이 이념에 의해 재단될 때, 그 한은 더 이상 한이 아니다. 그의 아내 박차정은 밀양시 부북면 제대리 묘에서 남편의 귀향을 기다린다.

타이항산(太行山)에는 '행(行)' 자가 들어 있다. 이것은 여러 개의 산들이 행렬을 이루는 산맥을 뜻한다. 최근 한국인들에게 중국의 그랜드캐니언으로 불리면서 트래킹 코스로 잘 알려진 곳이다. 하지만 호 씨 집성촌인 호가장(胡家庄) 계곡에 조선인의 한이 얼마나 서려 있는지를 아는 사람은 드물다. 1941년 12월 12일 조선의용대와 일본군이 치열하게 싸웠던 곳이다. 진기로예 혁명열사릉에 석정 윤세주의 묘가 있다. 진기로예(晉冀魯豫)는 중국의 중원 지역을 가리키는 말로 진(晉)은 산시(山西)성, 기(冀)는 허베이성, 로(魯)는 산둥성, 그리고 예(豫)는 허난성을 지칭한다. 산시성과 산둥성은 중국을 남북으로 가로지르는 타이항산에 의해서 동서로 나누어진다. 중국 자동차 번호판에 붙은 앞 글자를 보고 어느 지역 차인지를 알 수 있는 여행객이라면 중국통으로 자부해도 좋다. 기(冀)가 허베이성을 뜻한다는 것은 알기 쉽지 않으니까.

4. 옌안

2011년 7월, 중국 공산당의 혁명 성지인 옌안(延安)으로 간다. 시안에서 택시로 5시간 정도 걸린 것으로 기억한다. 난 그때 몹시 피곤했다. 그럴 만도 했다. 중국에서 한 달간의 강행군이었다. 피곤해도 이곳은 가 보고 싶었다. 아래 사진은 어느 식당에서 만난 인상 깊었던 패션이다. 중국의 오지라고도 할 수 있는 이곳 옌안에서 이런 멋있는 패션을 만날 줄은 상상도 못했다. 기꺼이 사진 촬영에 응해 준 것도 감사했다.

항일 투쟁 공간인 야오동(토굴)이 있는 곳이다. 조선 의용군들이 이곳에서 생활하면서 항일 전쟁을 했던 곳이다. 마오쩌둥으로서는

타이항산 호가장 항일열사 기념비(좌)와 조선의용군 옛터 야오동(우)

이곳이 최후의 전투지고 해방구였다. 이곳에는 옌안 시기 중
국공산당의 항일 투쟁과 혁명 운동을 기념하기 위해 세운 옌
안혁명기념관이 있다. 우리 일행을 위해, 기념관장이 직원 두
명과 차를 내주었다. 이곳이 조선의용군의 옛 터라고 알려 주
는 빛바랜 안내판 하나가 덩그렇게 우리 일행을 맞는다. 거의
관리가 되지 않은 모습이다. 그리고 토굴 속에는 항일 투쟁을
했던 조선의용대의 흔적이 아직도 생생하다. 조선의용군은
1938년 중국 후베이성의 성도인 우한(武漢)에서 조선의용대
로 출발했지만, 이후 중국 정규군인 팔로군에 편입되면서 조
선의용군으로 개칭되었다. 중국 지도를 펼쳐 보면, 우한은 대
륙의 배꼽에 해당하는 중심 도시이다. 1949년 신중국이 건설
되면서 한양(漢陽)·우창(武昌)·한커우(漢口) 세 도시가 통합
되어, 지금은 상주 인구가 1,100만인 대도시가 되었다.

　　다시 옌안으로 돌아온다. 옌안은, 비록 수는 적었지만, 조
선의용군이 중국과 함께 일본 타도를 위해 힘을 쏟았던 한

중 연대의 항일 투쟁 공간이었다. 눈에 띄는 것 중 하나는 당시 보탑산 남서쪽 기슭에 1941년 5월에 설립된 일본공농(工農)학교가 있었다는 사실이다. 이곳은 중국이 일본 포로들을 교육하던 곳이다. 조선인의 투쟁 현장보다 이곳이, 일본에 의해, 더 잘 관리된다는 현지인의 말을 듣고, 우리 일행은 씁쓸하기 짝이 없었다. 이곳 옌안은 요새이다. 적의 비행기가 쉽게 폭격할 수 없을 만큼 계곡이 진 곳이다. 마오쩌둥이 이곳을 전략지로 택한 이유이다. 한국인들이 거의 관심을 보이지 않은 다소 거친 옌안에서 조선인의 삶을 체험하고 떠난다. 깊은 감회와 함께.

5. 선양

선양(瀋陽)은 우리 민족의 역사적 상흔이 생생하게 남아 있는 현장이다. 조선인이 중국으로 이주한 역사는 길게는 400년이다. 병자호란(1636년) 때 적어도 50만 명 이상이 이곳으로 끌려왔다. 물론 환속(還屬)하여 조선으로 돌아온 사람도 있지만, 많은 사람들이 이 공간에 이런저런 이유로 눌러앉았다. '환향녀(還鄉女)'는 우리 민족에게는 떠올리기 부끄러운 어휘이다. 청에 끌려가 청군(淸軍)의 성 노리개가 되느니 차라리 죽는 것이 낫다고 생각하고, 끌려가던 중에 물로 뛰어 들어가 죽은 조선 여인들의 붉은 댕기가 온 호수를 가득 메웠다. 환향한 여인들의 한은 홍제천에서 씻고 씻어도 지울 수 없는

선양관 옛터

삼학사를 기리는 비석

한이었다. 하지만 우리는 그 한을 희망적으로 그려 낸 민족이다. 한국인의 슬프지만 슬프지 않은 한스러움이 지금의 대한민국을 만든 힘이다.

나는 2011년 7월 소현세자와 봉림대군이 볼모로 끌려와 머물렀던, 지금은 어린이 도서관이 된 선양관의 옛터를 보기 위해 이곳으로 왔다. 그리고 조선족이 모여 사는 아파트를 둘러보고, 어렵게 비석 하나를 찾을 수 있었다. 청나라와의 화친을 끝까지 반대하다가 청에 끌려와 죽은 삼학사(三學士)인 홍익한, 윤집, 오달제를 기리는 비석이다. 어느 한국 기업인에 의해 선양 변두리의 폐교된 학교 뜰 안에 세워진 이 비석은 누구 하나 돌보는 이 없이 덩그러니 서 있었다.

중국 근세철학의 요람, 횡거서원

　　나는 중국 시안을 여러 차례 다녀왔다. 그 이유
는 시안이 중국 역사의 메카이기도 하지만, 무엇보다도 장윤
수 교수 때문이다. 그는 한국인으로서는 처음으로 중국 북송
의 장재를 주제로 박사학위를 취득하였다. 그와 함께 시안에
서 두 시간 거리인 메이시엔(眉縣)에 소재하는 횡거서원에 여
러 번 갔다. 그곳에는 장재의 28대 손인 짱쓰민(張世民)이 살
고 있다. 그는 장재를 송대유종(宋代儒宗)으로 존숭하여 그
의 묘를 잘 정비하여 관리하고 있다. 2020년 장재 탄생 1000
주년을 기념하는 국제 학술 대회를 계획했지만, 코로나 19로
취소되었다.

　　장재는 장안 출생이지만, 그의 호는 그가 살았던 횡거진
에서 따서 '횡거(橫渠)'이다. 우리에겐 '횡거 선생'으로 잘 알
려져 있다. 그는 '북송오자' 중 한 사람으로서, 당시 위기에 처
했던 나라의 통합에 사상적 기초를 마련하려고 애를 썼다. 그
는 기(氣)를 통합의 원리로 제시한 철학자이다. 우주는 기를
떠나 설명할 수 없다. 리(理)와 기(氣)로 이분법적으로 나누
어 설명하기에는 부족한, 우주 자체는 하나의 기로 뭉쳐져 있
다. 기는 태허이다. 태허(太虛)란 크게 비어 있음이다. 크게 비
어 있어, 모든 것들이 비로소 그것으로 인해 객관적 형태를 갖
출 수 있다. 기가 뭉쳐 객관적 형태를 띠면 감각할 수 있고, 기

장재의 묘

가 흩어져 형태를 상실하면 감각할 수 없다. 그렇다고 해서 뭉쳐진 것과 흩어진 것의 차이는 없다. 다만 현상적 차이일 뿐이다. 본질의 차이는 없다. 따라서 본질과 현상은 다름이 아니다. 현상적 본질이요 본질적 현상이다. 본질과 현상의 분리는 인간이 만들어 놓은 개념적 틀에 지나지 않는다.

장재는 그의 『정몽(正蒙)』에서 유와 무를 분리하여 어느 한쪽에 방점을 찍는 노자와 불교를 비판한다. 유는 무에서 생겨난다는 노자의 자연 이론뿐 아니라 형체 있는 것과 형체 없는 것을 분리하여 형체 없음에 집착하는 불교도 비판한다. "성인은 기의 형체가 있는 상태에서나 없는 상태에서나 조금도 곤란함이 없는 자이다. 그 신묘함이 지극하다"(장재: 16). "기가 모이면 우리 눈에 뚜렷이 보여 사물의 형상이 있다고 일컬어지고, 기가 흩어지면 뚜렷이 보이지 않아 형상이 없다고 일컬어진다"(장재: 18). 형태의 있고 없음은 기의 모임과 흩어짐에 불과할 뿐이다. 우린 그 어디에 집착하여 서로를 비판할 방도도 없다.

장재의 거대한 용광로와 같은 사상을 원류로 해 중국 근세철학은 발전한다. 정이 형제와 주희의 이학(理學), 육구연,[16] 왕수인[17]의 송명심학, 왕부지[18]와 대진[19]으로 이어지는 기론으로 계승 발전된다. 따라서 장재를 중국 근세철학의 요람으로 칭하는 것은 그리 과장된 주장은 아닐 것이다. 장재의 학문은 관학(關學)으로 불리고 있다. 관학은 장재의 횡거서원이 있는 미현과 시안 일대가 중국의 관중(關中) 지역인 데서 유래한 용어이다. 관중은 북쪽의 소관(蕭關), 동쪽의 함곡관(函谷關), 남쪽의 무관(武關) 그리고 서쪽의 산관(散關) 등의 4관문으로 둘러싸인 중간 지역이다. 이 지역은 중국 역사의 노른자위였다.

현재 관학 연구가 활발하게 이루어지고 있는 곳 중 하나인 중국 산시성(陝西省) 바오지에 있는 바오지문리학원의 곳곳에 장재의 글이 눈에 띈다. 장재의 어록 중 "천지를 위해 마음을 세우고 백성을 위해 명을 세운다. 앞서 간 성현들을 위하여 끊어진 학문을 잇고, 만세를 위하여 태평한 세상을 연다(爲天地立心 爲生民立道 爲往聖繼絶學 爲萬世開太平)"고 하는 사위 사상(四爲思想)이 백미이다.

횡거서원 입구에 자리한 큰 돌에 새겨진 장재의『정몽』,「삼량(參兩)」편에 나오는 '동비자외(動非自外)'란 말마디가 자꾸 나를 붙든다. 장재의 자연관이 잘 나타나 있는 듯하다. "움직임은 바깥으로부터 오는 것이 아니다"라는 뜻이다. 이 글귀는 "회전 운동을 하는 것은 모두 그 움직임에 있어 기틀을 갖고 있다. 기틀이라는 말 자체가 이미 그 움직임은 외부에서 가해지는 것이 아니라는 뜻을 내포하고 있다"(장재: 23). 장재는 천지를 기의 움직임으로 설명하면서 그 운동 과정이 이치에 맞고 모두 부득이한 것이라고 설명한다. '이치에 맞고 부득이하다'는 말은 자연의 운동은 외부의 다른 존재나 원인에 의해 일어나는 것이 아니라 내재적 원인에 따라 매우 질서 있게 필연적으로 움직이는 것을 말한다. 얼핏 스피노자를 연상하게 한다. 스피노자는 자연의 움직임이 초월적인 신에 의한 것이 아니라 자연의 내재적 원인인 신에 의한 필연적 운동이라고 말한다. 그래서 스피노자는 '신즉자연'이라고 말한다. 그에게 신은 다름 아니라 스스로 내재적 원인에 의해 움직이는 질서 자체이다. 자연 질서 자체가 신이다. 장재의 '태허즉기'와 스피노자의 '신즉자연'이 교차하는 지점이 어디엔가 있을 것이라는 생각이 든다.

바오지 회상

바오지(寶鷄)는 시안에서 서쪽으로 웨이허(渭河)를 따라 150킬로미터 정도 떨어진 곳에 있다. 바오지는 역사적으로 오래된 도시이다. 실크로드를 잇는 중요한 교차로이며, 동서로 길게 늘어져 있는 곳이기도 하다. 혹 동서로 뻗은 길을 서너 번 왔다 갔다 하다 보면 찾는 사람을 만날 수 있을 것 같은 지형이다. 도시 곳곳은 생각보다 잘 정비되어 있고, 시민을 위한 체육 시설도 잘 갖추어져 있다. 이곳 바오지문리대학의 체육관 수영장은 아시안 게임 때 경기장으로 사용되기도 했다고 들었다.

바오지는 기원전 2000년에 주(周)와 진(秦)의 발상지였고, 오래된 청동기 문화의 중심지였다. 이곳의 청동기 박물관은 유명하다. 난 이 도시에서 두 가지 의미 있는 경험을 했다. 하나는 진의 시황제보다 무려 330년 전의 14대 선조인 진(秦)의 19대 왕 경공(景公, 재위 기원전 577-537)의 무덤이 발굴된 곳에 가 본 것이다. 이 무덤은 주나라 이래로 발굴된 무덤들 중에서 가장 큰 무덤으로 186명이 순장된 것으로 추정된다. 진인들은 오랑캐 서융과 싸워 영토를 확장하고 이웃 나라와 경쟁하면서 영토를 지켜 온 사람들이다. 서쪽 간쑤성에서 점차 동으로 세력을 넓히면서 결국 시엔양(咸陽)으로 수도를 옮겨 강대국으로 자리 잡게 된다. 이러한 오래된 역사를

경공의 묘 발굴 현장

기반으로 하는 바오지는 청동기의 화려한 유적과 그들만의 문화적 정체성을 자랑스럽게 여기는 도시이다.

내가 바오지에 대해 기억하는 또 하나의 일은 바오지문 리대학에서 개최한, 소무의 정신을 기리는 국제 학술 대회에 참석한 것이다. 소무[20]는 누구인가? 중국 한(漢)나라 장군으로서 이 지역 출신이다. 항상 이릉[21]과 대조되어 평가되는 인물이다. 그는 흉노족을 호송하러 파견되었다가 그들에게 포로로 잡힌다. 그는 사신의 상징인 부절(符節)을 단 채 19년 동안 한나라로 돌아갈 날을 기다린다. 소무는 숫양이 새끼를 낳으면 한으로 돌려보내 주겠다는 선우의 명을 따라 북해인 바이칼호로 가 그곳에서 풀뿌리로 연명한다. 그는 그곳에서 흉노의 여인과 결혼도 하고 아들(소통국)까지 낳지만, 흉노의 신하가 될 수는 없었다.

이릉 역시 포로로 흉노에 끌려왔다. 이릉은 5,000명을 이

소무상

끌고 흉노족을 토벌하러 갔다가 중과부적으로 흉노에 투항
한다. 이에 분노한 무제가 이릉의 가족을 몰살하려고 하자,
사마천은 이릉의 잘못으로 흉노에 끌려간 것이 아니라 이광
리[22]의 군사작전의 실패 때문이라고 당당하게 주장한다. 이광
리는 무제의 처남이다. 사마천은 화를 당할 수밖에 없었다.
궁형은 당시로는 사형 다음의 중형이다. 49세 때 거세라는
참혹하고 부끄러운 형을 당한 그는 그럼에도 『사기』를 계속
쓴다. 이릉이 흉노족 선우의 명을 받아 소무를 설득하러 왔
다. 이릉은 술자리를 마련해 소무와 같이 한다. 이릉은 계속
소무를 설득한다. 하루는 한 무제가 사망했다는 소식을 전
해 주자, 소무는 그 자리에서 일어나 예를 갖추고 피를 토하
며 슬퍼했다. 무제 이후 소제가 왕이 되어 흉노와 화친을 하
면서, 소무는 기원전 81년 나이 60이 되어 19년 만에 장안으
로 돌아온다. 이릉은 이미 흉노의 사람이 되었기에 한으로 돌

아올 수 없었다. 소무와 이릉의 삶은 대조적이다. 어느 누구의 삶을 특정하여 옳은 삶이라고 재단하기는 쉽지 않다. 이릉은 흉노 왕의 사위가 되어 살다가 20년 뒤에 병사한다. 소무는 한으로 돌아와 높은 관직에 올랐다.

소무에 관한 일화는 조선시대 문인 강항[23]의 삶에서도 읽을 수 있다. 강항은 1597년 정유재란 때 일본으로 끌려가 그곳에서 2년 9개월 동안 포로로 살다가 탈출하여 돌아온다. 그는 자신이 남긴 기록을 죄인이 타는 수레라는 뜻으로 『건거록(巾車錄)』이라 불렀는데, 제자들이 소무와 연결시켜 『간양록(看羊錄)』으로 이름을 바꾸었다. 가왕 조용필이 부른 〈간양록〉도 바로 강항의 삶을 묘사한 것이다.

이국땅 삼경이면/밤마다 찬서리고/어버이 한숨쉬는/새벽달일세/마음은 바람따라/고향으로 가는데/선영 뒷산에 잡초는/누가 뜯으리/피눈물로 한줄 한줄/간양록을 적으니/님 그린 뜻 바다되어/하늘에 닿을세라

내가 살고 있는 대구에는 이와 관련해서 이야기할 수 있는 두 사람이 있다. 한 사람은 임진왜란 때 왜군 장수로 왔다가 귀화한 김충선[24]이고, 다른 한 사람은 역시 임진왜란 때 명나라 구원병의 일원으로 왔다가 돌아가지 않고 대구에 정착한 중국 산시성 두릉(杜陵) 출신의 두사충(杜思忠)이다. 선조에 의해 김해 김씨 성을 하사받은 김충선은 대구 근교인 가창 우록에 터를 잡고 살았다. 지금 그곳에는 김충선의 위패

모명재

를 모신 녹동서원이 있다. 명나라 장군으로 왔다가 이순신과
의 인연으로 명으로 돌아가지 않고 대구에 머물렀던 두사충
은 대구 수성구 모명재(慕明齋)에 영정이 있다. 대구의 '대명
동'이라는 지역 이름도 두사충과 관련이 있다. 두사충은 현
재 대구 앞산이라 불리는 대덕산 기슭에 살면서 단을 짓고 명
을 향해 제사를 드렸는데, 그곳에서 유래한 명칭이 바로 대
명동(大明洞)이다. 이들이 귀국하지 않은 나름의 이유가 있을
것이다. 그 이유 여하를 막론하고 그들은 이국땅에서 각자의
삶을 영위했던 디아스포라였다.

실크로드의 기점 시안

　　시안은 옛 서주(西周)의 수도였던 호경(鎬京)에
서 당의 장안(長安)에 이르기까지 1,100년 동안 13개 왕조의
수도였던 곳이다. 중국 3,000년 역사의 박물관이다. 시안은
서양의 로마에 버금가는 동양의 로마이다. 춘추전국시대를
통일한 진(秦)의 수도였고, 중국의 황금기라 할 수 있는 당의
수도이기도 했다. 필자는 시안에 갈 때마다 시의 중심인 종루
(鐘樓) 부근 성시주점(城市酒店)을 숙소로 잡는다. 무엇보다도
교통이 편리하고 가격도 저렴하다. 그런데 왜 시안 중심에 회
족 집거지가 있는가? 잠시만 생각하면 답이 나온다. 중국 실
크로드의 출발점인 이곳에 그 길을 따라 회족의 문화가 들어
왔다. 그리고 이 문화는 신라 계림(경주)으로 이어진다. 당은

청진사 부근의
회족 거리

시안의
실크로드
기점

한때 나당 연합군을 결성하여 고구려를 멸망시키고(668년) 신라가 통일을 이루는 데 힘을 합했다. 시안과 계림은 당시 문화의 소통 라인을 구성하였다. 이러한 역사적 흔적은 아직도 생생하다.

　시안 시내에 이슬람 사원이 있다. 이름은 청진사(淸眞寺)이다. 시안에 가면 누구나 들르는 시장 한가운데에 자리 잡고 있다. 중국은 무슬림을 회족(回族)이라 부른다. 약 981만 명으로 소수민족 중 4번째로 많은 인구이다. 중국의 소수민족은 55개인데, 전체 인구 중 92%가 한족이고, 나머지 8%가 소수민족들이다. 인구 순서로는 쫭족(壯族)과 만주족, 회족 그리고 묘족(苗族)이다. 소수민족 중에는 쫭족(壯族)과 한자어 발음이 같은 장족(藏族; 티벳족)도 있다. 쫭족은 광시(廣西)에, 장족은 시짱(西藏)에 각각 자치구를 이루어 살고 있다.

　시안에는 실크로드의 기점이 있다. 기원전 2세기 한나라 때 외교관이었던 장건[25]이 앞서 이 길을 개척했다. 한 무제가

원성왕릉의 무인석

흉노를 관리할 군사적 목적으로 장건을 보낸 것이다. 물론 흉노를 관리하는 데 지나치게 국력을 낭비한 것이 그가 망하는 이유가 되기도 하지만, 무제는 흉노족을 토벌하면서 정치적-문화적으로 절정을 이룬다. 이 실크로드를 통해 들어온 회족 문화가 신라 계림까지 들어온 흔적이 바로 경주시 외동읍 괘릉(원성왕릉)이다. 이 왕릉은 현존하는 왕릉 중 미학적으로 가장 잘 완성된 능이다. 이 능은 유해(遺骸)를 수면 위에 걸어 안장(安葬)했다고 해서 '괘릉'이라 불린다. 괘(掛)는 '걸다'라는 의미이다. 원성왕은 신라 38대 왕으로 재위 기간이 785년에서 798년까지다. 왜 이 왕릉에 서 있는 무인석(武人石)이 회족의 모습인지에 대해서는 논란거리다. 여하튼 신라가 중앙아시아와 페르시아와도 교역을 했으리라는 짐작은 가능하다.

최근(2019년 12월 31일) 진시왕릉 무덤인 병마용 1호 갱에서 220여 구의 병마용이 추가로 발굴되었다는 뉴스를 접했다.

놀라운 것은 금제 낙타도 함께 발굴되었다는 소식이었다. 10년간 이루어진 3차 발굴의 성과라고 한다. 나는 이곳을 다섯 번 정도 간 것으로 기억이 된다. 갈 때마다 나는 아직 발굴되지 않은 1호 갱 영역에서 연구원인 듯 보이는 몇 사람이 느린 행동으로 무언가를 하고 있는 모습을 그저 영혼 없는 관광객의 눈으로 보는 둥 마는 둥 스쳐 지나쳤다. 그러면서 '중국인들은 서두르지 않는구나! 우리 같았으면 벌써 다 파헤쳤을 건데!'라고 속으로 웅얼댔던 나였다. 그들의 느림의 철학이 새삼 놀랍다. 발굴된 금제 낙타는, 진나라 시기에는 낙타가 없었다고 알려진 만큼, 한나라의 실크로드가 형성되기 이전 진나라 때부터 서역과 교류를 했다고 추론할 수 있는 학문적 근거가 되는 것이다. 언제부터 관람을 할 수 있을지 모르지만 벌써 호기심이 동한다. 아래 사진을 찍은 것이 2011년이니까, 2019년 발굴 성과를 발표하기까지 발굴 10년간의 초기 단계의 모습이다. 그때 그냥 찍어 놓은 사진이 새삼 의미를 갖는다.

웨양러우에 오르다

    2015년 10월 25일, 대구교육대학교와 교류를 하고 있는 중국 후난성의 웨양(岳陽)에 있는 후난이공대학교를 방문했다. 대학 측에서 마련해 준, 둥팅후(洞庭湖)를 끼고 있는, 중국 고위급 인사들만 이용한다는 호텔과 그 주변의 아름다운 풍광은 지금도 기억이 생생하다. 이곳의 둥팅후는 중국에서 두 번째로 큰 담수호이다. 웨양에 웨양러우(岳陽樓)가 있다는 것은 누구나 잘 안다. 북송의 정치가 등자경(滕子京; 990~1047)과 콤비를 이루었던 범중엄의 「악양루기」는 무엇이 진정으로 백성을 위한 정치인지를 한마디로 축약한 글이다. "천하의 근심은 남보다 먼저 하고, 천하의 즐거움은 남들이 다 즐기고 난 후에 즐긴다(先天下之憂而憂 後天下之樂而樂歟)." 웨양러우에 오르면 누구나 나라를 걱정하고, 누구 입에서나 좋은 글이 나올 법하다. 두보의 시를 읽으면서 넓은 둥팅후를 바라보면 모든 시름도 잠시 쉬어 가는 것 같다.

    昔聞洞庭水(석문동정수)

    今上岳陽樓(금상악양루)

    吳楚東南瞬(오초동남탁)

    乾伸日夜浮(건곤일야부)

    親朋無一字(친붕무일자)

老去有孤舟(노거유고주)

戎馬關山北(융마관산북)

憑軒涕泗流(빙헌체사류)

예로부터 동정호의 장관 들었으나

오늘에야 악양루에 오르게 되었네

오초 지방 둘로 나눠져 동남으로 갈라졌고

끝없는 물결은 낮밤과 천지만물을 띄워 유유히 흐르네

가여운 이내 신세, 친척과 친구 한 자 소식도 없고

늙고 병든 몸 오직 한 척의 배 있을 뿐

관산 북쪽 도성에는 오랑캐 침입으로 난리 그치지 않는다 하니

난간에 기대서서 눈물 한없이 흘리네

— 두보, 「등악양루(登岳陽樓)」(한글 번역: 권영한)

이 웨양러우는 건축양식이 독특하다. 각 시대별 건축양식을 전시해 둘 만큼 여러 번 개축되면서 오늘날의 양식이 된 것이다. 원래는 군사 목적으로 건축되었다. 수문을 조절하여 적을 무너트리는 전략 요충지였다. "청나라 광서(光緖)연간에 편찬된 『파릉현지』에 의하면 동한(東漢)의 건안 20년(AD 215) 오나라 손권이 촉의 유비와 형주고을의 실세를 다투면서 대장군 노숙에게 군사 1만 명을 주어 전략 요충인 파구(지금의 웨양)지역을 장악하도록 했다. 노숙은 동정호에서 수군을 조련하고 파구성을 축조해 성의 서쪽 산을 등지고 호수를 바라볼 수 있는 자리에 군사들을 통제하고 지휘하는 열군루(閱軍樓)를 세웠다고 한다. 바로 이 누각이 악양루의 단초가 된다"(이병한).

둥팅후

이후 문인들이 이 누각에 자주 오르면서 오늘날 중국 고대문학의 산실이 되었다. 문자가 주는 카타르시스를 맘껏 누리는 즐거움도 준다. 범중엄이 올라 보지도 않고 그 그림만 보고 쓴 「악양루기」이지만, 그는 자연을 통해 마음을 다스리는 길을 열어 보인다. 험난하고 척박한 시대, 혁신의 꿈은 좌절되었지만, 그 꿈조차도 욕심이라는 자기 성찰이 글 속에 담겨 있다. 모든 건 자연의 이치를 잘못 안 인간의 헛된 욕망 때문이다. 그래서 둥팅후는 더 아름다운 것이다. 호수의 물이야 옅은 황토색으로 그리 아름답지는 않지만, 스스로의 욕심을 걷어 낸 마음으로 본 호수는 그저 담수호가 아니라 장강으로 흘러가 뭇사람들의 욕심을 씻어 내는 거울과도 같은 맑은 물이다. 호텔 뒤 호수를 거닌다. 평상시 호수 주변에는 아침 운동을 하는 사람들이 많다. 이날은 비가 와 사람들이 보이지 않는다. 흐린 호수를 더 넓어지고 싶은 마음으로 바라보았던 기억이 생생하다. 후난이공대학 측의 배려가 새삼 고맙다.

후난성의 모래톱 방문기

웨양을 뒤로 하고 초나라의 거점인 창사(長沙)로 이동한다. 창사는 문자 그대로 상강(湘江) 한가운데에 자연적으로 조성된 길이 5km, 폭 100미터의 긴 모래톱(사장)에서 유래한 이름이다. 마오쩌둥의 고향은 샤오샨(韶山)인데, 이곳 창사에서 그리 멀지 않다. 중국 4대 서원 중의 하나인 악록서원(岳麓書院)이 이곳에 있다. 후난대학에 부속된 하나의 독립 대학교이다. 악록서원의 주한민(朱漢民) 원장의 초청으로 국제 학술 대회에 참석하기 위해 이곳으로 왔다. 악록서원의 유명세는 장식, 주희, 왕양명 등이 이곳에서 강의를 했다는 사실 이외에도 오랜 기간 중국 주자학의 모태로서 기능을 해 왔다는 점이다. 이 서원은 북송 개보(開寶) 9년(976년) 담주(潭州) 태수 주동(朱洞)이 창건하였다. 서원 입구 양 옆에 있는 "惟楚有材 於斯爲盛(유초유재 어사위성)"이라는 글귀는 이 서원의 위상을 말해 준다. '오로지 초나라의 인재는 이곳에서 무성하다'는 의미인 것 같다. 방문객의 눈에 띈 것은 안동 서원의 전교당이 이곳에 재현되어 있다는 것이다. 아마 주한민 원장의 관심 사업 중 하나인 서원 교류 사업의 일환으로 이루어진 것으로 추측된다. 주한민 원장은 한국에 자주 오는 학자이다.

창사에는 마오쩌둥이 다녔던 후난제1사범학교가 있다.

악록서원 현관

나는 소박하게 꾸며 놓은 기념관에서 그가 청년 시절 공부했던 강의실을 둘러보고, 그가 공부했던 자리에도 앉아 보았다. 그의 고향인 이곳에서는 마오 주석의 거대한 동상을 자주 볼 수 있다. 타이완 가오슝사범대학교 한쪽 모퉁이에 쓸쓸하게 서 있던 장제스의 동상과 비교된다. 중국의 젊은 층은 1978년 개방정책 이후 경제적인 부를 가져다준 덩샤오핑을 존경하지만, 노년층은 인민들과 함께 굶주려 가면서 혁명 의지를 불태웠던 마오쩌둥을 더 사모한다. 그에 대한 사모곡은 공원 곳곳에서 들려온다. 이 학교 곳곳에는 마오 주석의 독특한 글씨체인 마오체(毛体)로 쓴 글이 걸려 있다. 자유분방한 필체로 꾹꾹 눌러 쓴 글은 그의 혁명 의지를 담아내고 있다. 옆의 사진(181쪽)은 학교 현관에 걸린 글이다. '인민의 선생이 되고자 하면 먼저 인민의 학생이 돼라'는 의미이다. 평범하지만 범상치 않은 글이다.

우리가 방문한 학교는 때마침 운동회를 하는 모양이다. 맑고 밝은 학생들의 얼굴에서 대륙의 미래를 본다. 낯선 방문객을 상냥하게 대하는 학생들의 천진난만한 모습이 귀엽다. 학교를 나와 후난대학교 인훼이(殷惠) 교수가 우리를 위해 마련한 식당에서 후난성 요리인 샹차이(湘菜)를 맛보았다.

이곳을 방문하기 전에 창사 태평가에 있는 가의(賈誼) 유적을 들렀다. 굴원(屈原)과 가의의 고향인 굴가지향(屈賈之鄕)이 바로 이곳이다. 공자와 맹자의 고향인 추로지향(鄒魯之鄕)이 유가의 정신적 고향이라면, 굴가지향은 권력으로부터 버림받은 우국지사들의 유배지이다. 굴원과 가의가 그렇고, 마오쩌둥 역시 그렇다. 이곳이 망하지 않고서 중국이 망했다고 할 수 없다. 가의의 고택에 있는 「조굴원부(弔屈原賦)」에는 두 사람의 우국충정이 진하게 스미어 있다. 가의가 추모하는 굴

원은 누구이며, 가의는 누구인가? 굴원은 전국시대 초나라의 정치인이자 시인이다. 진(秦)의 세력에 몰려 조국인 초가 위기에 몰리자, 조국을 구하기 위해 힘을 모을 것을 주창한다. 초의 회왕을 도와 조국을 구하려 했지만, 친진파(親秦波)들의 모함에 의해 뜻을 이루지 못하고 음력 5월 5일에 멱라수에 몸을 던진다. 잘 알려진 이야기이다. 음력 5월 5일 단오에 쭝즈(粽子)를 강에 던지는 풍습이 있다. 그것은 굴원의 시신을 물고기들이 뜯어 먹지 못하도록 물고기의 밥으로 쭝즈를 강물에 던지는 것이다. 쭝즈는 중국 음식점에서 흔히 보는, 찹쌀을 쪄서 대나무 잎에 싼 음식이다. 가의(기원전 201-169)는 뤄양 출신의 중국 한나라 정치가이자 시인이다. 그는 굴원의 우국충정을 회상하고 기리는「조굴원부」를 썼다. "가의는 한(漢) 문제(文帝)의 총애를 받았으나 대신들의 시기로 장사왕태부(長沙王太傅)로 좌천되어"(신경진: II) 굴원과 같이 굴곡진 삶을 살았다.

화성과 장성

한국 수원의 화성과 중국의 만리장성은 축성의 의도도 다르고, 그 규모 면에서도 많이 다르다. 만리장성은 몽골의 침략으로 자존심이 엄청 상한 명이 더 이상 흉노의 침략을 허락하지 않으려는 의도로 지은 것이다. 그 유래는 진시황이 북방 흉노의 침략을 막기 위해 기원전 214년부터 짓기 시작하여, 춘추전국시대에 여러 나라가 자국의 방어를 위해 구축해 놓은 것을 연결하여 리모델링한 것이다. 이후 한역시 북방 흉노의 남하를 막기 위해 지속적으로 장성을 개축하였다. 그리고 몽골족이 세운 원이 망했지만 계속 남하하자, 명 영락제가 산해관을 설치하면서 거대한 장성이 완성되기 시작했다. 장성은 결국 한족 중심주의가 재현된 공간이다. 이후 이른바 '동북공정'[26]이 가시화되면서 명대의 장성을 고무줄 늘이듯 확장한다. 동으로는 고구려 산성이었던 단둥 박작산성을 호산장성(虎山長城)으로 개명하고, 만리장성의 동쪽 기점으로 새겨 두고 있다. 서쪽으로도 가욕관을 넘어 중앙아시아로까지 확장해 간다. 그 길이가 얼마든 장성에는 한족의 자존심을 상하게 한 흉노족에 대한 원한과 복수가 재현되어 있다.

수원 화성(華城)은 정조(1752-1800)가 아버지 사도세자의 한을 풀기 위해 지은 공간이다. 영조 38년(1762) 사도세자

단둥의 호산장성

는 한여름에 뒤주 속에 갇혀 8일 만에 죽는다. 정조는 1775
년 영조를 대신해 대리청정을 하였고, 1776년 22대 임금으로
즉위하였다. 정조는 즉위 13년 만에 부친의 묘를 양주 배봉
산에서 수원 화산으로 옮긴다. 정조는 아버지 사도세자에게
'장헌(莊獻)'이라는 존호를 올리고 떳떳하게 추숭 사업을 이
어 나갔다. 정조는 추숭 사업의 일환으로 1794년부터 화성을
축성하기 시작하여 1796년 10월에 완성하였다. 이 사업의 책
임을 맡은 정약용은 중국과 서양의 축성술을 혼합하여 완성
하였다.

정조의 아버지 사도세자와 어머니 혜경궁 홍 씨에 대한
효심과 할아버지 영조에 대한 한이 함께 재현된 공간이 바로

화성이다. 화성 건축의 일차적 목적은 외세 침략에 대비한 요새의 축성이다. 하지만 이보다 더 중요한 것은 정조의 한을 재현하고 그 한을 해원(解寃)하는 공간이다. 정조는 원한을 안으로 삭여 미래지향적인 새로운 희망으로 증류한다. 영조에 대한 정조의 한은 더 이상 원한이 아니다. 이미 미래의 조선을 위한 희망의 에너지인 원망(願望)으로 증류되었다. 우리 민족에게 원-망(怨-望)은 문자 그대로 원한이면서 동시에 희망이다. 화성은 이미 희망의 공간으로 증류되었다. 낮은 언덕에 축성되어 있듯, 화성은 공성전(攻城戰)을 염두에 두고 지은 군사적 요새가 아니다.

만리장성 역시 축성에 든 희생만큼 군사적 요충지로서 충분한 역할을 다 하지 못한 건 사실이다. 830미터의 험준한 산 정상에 지용관(居庸關)을 짓는 것이 얼마나 힘이 드는가. 30만 대군 이상이 동원된 대 토목공사이다. 당시에 토목공사에 시달린 일부 중국인들이 조용한 한반도로 이주해 오기도 했다. 이렇게 축성한 장성이 군사적 요새로서 충분히 제 기능을 못한 것은 이후 청에 의해 명이 무너질 때 검증이 된다. 높은 산 정상에 축성된 성이 효과적으로 적을 방어하는 데 충분한 기능을 했으리라고는 추론하기 힘들다. 이런 면에서 보면, 그들의 축성은 오랑캐에게 무너진 한족의 자존심을 이민족에 대한 복수를 통해 회복하려는 심리적 방어기제이기도 하다.

춘추전국시대를 통일한 시황제의 진(秦)은 15년 만에 멸망한 단명한 국가이다. 반면, 만주족에 의해 세워진 청(淸)은

270여 년간 지속된다. 높은 장성으로 타문화와의 소통을 차단한 진은 문화 제국주의로 전락한다. 반면, 청은 강희-옹정-건륭에 이르는 130여 년간 다문화 제국이 된다. 타문화를 자국의 문화로 흡수하려 했던 진의 문화 제국주의는 단명했지만, 만주족이라는 소수민족으로서 거대한 한족의 문화를 인정하고 통합하려 했던 청은 문화적 제국으로서 비교적 오래 지속되었다. 청의 다문화 정책의 한 예는 열하행궁 정문인 여정문(麗正門)의 편액이다. 이 편액은 5개 민족의 언어로 쓰여 있다. 한자, 만주, 몽골, 티베트, 위구르어로 표기하여 다문화적 포용성을 보여 주고 있다. 또 하나는 일종의 음식 다문화 정책의 일환으로, 만주와 한족 음식을 융합한 만한전석(滿漢全席)이다. 소수의 만주족이 다수의 한족과 잘 융합하는 길은 문화적으로 낮은 담장을 치는 것이다. 진시황이 높은 담장으로 자국의 문화와 타문화를 분리한 데 반해, 청은 문화적 경계를 해체했다. 물론 이 기간도 그리 길지 않았다. 그리고 몽골족이 세운 원나라가 망한 후, 명나라 또한 원의 잔재를 없애기 위해 문화적 장벽을 높이 쳤다. 만리장성은 단순히 군사적 경계가 아니라 문화적 경계였다. 조선 역시 청과의 문화적 울타리를 높이 쌓고 오로지 숭명(崇明)에만 취해 결국 병자호란의 비극을 앞당기고 만다.

정조는 문화적으로도, 정치적으로도 안정된 국가 기강을 다졌다. 고른 인재 등용을 위해 담을 낮추었다. 이 낮은 담으로 들어온 대표적인 학자가 정약용이다. 이덕무, 박제가와 같은 능력 있는 서자 출신도 등용한다. 세종과 함께 조선의 위대한 왕으로 꼽히는 정조는 개혁 정치를 이끈다. 하지만 정조는 신해박해를 통해 천주교도들을 잡아들인다. 이때 총애하는 다산과도 거리를 둔다. 정조가 49세의 이른 나이에 일찍 세상을 떠나는 바람에, 화성으로 수도를 옮겨 개혁 정치를 실현하려는 그의 꿈도 중단된다. 물론 정조의 리더십에 대한 다양한 견해가 있을 수 있다. 극단적으로 모든 걸 조종했던 절대군주의 모습으로도 읽힐 수 있고, 다양한 견해를 존중했던 민주적인 리더로도 읽힐 수 있을 것이다. 또한 왕이 학문적으로 완성되지 못하면 백성을 잘 다스릴 수 없다는 계몽적인 성찰의 리더로도 읽힐 수 있을 것이다.

후통과 룽탕

　　2017년 2월 파리, 딸과 소문난 피자집으로 갔
다. 생각보단 매우 협소하다. 옆자리 사람과 거의 다리를 맞
대고 앉아야 할 형국이다. 다리 죽 펴고 넓게 앉아야 편한 나
에겐 고역이다. 딸에게 불만스런 표정을 보였다. 딸이 하는
말이다. "아빠, 파리엔 가게가 한국처럼 넓은 게 없어. 워낙
비싸잖아. 좁아야 남을 배려하는 습관을 들일 수 있어. 파리
지앵들에겐 익숙한 공간이야!"

　　요즘 젊은 사람들은 협소 주택을 선호(?)한다고 한다. 좁
은 땅 위에 공간을 다층적으로 확장하는 가옥 형태이다. '협
소하다'는 말은 공간이 좁고 작다는 것이다. 좁은 공간을 넓
게 사용하기 위해 층을 높인다. 물론 경제적인 이유 때문이긴
하지만, 좁음의 미학이 낯설진 않다. 좁아도 행복할 수 있는,
좁아서 더 행복한 공간이 아름다운 이유이다. 넓고 좁음을 개
념적으로 분리하는 것은 작위적일 뿐, 모든 것은 상대적인 것
에 지나지 않는다. 아무리 넓어도 다른 관점에서 보면 좁은
것이며, 아무리 좁아도 그 역시 넓은 것일 수 있다. 길고 짧음
도, 높고 낮음도 생각의 틀에 묶여 갈라놓은 것일 뿐이다. 삼
간지제(三間之制)를 지켰던 조선 선비들에게는 세 칸짜리 공
간도 넓었다. 퇴계는 도산서당이 넓어서 부담스러워했다. 남
명은 담장을 허물고 지리산을 마당으로 끌어와 좁아도 넓게

살았다. 공간은 인간의 삶을 떠나 객관적으로 존재하는 실재가 아니다. 인간의 삶과 유리된 집은 그저 '하우스'일 뿐이다. 비록 좁아도 결코 좁지 않은 삶의 공간은 '홈'일 것이다. 스위트 하우스라는 말이 어딘가 어울리지 않는 이유이다.

집은 넓든 좁든 우선 외부로부터 불안과 추위를 차단하기 위한 공간이다. 그리고 안에서 행복을 느끼는 공간이다. 건축의 궁극적 목표는 행복이다. 중국의 오래된 전통 가옥인 사합원(四合院)은 바로 이런 목적으로 지어진 가장 합리적인 가옥 형태이다. 중국인의 생각이 사합원 속에 그대로 함축되어 있다. 사합원은 말 그대로 4개의 벽으로 둘러싸여 있는 가옥이다. 그리고 그 안에 정원을 꾸리고 즐기는 양식이다. 이 사합원은 한국의 가옥 양식에도 그대로 적용된다.

후퉁(胡同)은 중국 베이징의 골목이다. 원래 몽골어에서 유래한 말인데, 우물을 뜻한다. 우물을 중심으로 모여 살면서 자연스럽게 형성된 골목 동네이다. 호(胡)는 '오랑캐'를 나타내는 어휘로서, 중국 한족 중심주의가 잉태한 달갑지 않은 어휘이다. 그러니 후퉁은 주로 시내 중심부의 뒷골목에서 주변인의 삶을 살아냈던 서민들의 소박한 주거 공간임을 알 수 있다. 이 후퉁 거리는 중국 역사의 주변인들의 주거 공간이면서, 혁명과 독립을 위해 삶을 바친 지식인들의 값진 숨결이 배여 있는 장소이다.

수많은 후퉁들이 문혁 때 불도저에 파괴된다. 그 이름도 특색이 사라진 이름으로 바뀐다. '영광의 제6가'란 이름으로 바뀌었다가 후에 이름을 회복한 베이징의 '샤징후퉁(沙井

베이징 샤징후통(좌)과 대한민국 상하이임시정부 청사 주변의 룽탕(우)

胡同)'이 대표적이다. 후통은 전형적인 사합원의 특색을 갖추고 있다. 사합원은 좁은 골목길에서 서로 간섭하지 않고 자신의 프라이버시를 지키기 위한 폐쇄적 주거 형태이다. 말 그대로 네 개의 담장 안으로 모든 걸 수렴하는 형태이다. 지금은 골목 집 하나하나가 관광객을 위한 공간으로 바뀌었다. 기본 골격에 현대식 취향을 얹어 놓은 공간들이 너무나 아름답다. 그저 작아서만 아름다운 게 아니다. 중국 인민들의 소박했던 삶을 소환하는 공간이라 더욱 아름답다.

상하이 사람은 베이징 사람과는 달리 일찍부터 글로벌화된 가옥 구조 속에 살았다. 갑작스런 개방으로 주거 형태는 서구식과 혼합된 형태를 띤 구조이다. 상하이 골목의 가옥은 이룽(里弄) 주택이다. 중국 전통 가옥 구조에다 서양 양식을 얹어놓은 중서합벽(中西合璧)의 구조이다. 공급이 수요를 따라 갈 수 없어 대량으로 지은 집이다. 상하이의 영국 조계지에 이런 형태들이 많다. 당시 영국 사람들이 공급을 늘리기 위해 상하이 전통 가옥을 서구식으로 변형하여 마치 연립 주택처럼 지은 것이다. 서양의 스쿠먼(석굴문石屆門) 양식이 그 특징이다. 외부의 침입을 막기 위해 튼튼한 문으로 차단하고, 그 대문 상단에 문양을 새겨 놓은 양식이다. 이 양식의 근본은 베이징의 사합원과 같다. 하지만 제한된 공간을 넓게 활용하기 위해 주로 2, 3층의 양식으로 지었다. 1930년대에 이런 양식의 건물이 9,000동이나 되었다. 이룽 주택은 여러 채가 서로 연결되어 있어 집과 집을 이어 주는 통로가 골목 기능을 한다. 이를 룽탕(弄堂)이라 한다. 마치 거미줄처럼 연결된 골목이다. 상하이 사람은 베이징 사람에 비해 실용적이다. 그리고 상하이는 바다를 낀 해양 문화의 영향으로 개방적이다. 베이징은 외부로부터 차단된 폐쇄적 지역이라 보수적이다. 안동 선비가 서울에 와 느끼는 이질감은 베이징 사람이 상하이에 와 느끼는 이질감과 큰 차이가 없어 보인다. 이러한 성정(性情)이 그들의 주거 공간 역시 차이 나게 만든다.

택여기인

집은 인간이 그 안에 들어가 살기 위한 도구가 아니다. 집은 바로 그 사람의 존재가 개시되는 장소이다. 인간의 실존과 무관한 객관적 혹은 절대적 공간은 없다. 그래서 집은 그 사람이다(宅如其人). 도산서당은 퇴계이며, 산천재는 바로 남명이다. 중국의 역사에서 한족이 오랑캐에게 대륙을 빼앗긴 기간이 꽤나 길다. 원과 청이 대표적인 경우이다. 중국은 한족이 아니면 모두 다 오랑캐였다. 한반도는 동쪽의 오랑캐인 동이(東夷)이다. 중국에 높은 담장이 많은 이유는 이 때문이다. 해양국인 그리스와 달리, 농업국인 중국은 황허와 장강을 중심으로 영토를 차지하려는 전쟁이 빈번했다. 중원을 위협하는 주변국들과 높은 담장으로 경계를 쌓지 않으면 불안했다. 중국인의 전통 주거 양식인 사합원이 바로 그 불안이 육화된 공간이다. 그래서 중국인은 담장 안에 담장 짓고 그 담장 안에 또 담장을 짓기를 좋아하는 민족일 수밖에 없다.

필자는 사합원이 변형된 구조인 객가(客家)를 보기 위해, 푸젠성 우이산(無夷山)시에서 용띵(永定)으로 간다. 용띵으로 가는 길이 그리 만만치 않다. 가다가 멈추어 버스에서 제공하는 점심을 먹고 다시 출발한다. 토루(土樓)라 불리는 객가는 말 그대로 손님이 거주하는 집이다. 이미 정주한 사람들이 있

푸젠성 용띵의 객가 외부(좌)와 내부(우)

는 곳에 다른 곳에서 이주한 사람들이 집단적으로 거주하는 공간이다. 이미 정주한 사람이 주인이고 새로 이주해 온 사람은 손님이다. "객가, 그들은 원래 중국 회하(淮河) 이북, 황허 중하류지방에 거주했던 한족들이었다. 자신들을 '중국인 속의 진짜배기 화인(華人)'이라 부르는 객가인은 후한 및 삼국시대의 전란기를 피해 남부지역으로 남하해 오면서 형성된 혈연과 지연의 공동체를 통칭한다"(모종혁).

내가 들어가 본 객가는 4층 높이의 둥근 주거 공간이다. 밖에서 보면 작은 창문들이 보인다. 밖을 경계하는 문이다. 안으로 들어가면 밖으로 나올 필요 없이 그 안에서 완전한 생활이 가능하도록 되어 있다. 큰 것은 4인 가구 200호가 살 수 있는 완벽한 공동체 공간이다. 둥근 양식이지만 사합원의 골격과 원리는 그대로 유지한다. 사각형으로 이루어진 객가도 있지만 이곳은 둥글다. 이러한 가옥 형태를 통해 중국인들의 타문화에 대한 의식이 그대로 나타난다. 한족 이외의 다

시안 고악숭택의 조벽

시안 근교 명청대 고택 박물관에서 찍은 거대한 조벽

른 문화를 인정하지 않는다는 한족 중심주의가 육화되어 있는 것이다. 물론 이는 오랜 기간 적의 침략을 받아왔기 때문이다.

다시 시안으로 옮긴다. 전통 고택을 옮겨 놓은 곳이 있어 찾아 들어갔다. 명대 숭정(崇禎) 연간에 지은 고악숭택(高岳崧宅)이다. 전형적인 사합원의 구조이다. 입구엔 조벽(照壁)이 있다. 영벽(影壁)이라고도 하는데, 안채를 가리는 일종의 병풍과 같은 것이다. 조벽 자체가 하나의 문화적 공간을 이룬다. 조벽을 얼마나 잘 구성하였는가를 보고 그 집 전체의 위상을 가늠하곤 한다. 가히 조벽 예술이다. 오랫동안 수많은 전쟁을 겪었던 중국인들에게는 안에서 안정감을 구하는 공간 구성이 보편화되었다. 이른바 중국인들의 '꽌시(關係)' 문화가 담장 문화로 재현되었다. 자기 사람과 자기 사람이 아닌 사람을 경계 짓는 마음의 담장이 그들의 오래된 인간관계의 문화이다.

중국과 한국 정원 문화를 읽다

2016년 6월 27일. 상하이에서 기차를 타고 쑤저우 졸정원(拙政園)으로 간다. 중국의 대표적인 원림이다. 그래서 시간을 내어 보고 싶었다. 졸정원은 1526년 중국 명나라 왕헌신이 지은 원림이다. 명칭은 「한거부(閑居賦)」의 '차역졸자지위정야(此亦拙者之爲政也),' 즉 '졸자(拙者)가 정치를 하는구나'라는 구절에서 따왔다. 왕헌신이 권력에서 밀려나 소박한 삶을 꿈꾸며 지은 정원이다. 졸(拙)은 자신을 낮추어 부를 때 사용한다. 졸박한 사람이라는 의미로 사용한 것이다. 그런데 이 졸정원은 명칭에 걸맞지 않게 화려한 느낌이 먼저 든다. 『조선왕조실록』, 「연산군일기」 6권에는 왕헌신이 명나라 사신으로 조선에 온 기록이 있다. 그가 조선에 와서 한 행동은 거만하기 짝이 없었다. 조선은 명나라 사신을 대접하지 않을 수도 없는 상황이었을 것이다. 전해지는 말에는 조선에 와 착취한 돈으로 졸정원을 세웠다고 할 정도이다. 그런 그에게 '졸정원'은 그리 어울리지 않는 이름이다.

중국의 원림이 대부분 그렇듯, 졸정원 역시 사합원의 구조이다. 밖으로부터 오는 바람을 차단하고 안에서 안도감을 누리는 '호중천지(壺中天地),' 즉 항아리 속에 천지를 조성한 형태이다. 높은 담장으로 에워싸고, 안에는 각종 조형물들을 배치하는 구조이다. 안에 배치된 조형물은 다소 작위적이다.

특히 산을 상징하는 태호석(太湖石)은 중국인에게는 예술적인 감흥을 불러일으키는 작품이다. 자연을 작위적으로 조형하여 즐기고 지배하려는 의도가 숨어 있다. 졸정원에는 그 명칭과는 달리 타문화를 차단하고 명의 한족 문화를 안으로 즐기려는 문화적 화이관(華夷觀)이 작동한다. 그래서 담장이 높다. 원과 청에 둘러싸인 명의 한족의 정체성을 지켜내야 했던 공간이었다.

한국 담양의 소쇄원과는 대조적이다. 소쇄원은 1530년 조선 중종 때 양산보가 지은 것이다. 졸정원과 같은 시기다. 지은 동기도 유사하다. 기묘사화로 스승 조광조가 화를 당하자 정치에 회의를 느낀 양산보가 담양으로 내려와 지은 별장 정원이다. 소쇄원은 한국 정원의 백미로 꼽힌다. 양산보가 맑고 깨끗한 선비의 마음으로 살고 싶어 지은 정원이다. '소쇄

(瀟灑)'란 명칭에 담겨 있는 뜻이다. 이처럼 졸정원과 소쇄원은 그 건립 배경이 유사해 보인다. 뜻이야 어떻든 동기는 같아 보인다.

그런데 난 졸정원과 소쇄원에서 중국인과 한국인의 정원 문화의 차이를 본다. 중국 원림과 한국 정원은 차이가 있다. 우선 원림과 정원의 원(園)과 정(庭)을 보면 차이가 있다. 원림의 園은 뜻을 나타내는 부수 큰입구몸 □(에워싼 모양)와 음(音)을 나타내는 袁(여유가 있는 모양)으로 구성된 글자이다. 높은 담장으로 에워싸인 공간에서 그들만의 여유를 즐기는 장소이다. 한국의 정원의 庭은 넓은 광(广)과 뜰 정(廷)으로 구성된 글자이다. 넓은 뜰이다. 막힘이 없다. 사방이 막힌 □와 넓을 广의 차이다. 중국 원림은 사방으로 에워싸인 뜰이며, 한국의 정원은 넓은 마당 안의 뜰이다. 소쇄원의 오곡문(五曲門)은 조선인의 자연관을 여실하게 보여 준다. 왜 오곡문이라 했는지는 분명하지 않다. 오곡문은 자연을 지배하지 않는다. 자연에 덕을 입고 있다. 자연의 흐름을 방해하지 않기 위해 담이 물 위에 신세를 지고 있다. 중국의 원림은 우선 높은 담으로 에워싸기 위해 땅을 인위적으로 고른 후 그 위에 짓는다. 자연을 지배한다. 소쇄원에는 인간과 자연의 소통을 차단하지 않으려는 조선인의 지혜가 숨 쉬고 있다. 졸정과 소쇄의 정신은 이렇게 달리 그들의 공간에 녹아 있다.

상하이 푸단대학에서 뒤러를 만나다

난 중국 명문 상하이 푸단대학교를 두 번 방문했다. 대학 내 숙소에서 하루 잔 적이 있다. 아침에 캠퍼스 이곳저곳을 산책 다녔다. 이 대학은 1905년에 건립되었다. 푸단은 회복할 복(復)과 아침 단(旦)자로 이루어져 있다. 학교 홈페이지 영문판에는 '밤이 지난 후 영광스러운 아침을 다시 맞이하다(again the morning glory after the night)'라는 의미로 소개되어 있다. 캠퍼스 곳곳에는 아름다운 연못이 있고, 또 장엄한 마오 주석의 입상도 서 있다. 중국의 칭화(淸華), 베이징, 저장(浙江), 상하이지아통(交通)대학 등과 함께 중국의 최고 명문으로 손꼽히는 대학이다.

나는 캠퍼스 안을 거닐다가 누군가가 당나귀 등을 타고 있는 조형물을 발견한다. 도대체 무엇인가? 가까이 가서 살핀다. '여배시사(驢背詩思)'란 글귀가 눈에 들어온다. 이 조형물은 이 대학교 철학과 창립 50주년을 기념해서, 1981년 중국을 대표하는 조각가 원효잠(袁曉岑)이 만든 작품이다. '여배시사'는 '당나귀 등 위에서 시를 생각한다'는 뜻이다. 말을 살 돈이 없어 나귀를 탄 선비가 시를 생각하고 있다. 이 조형물 현판에는 '헛된 화려함을 사모하지 말고, 명리를 꾀하지 말며, 겸손하고 공손하게 처세하고, 외부 사물에 초연하라(不慕虛華 不圖名利 謙恭處世 超然物外)'는 의미를 덧붙이고 있다.

〈여배시사〉(상)와 〈기사 죽음 그리고 악마〉(하)

우선 눈에 띄는 글귀는 '철학과 창립 50주년 기념 작품'이라는 말이다. 그리고 '당나귀'이다. 난 지금까지 철학을 공부하고 가르쳐 왔다. 도대체 철학과에서 왜 이 조형물을 캠퍼스에 세웠는지는 짐작이 간다. 왜 당나귀인가? 말을 살 여유가 없어 당나귀를 타고 시를 생각하고 있다. 지금까지 철학을 한답시고 무얼 했는지 성찰하게 하는 동상이다. 당나귀 등에 올라 앉아 모자를 깊숙이 내려 쓴 이유는 무엇일까? 문득 알브레히트 뒤러[27]의 동판화 〈기사 죽음 그리고 악마〉(1513)가 생각난다. 죽음과 악마가 아무리 방해를 해도 앞만 보고 진리를 향해 나아가는 기사의 모습이다. 그것은 내가 전공한 서양철학의 한 분야인 현상학의 창시자 에드문트 후설이 가장 좋아했던 동판화로 알고 있다. 오로지 학자의 길은 한 눈 팔지 않고 앞만 보고 정진해야 한다는 내용을 담은 조형물이다. 우연히 눈에 띈 조형물 앞에서 부끄러움이 솟아오른다. 초연하게 진리를 향해 살아왔는가? 명리를 탐하지 않고 헛된 욕망에서 자유롭게 살았는가? 이제 철학보다 철학함이 더 절박한 나이에 접어든 나는 이 검박(儉朴)한 조형물 앞에서 다시 길을 묻는다.

한류 원조 김염과 정율성

중국 상하이는 '김염(金焰)'이라는 조선인 영화 배우를 생각나게 하는 공간이다. 내가 보기엔 배우 정우성 못지않은 비주얼이다. 그는 서울 출신이다. 그를 주제로 한 한중 합작 영화를 만들기로 합의했다는 보도를 접했다(KBS뉴스, 2018. 1. 3). 김염(1910-1983)은 본명이 덕린(德麟)이다. 그 아버지는 옛 제중원(현 연세대 세브란스병원) 의사였던 김필순이다. 김염은 일제강점기 때 아버지 손에 이끌려 중국 상하이로 왔다. 이곳에서 그는 조선인 배우로서 영화를 통한 항일 운동에 앞장섰다. 1983년 74세의 나이로 세상을 떠났다. 그의 집안은 온 가족이 독립 유공자일 정도로 유명한 집안이다. 상하이 일본 조계지였던 자리에 올드 필름 카페[老電影]가 있다. 1930년대 김염이 출연한 영화를 이곳에서 보았다. 주인의 배려가 고마웠다. 친절하게 영화를 틀어 주었다. 김염에 대해 글을 쓰고 싶었던 나로서는 매우 흥분된 마음으로 영화를 보았고, 그 내용이 나의 책『조선족 디아스포라의 만주아리랑』에 소개되어 있다. 김염은 첫 번째 부인 왕런메이(王人美)와 헤어지고, 두 번째 부인 친이(秦怡: 1922-)와 결혼한다. 거의 100세가 다 되어 가는 친이는 지금도 상하이에서 살고 있다.

정율성은 중국 조선족 음악가이다. 그는 1918년 전남 광

1936년 왕런메이와 함께 출연한
영화 〈장지릉운(壯志陵云)〉의 한 장면

주시 양림동에서 출생했다. 본명은 부은(鄭富恩)이다. 그는
1933년 중국으로 건너가 항일운동을 한다. 그는 마오쩌둥
의 해방 공간인 옌안으로 들어간다. 그는 3·1 운동의 정신
이 맴돌고 있는 전주 신흥중학교 출신이다. 그는 옌안에서 음
악을 통한 항일운동을 전개한다. 그는 〈옌안송〉과 〈인민해방
군가〉를 작곡했다. 특히 그의 〈옌안송〉은 매우 서정적이다.
그 서정성은 당시 투쟁 공간에 있었던 청년들에겐 항일의 의
지를 부추기기에 부족함이 없었다. 그는 중국공산당의 당원
으로, 당의 결정에 의해 1945년 12월 평양으로 건너간다. 해
주에서 음악학교를 설립하여 그곳에 머문다. 그는 〈조선인민
군행진곡〉을 작곡한다. 1950년 한국전쟁 때 중공군으로 편
입되어 참전한다. 이후, 그는 1951년 중국으로 다시 돌아가,
1963년 옌볜으로 이주한다.

그는 1941년에 중국인 정설송(丁雪松)과 결혼한다. 그녀
는 저우언라이의 양녀이다. 그녀는 네덜란드와 폴란드 주재
중국 대사를 역임했다. 그녀는 2011년 5월 29일 죽는다. 정

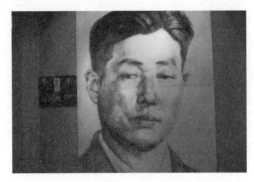

하얼빈 정율성 기념관에서
찍은 정율성 초상

율성이 작곡한 〈여명곡〉은 조국 해방에 대한 강한 염원을 담고 있다. 그에게는 중국의 해방이 곧 조국의 해방이었다. 그의 〈미나리타령〉은 척박한 해방 공간 옌안에서 지친 동료들을 위로하는 타령조의 노래이다.

정율성에 대한 평가가 이념적으로 편향되는 게 아쉽다. 2011년 KBS에서 광복절 기념 특집으로 기획했던 그의 추모 특집 다큐멘터리가 방송되지 못했다. 그 후 한중 수교 20주년 기념으로 2012년 1월 15일 KBS 스페셜 〈13억 대륙을 흔든다 ─ 음악가 정율성〉으로 방영되었다. 이 특집의 마지막 장면에 그의 딸 소제 씨가 아버지가 생각날 때마다 듣는다는 〈메기의 추억〉이 잡음이 섞인 소리로 전해졌다. 그는 1976년 12월 베이징에서 생을 마감한다. 그는 우리 곁을 떠났지만 자랑스러운 조선족으로 영원히 살아 있다.

우이계곡 단상

2016년 6월, 나와 일행은 중국 푸젠성 우이산
시에 있는 우이계곡에 왔다. 우이산시는 시의 명칭을 산에서
빌려 온 대표적인 도시이다. 아주 흔하거나, 아니면 이곳밖에
없을지(?) 모른다. 강 이름을 딴 성(省)이나 도시는 있다. 우
선 떠오르는 게 중국 동북 3성 중 경상도 출신 조선족이 많
이 살고 있는 헤이룽장성이다. 헤이룽강(黑龍江)의 이름을 따
성(省) 명칭이 되었다. 시(市)로는 청산리 대첩과 봉오동 전투
이후 일제에 밀려 옛 소련 쪽으로 쫓겨 와 조선인이 집단적으
로 거주한 무단장(牡丹江)시가 있다.

우이구곡(武夷九曲)은 주희가 마음공부를 했던 중국 성
리학의 고향이다. 경북 성주의 무흘구곡도, 충청도의 화양구
곡도 모두 이 우이구곡을 벤치마킹한 것이다. 주희는 성리학
을 집대성하여 동아시아 전역에 그 학문적 위세를 널리 떨쳤
던 인물이다. 남송은 북송이 금에게 패하면서 항주로 와 건
국한 나라이다. 남송이 건국될 바로 그 당시에 주희가 태어난
다. 난세에 영웅이 난다고 송은 북송오자(北宋五子)를 비롯하
여 많은 학자들이 배출된다. 그중 단연 주희가 돋보인다. 나
라가 위태로운 상황에서 당시의 지성 집단이 학문을 논하고
마음을 수행한 공간이 바로 우이구곡이다.

이 분야에 초학자인 나는 무엇보다 계곡의 장대함에 놀

란다. 그러면서 퇴계의 「무이구곡시」를 소환해 본다. 퇴계는 주희가 죽은 지 꼭 300년 후에 태어난다. 난세에 인간의 근본을 성찰하는 성리학은 주희에게나 300년 후 조선의 퇴계에게나 수행의 규준이었다. 다만 수행의 방법에는 다소간 차이가 있다. 퇴계는 도덕 주체로서의 인간에 주목하여, 주희에 비해 리(理)의 능동성과 자발성에 방점을 찍는다.

16세기 조선의 척박한 현실에 휘둘리지 않고 어떻게든 마음을 다스리려는 퇴계의 고심이 묻어 있다. 퇴계는 리(理)를 도덕적 자아로 규정하여 도덕적 실천을 게을리 하지 말아야 한다고 강조한다. 기(氣)에 휘둘리지 않는 리의 힘을 강조한다. 주희는 리의 무위(無爲)함을 강조하여, "리는 아무런 감정이나 계산·조작이 없으니, 기가 모이면 그 속에 바로 리가 있다"고 주장한다(장윤수: 35). 주희의 리는 스스로 조작할 수 없는 공허한 원리에 지나지 않는다. 이것에 능동적 힘을 부여하여 주희를 독창적으로 계승한 것이 퇴계이다. 이 말에 고개를 끄덕이면서도, 초학자는 엉뚱한 생각을 해 본다. 주희는 리와 기의 관계를 평등하게 해석한다. 재물상간(在物上看)이냐 재리상간(在理上看)이냐에 따른 해석의 차이일 뿐 리와 기는 평등하다. 물(物)의 관점에서 보면 리와 기는 분리될 수 없고, 리(理)의 관점에서 보면 분리될 수 있다. 횡설수설(橫說竪說)이다. 횡으로 보느냐 수로 보느냐의 차이일 뿐이다.

그런데 그 유명한 퇴계 이황과 고봉 기대승(奇大升) 간의 '사칠 논변'을 보면, 퇴계는 끝까지 리의 능동성을 강조하며 주리설을 고수한다. 퇴계는 26세 연하인 고봉에게 스스로를 낮추어 소통하면서도 자신의 주리론을 포기하지 않는다. 고봉에 대한 표현은 부드럽지만, 여전히 노익장을 과시한다. 고봉은 리와 기를 분리해서 보는 선생에 대해 조심스런 비판을 한다. 난 다문화주의적 시각에서 이렇게 생각해 본다. 퇴계가 리의 능동성을 극단적으로 주장한 것이 결국은 영남학파와 기호학파의 갈등을 노출한 원인이 되지는 않았을까? 조선을 병들게 한 극단적 순혈주의에 기초한 분쟁들을 반추해 본다. 주희가 리와 기를 평등한 관계로 해석한 것은 중국 56개 민족의 다원일체(多元一体)의 철학적 근거가 된 것은 아닐까? 금과 원이라는 이민족에 둘러싸인 한족의 송이 나아가야 할 글로벌한 세계관을 장대하게 담고 있는 것은 아닐까 하는 마음이 들었다. 주자학의 다양한 해석에 인색한 조선이 빚어 낸 지역 갈등을 우이계곡의 도도한 흐름이 다 쓸어 갈 수는 없을까? 중국인들에게 우이구곡은 그저 아름다운 계곡의 풍광을 노래한 시에 지나지 않는데, 조선학자들은 이 「무이구곡시」에 대해 각 곡마다 상상력을 총동원하여 각주를 달아야만 자신의 학문적 위상을 드높인다는 선입견에 빠져 있었던 건 아니었는지?

중국의 샹젤리제

나는 중국 창춘(長春)을 2011년과 2013년 두 번 다녀왔다. 한 번은 나 혼자 하얼빈을 가면서였고, 또 한 번은 중국 창춘 지린대학에서 개최하는 국제 학술 대회에 참석하기 위해서였다. 창춘에서 하얼빈으로 가는 기차에서 힘들었던 기억이 아직도 생생하다. 지린대학에 재직하고 있던 지인이 호의로 끊어 준 좌석은 2등석 침대 열차의 제일 꼭대기 3층 칸이었다. 올라가기도 힘들 뿐만 아니라 누우면 얼굴과 기차 지붕이 닿을 정도로 협소한 공간이었다. 그래도 그 호의는 감사할 따름이다.

2011년 12월의 추운 겨울밤, 다음 날 옌지로 돌아가기 위해 창춘 역 부근에서 머물면서 창밖을 바라봤다. 여기가 어딘가? 파리인가 착각할 정도로 아름다운 역이었다. 1994년 개축했던 것을 2014년에 다시 개축하였다. 창춘은 일본군이 1931년에 침략해 들어와 패망하기까지 약 14년간 머물렀던 위만주국의 수도였다. 위(僞)만주국은 일본이 어린 푸이(溥儀)를 앞세워 주조해 낸 대륙 속의 일본국이다. 그러면서 이 도시 이름을 '새로운 수도'란 의미의 '신징(新京)'으로 바꾸고, 도시 공간 역시 이전의 중국적인 요소를 다 빼 버리고 일본과 유럽식 건물로 배치한다. 창춘역 역시 리모델링을 했지만, 여전히 당시의 모습을 건물 꼭대기에 남겨 두었다. '역사

창춘역

는 용서하되 잊지는 말자(歷史可以寬恕 但是不可以忘却)'는 중
국의 대(對) 일본 감정을 그대로 보존하고 있다. 일본은 당시
대신징도시계획에 근거해 신징을 계획된 도시로 새로 구축한
다. 공간은 거기에 살고 있는 사람들의 의식까지도 바꾼다.
인간은 공간적 존재이다. 이러한 의도가 재현된 공간이 바로
지금의 창춘이다.

시내로 들어서면 유럽풍과 일본 양식의 건물들이 눈에
뛴다. 옛 만주국 국무원 건물은 지금 지린대학 노먼 베순 의
과대학 건물이 되어 있다. 노먼 베순[28]은 중국인으로부터 존
경을 받았던 캐나다 출신의 인도주의 의사였다. 마오쩌둥의
중국 공산당을 따라 전선으로 뛰어들어 부상병을 치료하다
실수로 자신의 손을 수술칼에 베인 것이 화근이 되어 패혈증
으로 죽었다. 중국 활동이 채 2년이 되지 못했다. 하지만 아
직도 중국 의과대학뿐만 아니라 다른 나라 의과대학에서도
존경받는 의사이다.

노먼 베순의 동상

　이 유럽풍의 건물과 도시계획이 파리풍이라는 점은 무엇을 말하는가? 도시 신징은 파리의 방사형 도로가 갖는 공리성을 벤치마킹한 기획 도시이다. 신징의 거리는 파리 개선문의 구조가 그렇듯, 적은 힘을 들여 많은 사람들을 한꺼번에 통제할 수 있도록 공리주의자 벤담의 파놉티콘이 육화된 거리이다. 당시 신징은 일본의 대 중국 통제 시스템이 작동했던 공간이었다. 현재 중앙 인민광장을 중심으로 시원하게 뻗은 인민대가(人民大街)는 곳곳에 일본의 감시와 처벌의 메커니즘이 쉽게 작동되도록 고안된 거리였다. 이는 파리 개선문 앞 샹젤리제 거리를 연상시킨다. 하지만 신징은 일본이 파리 거리의 낭만을 탈색하고 오직 중국 인민들을 쉽게 통제할 수 있도록 기획한 공간이다

공산당 성지 쭌이에서 만난 다빈치

2010년 1월 20일, 나와 장윤수 교수는 대구교육대학교의 자매 대학인 중국 광저우 화난(華南)사범대학과 구이저우(貴州)의 구이저우사범대학을 방문한 후, 쭌이(遵義)로 향했다. 쭌이는 중국공산당의 역사에서 하나의 전환점을 이룬 회의가 열렸던 곳이다. 1927년 상하이 전투에서 장제스의 국민당에 의해 거의 몰락한 공산당은 장시성(江西省) 정강산의 산악 지대인 루이진(瑞金)으로 쫓겨 온다. 1931년 11월, 마오쩌둥은 이곳에서 중국 소비에트 공화국 임시정부를 설립한다. 1933년 장제스 정부는 50만 병력과 비행기 200대로 이곳을 침략한다. 공산당은 거의 모든 전선에서 패배하여 1934년 7월 장제스의 군대에 포위되었다. 공산당은 이곳을 포기하고 대장정에 오른다. 루이진을 떠날 때 8만 6천 명에 달했던 홍군은 이듬해 10월 옌안에 도착했을 때, 겨우 7,000명이 살아남았다. 이 힘든 대장정은 결국 중국공산당이 국민당을 물리치고 거대한 대륙을 손에 쥐는 역사적 반전을 이룬 토대가 되었다.

루이진을 떠난 홍군은 국민당의 예상과는 달리 서쪽 오지인 험난한 구이저우성으로 향한다. 구이저우는 3가지 귀(貴)한 것이 있다. 맑은 날, 평지 그리고 돈이 귀한 곳이다. '하늘 맑은 날이 3일도 없고, 땅에는 평평한 곳이 3리도 없으며, 사람은 3푼의 돈도 없다(天無三日晴 地無三里平 人無三分銀)'라는 말이 있다. 맑은 날이 귀한 곳이라 따뜻한 양지가 필요해 이 성의 성도도 구이양(貴陽)인 것은 아닌지! 평균 해발 1,000미터 고지인 구이저우는 평지가 없어 행군에는 힘들지만, 국민당으로부터 행적을 숨기는 자연적인 요새도 된다. 마오쩌둥이 이곳을 택한 이유이다.

1935년 중국공산당 중앙정치국 회의가 쭌이에서 열렸다. 이 회의에서 공산당의 지도자로, 뒷날 중국 공산 정권을 수립한 마오쩌둥이 마침내 그때까지 우세하던 친소련파를 제압하고 공산당 내에 그의 지배권을 확립했다. 쭌이는 구이저우의 구이양과 쓰촨성(四川省)의 충칭(重慶)을 직선으로 잇는 구이저우성 북부 변방 도시이다. 필자 일행이 그곳에 갔을 땐 1월의 쌀쌀한 날씨였다. 1936년 마오쩌둥은 이곳에서 열린 회의에서 중국 내 소비에트 추종자인 볼셰비키 28인이 왕밍[29]의 주도 하에 중국공산당을 소련 방식으로 주조하려는 교조주의적 공산주의를 비판한다. 그는 맞지 않는 신발에 억지로 발을 맞추려는 정체성 없는 소련식 공산주의를 중국식 공산주의로 개조한다. 노동자 혁명을 통한 공산주의 건설이라는 소련식 교조주의는 더 이상 중국의 특색을 담아내지 못한다. 마오쩌둥은 농업 국가인 중국에 적합한 농민 중심의 공산주의를 구축한다.

쭌이회의 기념관 내에 마오쩌둥의 유명한 글인 '星星之火 可以燎原(성성지화 가이요원)'이 걸려 있다. '한 줄기의 불꽃이 온 들판을 뒤덮는다'는 뜻이다. 이 말은 1935년 마오쩌둥

이 그 당시의 암울한 홍군의 상황에 대해 걱정을 하던 린뱌
오[30]에게 보낸 편지에 담긴 글이다. 홍군 장정 당시 쭌이는 작
은 마을에 지나지 않았지만, 신중국이 건설된 1949년 이후,
쭌이는 더 이상 구이양에 딸린 시골 장터 마을이 아니다. 제1
차 5개년계획(1953-57) 기간 중 놀랄 만큼 팽창했다. 2016년
추계로 620만 명이 넘는 인구를 가진 대도시로 발전했다.

   쭌이의 또 다른 면모를 기념관 바로 옆 나지막한 계단 위
에 서 있는 르네상스 양식의 교회당에서 읽는다. '기독교당
(基督敎堂)'이라 적힌 현판 아래에 'Christian Church'라고 새
겨져 있다. 무언가 어울리지 않는 조합이다. 마침 일요일이라
헌금함에 성의를 표하고 교회 안을 조심스럽게 훔쳐보았다.
전면 중앙에 '신은 만인을 사랑한다(神愛世人)'는 글귀가 또
렷하게 쓰여 있었다. 붉은 색의 십자가와 그 밑에 레오나르도

다빈치의 〈최후의 만찬〉이 걸려 있는 것이 생경했다. 필자가 찍은 사진에 다빈치의 그림이 작게 보이는 것이 못내 아쉽다. 나는 중국을 다니면서 교회당을 몇 군데 본 기억이 있다. 조선족이 많은 선양 서탑(西塔)에는 비교적 큰 교회가 있다. 위층에서는 한국어로, 그 아래층에서는 중국어로 예배를 보는 모습을 본 적이 있다. 단둥에서는 한국에서 파송된 듯 보이는 작은 교회를 몇 개 보았고, 상하이 다윤로(多倫路) 문화 거리에서도 교회당을 본 적이 있다. 상하이는 미국, 영국, 프랑스 등 다양한 조계(租界)들이 공존했던 곳이라는 점에서, 그곳에 일찍 교회당이 들어선 것은 이해가 된다. 하지만 구이저우성 북쪽 변방에서 기독교당을 마주한 것이 나로서는 생경하지 않을 수 없었다.

산시의 월스트리트를 걷다

2014년 7월, 나와 일행은 산시성(山西省)의 성도 타이위안(太原)으로 갔다. 타이위안이 속한 산시성은 중국 최북단 네이멍구 자치구와 경계를 맞대고 있다. 진기로예(晉冀魯豫)의 진(晉)이 산시성의 별칭이다. 간혹 산시성을 성도가 시안인 섬서성(陝西省)과 혼동하는 경우가 있다. 중국 발음으로는 둘 다 '산시'[성조가 다름]이기 때문이다. 산시성은 타이항산의 서쪽에 있어 산시(山西)이고, 진(晉)은 춘추시대 진문공(晉文公)이 이끌었던 옛 강국의 영화(榮華)를 이어 간다는 의미에서 따온 것이다. 일행이 머물렀던 타이위안의 호텔에서 마침 결혼식이 있어서 그들의 결혼 문화를 흥미롭게 만날 수 있었다. 흥미로운 것은 결혼 축하가 아니라 신혼(新婚) 축

하이다. 축의금을 넣는 봉투 역시 우리와는 달리 붉은색이다. 축하객의 옷도 온통 붉은색이다.

　우리는 다음 날 중국 4대 고성 중 하나인 핑야오고성(平遙古城)으로 갔다. 핑야오고성은 타이위안 인근 진중(晋中)에 소재한다. 성 안에는 '산시성의 상인'이란 의미의 진상(晋商)들이 비즈니스를 했던 흔적들이 곳곳에 남아 있다. 산시성의 장사꾼들은 유명하다. 고성은 명·청대 500년 동안 진상들이 활발하게 사업을 했던 중국 고대의 월가인 남대가(南大街)를 중심으로 대저택과 민가들이 비교적 온전하게 보존되어 있다. 핑야오고성은 서주(西周) 선왕(宣王) 때(기원전 827~782년) 처음 건설되었으며, 서주의 장수 윤길보(尹吉甫)의 군대가 주둔하면서 시작돼 지금까지 약 2700여 년의 역사를 갖고 있다. 고성의 높이는 12m, 총길이 6.4km로 동서북 3면은 직선형이며, 남쪽은 구불구불한 강의 모양을 따라 만들어졌으며, 성벽의 전체 모양은 거북이처럼 보인다. 성벽을 둘러싸고 있는 망루 72개와 요(凹)자 모양의 사대(射臺) 3,000개가 있으며, 이는 공자 문하의 72현인과 3,000제자를 상징하는 것이다. 옛 거리는 시루(市樓)를 중심으로 4개의 큰 거리와 8개의 작은 거리, 72개의 골목길로 나뉘며, 이것들은 팔괘(八卦) 도안으로 만들어졌다. 거리는 남대가를 중심으로 대칭적으로 배치를 하고 있다.

　고성은 명·청대 건축의 박물관이라고 할 수 있을 정도로 잘 보존되어 있다. 고성에는 중국 전통 가옥 구조인 사합원이 3,000채 이상 있었고, 현재 400여 채가 남아 있다고 한다. 사합원의 구조를 현대식으로 개조하여 카페와 주점으로 사용하지만, 그 전통의 멋은 그대로 간직하고 있다. 이곳 거리를 거닐면 명·청대의 월가를 걷는 느낌을 받는다. 당시 이곳은 활발한 금융거래가 이루어졌던 금융가였다. 중국의 금융업의 효시라 할 수 있는 일승창표호(日升昌票号)가 이곳에 있는 이유이다. 표호는 일종의 어음 거래소였다. 일승창은 1823년 도광제(道光帝) 때 설립된 중국 최초의 표호이다. 본점의 사업이 번창하여 주요 대도시에 지점인 분호(分号)를 세울 정도였다고 한다. 눈에 띈 자그마한 카페의 이름이 흥미롭다. 유토피아를 소리나는 대로 '烏托邦(wūtuōbāng)'으로 표기해 놓았다. 이방인에게는 작은 것 하나하나가 관심거리이다.

나와 일행은 청대의 진상대원(晋商大院) 중 가장 큰 진중(晋中)의 상가장원(常家莊園)을 방문했다. 이 상가장원에 대해, 중국 『바이두(百度)사전』은 다음과 같이 그 연혁을 소개한다. '상가장원'은 명나라 말년에 해당하는 1488-1505년(명나라

상가장원

홍치 연간) 사이에 세워졌다. 상씨 가문은 번성하여 5, 6대 후손의 시대에 해당하는 명말 청초에 진중 지역의 대표 상인으로 부상하였다. 청나라 강희 연간에는 해마다 인구가 늘어나게 되자 상씨 집안의 각 가정에서 집을 더 짓게 되었다. 1681년(강희 20년), 8세였던 상위(常威)는 행상에서 시작하여 좌상(座商)에 이르렀으며, 자신의 가게[常布鋪]를 개설하여 상씨 집안 상업 발전의 기초를 놓았다. 건륭, 가경, 도광, 함풍, 동치, 광서 여섯 황제에 걸쳐 거의 150년간 지속적으로 건물을 증축한 결과, 상가장원은 방 5,000여 칸, 건물 50여 채, 정원 7곳으로 확대되었다. 1948년(민국 37년)의 진중 전투와 이후 문화대혁명을 거치면서 일부가 훼손되었다. 하지만 1980년대 이후 진상(晋商) 연구의 발흥과 심화에 따라 상가장원 개발지휘부를 만들어 그 건축물들을 가능한 원형대로 보수하고 복원하였다. 2001년 9월 29일 수리가 완료되어 본격적으로 관광객들에게 개방되었다.

갑골문의 고향 안양에서 생각한
시황제의 한

2012년 여름방학 때, 나와 일행은 중국 동북 하얼빈에서 중국 내륙 허베이성의 스자좡으로 비행기를 타고 이동했다. 공업 도시라는 이미지 외에 문화적으로는 별다른 특색이 보이지 않는 스자좡을 뒤로 하고, 우리는 기차로 허베이성의 남부 도시 한단을 거쳐 허난성의 안양으로 간다. 허베이성 남단의 한단과 이마를 맞대고 있는 안양은 허난성 최북단에 있다. 황허를 중심으로 보면, 한단은 남쪽이고 안양은 북쪽이다. 황허 유역의 허난성 수도인 정저우와 역대 왕조의 핫 플레이스였던 뤄양과 북송의 수도였던 카이펑에 비하면, 안양은 허난성 최북단에 위치하는 외진 곳이기도 하다. 황허 문명의 중심에서 벗어나 있다.

하지만 이러한 나의 첫 인상은 은허 유적지를 가 보면서 잘못된 것으로 드러났다. 고대 중국 문화의 발상지인 은허(殷墟)는 그야말로 중국 문화의 모태이다. 특히 필자의 눈을 붙들어 맨 것은 거북 껍데기에 새겨진 갑골문자이다. 은나라의 문화와 역사를 오롯이 품고 있는 당시의 문자들이 품어 내는 향기에 취한다. 갑골문자의 고향 안양에서 필자의 흥미(?)를 끈 몇 개의 글자들이 있다. 문자는 존재의 집이라는 생각을 떨쳐 버릴 수 없게 만든다. 몇 개의 글자를 보자. 길할 길(吉)은 남근과 여근의 만남으로 형상화되어 있고, 공경 경(敬)은

사람이 공손하게 앉아 있는 형상이고, 조상 조(祖)는 남근 숭배가 형상화되어 있다(위의 그림 참조).

이 문자의 향기를 한곳에 모아 놓은 아카이브가 안양의 문자박물관이다. 우선 그 규모에 놀란다. 더욱 놀라운 것은 이 박물관을 만든 의도이다. 나는 규모의 크기보다도 어떻게 이러한 박물관을 만들려고 생각했는지, 그것에 더욱 놀라지 않을 수 없었다. 하지만 나의 이 놀라움은 그리 길게 가지 않았다. 중국은 56개의 민족으로 이루어진 다민족국가이다. 물론 그중 한족이 92%에 가깝지만, 문화적으로는 대표적인 다문화 국가이다. 중국의 다문화 정책은 소수민족 정책을 통한 다원일체론으로 시작되었다. 특히 소수민족 정책은 쌍어(雙語), 즉 이중 언어 정책으로 연결된다. 하나의 중국으로 일체화하려는 중국의 의지가 문자박물관의 설립 배경이라는 것을 쉽게 추론할 수 있다.

이 박물관에는 56개 민족의 문자가 전시되어 있다. 조선족 부스에는 훈민정음이 전시되어 있었다. 난 이 박물관에서 새삼 문자의 위대함을 생각한다. 각 민족과 시대의 문자는 그 시대를 살았던 수많은 인간의 개별적인 발화인 파롤을 가능하게 했던 보편적 질서인 랑그이다. 그 문자를 통해 그 시대를 살았던 사람들의 생각과 역사와 문화를 읽을 수 있다. 음성에 비해 문자가 가진 진리성을 읽을 수 있다. 수많은 영웅호걸들이 떠나갔지만, 그들의 생각을 담아 놓은 문자의 생명은 영원하다. 문자는 생생한 음성이 희미해져서 남아 있는 흔적이 아니라, 음성을 지배하는 보편적 문법이다. 문자란 인간의 생각을 표현하는 수단이 아니라 인간의 생각을 구조짓는 보편적 체계라는 구조주의의 명제를 떠올린다. 인간은 문자의 주인이 아니라 문자로 얽힌 담론의 수인(囚人)이라는 생각이 든다. 인간의 생각의 집인 문자의 발전사는 바로 인류의 생활세계의 발전사이다. 인류의 공동체 구성을 가능하게 한 보편적 구조가 문자라는 사실은 새삼 놀라운 일이 아니다. 필자가 이곳 박물관에서 흥미롭게 본 것은 중국 고대 춘추전국시대의 각 나라의 문자의 형태들이다.

중국 최초의 통일국가인 진(秦)과 그 주변국들의 문자 형태는 당시에 패권 다툼이 얼마나 치열했는지에 대한 방증이다. 당시 유일한 교통수단이자 전투 수단이었던 말(馬)의 형태 차이는 전국시대의 각 나라의 문화와 역사를 나름대로 담아내고 있다. 진의 문화가 여타 6개 나라의 문화와 어떻게 차이가 나는지를 이 문자 하나로도 추론할 수 있을 것 같다. 그리고 각 국의 문자 차이가 빚어내는 그 나름의 문화적 정체성도 읽을 수 있을 것 같다. 7개 나라가 황허를 중심으로 서로 이마를 맞

대고 있지만, 문자의 차이를 통해 그들 나름의 문화적 차이를 생산해 내고 있다.

이 문화적 다양성을 배제하고 진(秦)의 문화로 흡수·통일하려고 했던 시황제의 성급함이 새삼 아쉽다. 시황제는 영토로는 중국을 통일했지만 문화적으로는 통일에 실패한 비운의 지도자였다. 진은 영토로는 통일을 이루어 지리적 개념으로서 'China'라는 국호를 얻기는 했지만,

춘추전국시대와 진의 통일 후 馬자의 변형 모습

한족으로서 민족적 통일을 이루었던 한(漢)에 비하면 문화적 역량이 부족했던 국가였다. 중국 최초의 통일국가이지만 최단명의 국가로 비운을 맞을 수밖에 없었던 이유야 여러 가지일 것이다. 하지만 그중에서도 전국(戰國)시대의 다양한 문화적 차이를 수용하면서 통일국가로서의 다문화 창조를 게을리 했던 시황제의 문화적 감수성을 성찰해 본다. 시황제에게 결여된 다문화 감수성이 정주박물관에 또렷이 새겨져 있는 '다원일체(多元一体)'란 글귀 앞에서 더욱 아쉬워진다.

타이바이산의 라오펑요우들

　　중국 여행의 마지막 여정을 나의 오랜 중국 친구들의 고향을 소개하면서 마무리하고 싶다. 산시성(陝西省) 메이시엔(眉縣)의 타이바이산(太白山) 아래에 나의 오랜 중국 친구들이 살고 있는 마을이 있다.

　　내가 5악(岳) 중 직접 올라본 것은 서악 화산(華山)과 중악 숭산(嵩山) 그리고 남악 형산(衡山)이다. 나는 화산으로 가기 위해, 2017년 8월 20일 시안 역에서 화산 역으로 가는 기차를 탔다. 기억이 정확하다면, 40여 분의 시간이 걸렸다. 역에서 내려 택시로 약 20분 거리의 매표소에 도착했다. 매표소로 가면서 관광객의 동선에 따라 가게들이 무언가를 사지 않고서는 그냥 지나칠 수 없도록 배열되어 있어서 역시 중국인들의 마케팅 전략이 대단하다는 느낌을 받았다. 표를 끊고, 산의 중턱으로 올라가는 셔틀버스를 타기 위해 줄을 섰다. 중국 어디를 가나 다 그런 것처럼, 이곳 역시 많은 사람들이 길게 줄을 서고 있었다. 중국인들은 길게 늘어서서 기다리는 데는 매우 익숙하다. 버스를 타기 위해 많은 사람들이 두 줄로 길게 서 기다리는데, 나는 어느 버스가 산의 어느 봉으로 가는 것인지도 모르고 기다리는 게 싫어서 무턱대고 줄이 덜 긴 쪽의 버스를 탔다. 버스와 케이블카로 산의 중간 지점까지 올라갔다. 케이블카에서 내린 다음 힘겹게 올라보니 동봉(東

峰)의 정상이었다. 아래에서 버스를 기다리던 줄이 서봉으로 오르는 줄보다 길지 않은 이유를 알 수 있었다. 동봉에서 바라보니 서봉으로 오르는 길게 늘어선 사람들의 동선이 마치 기러기 떼가 줄지어 날아가는 듯, 그 풍광이 볼만하다. 서봉의 정상이 얼마나 예뻤으면 연화봉(蓮花峰)이라 했을까!

2012년 여름에 소림사가 있는 숭산을 찾았다. 이 당시 입장료가 무려 90위안(당시 환율로 한국 돈 2만 원)으로 기억이 된다. 지금은 더 올랐겠지만, 당시로서도 매우 비싼 가격이었다. 그 산 중턱에는 달마가 한때 수행했던 곳으로 알려진 굴이 있다. 한글로 친절하게 또렷이 써 놓은 안내판이 기억에 남아 있다. 그리고 2015년 여름에 중국 창사의 후난대학에서 초청한 학술 대회에 참석하고, 잠깐 시간을 내어 주최 측에서 내준 승용차로 형산에 올랐다. 창사에서 승용차로 약 두 시간 정도 걸린 것으로 기억난다. 가파른 절벽에 부착된 에스컬레이터를 수직으로 타고 올라가서, 다시 약 30분 정도 걸어 남천문(南天門)까지 다녀왔다. 이 문은 형산의 정상인 축융봉(祝融峰)으로 가는 통로인데, 시간에 쫓겨 더 이상 올라가지 못했다. 오악 중 나머지 두 곳인 북악 항산(恒山)과 동악 태산(泰山)은 아직 가보지 못했다.

우리에게 타이바이산이란 이름은 낯익다. 우리의 옛 땅이었던 만주의 타이바이산이 우리의 백두산과 중국의 장백산으로 갈라졌다. 중국 타이바이산은 시안에서 승용차로 두 시간 정도의 거리에 있다. 정상은 중국 산시성 남부 진령(秦嶺)산맥에서 가장 높은 3,767미터의 높이이다. 이 산은 그 높이로 말하면 오악에 들어가야 하지만, 화산이 중국 서쪽 지역을 대표하여 오악 중 서악이라 불린다. 악(嶽)자는 '山'(뫼 산)자와 '丘'(언덕 구)자가 결합한 모습이다. 嶽자는 산 위에 언덕이 있는 형상으로, 산세가 가파르고 높은 큰 산을 뜻한다. 먼 옛날에는 제후가 하늘에 제를 지냈던 산을 嶽이라 했다. 5개의 높은 산을 중심으로 제를 지냈다고 하여 이것을 오악이라고 했다. 타이바이산은 높기는 하지만 산세가 가파르지는 않다. 수직으로 높이 솟아 있지 않은 완만한 곡선의 형태를 띠고 있어 악이라 불릴 만큼 험한 산은 아니다. 거대한 암석으로 이루어져 대륙적이고 남성적인 석산(石山)인 화산에 비하면, 타이바이산은 때 묻지 않은 자연 경관을 자랑하는 어머니와 같은 유순한 토산(土山)이다. 내가 이 산에 갔을 때까지만 해도 한국의 산악인이나 관광객에게 거의 알려지지 않았

었다. 하지만 지금은 트래킹 코스로 꽤 알려져 있다. 산 정상은 희귀식물 보호 지역으로 입산이 통제되고 있다. 3,511미터에 있는 상판사(上板寺)까지만 오를 수 있다. 이곳까지는 하판사에서 케이블카를 타고 오를 수 있다. 오스트리아와의 기술 합작으로 만들어진 오래된 케이블카를 잠시 타면 상판사에 오를 수 있다. 앞의 사진(225쪽)은 상판사에서 바라본 타이바이산이다.

이 타이바이산의 유순한 정기를 품은 산 입구의 자그마한 마을에는 북송의 철학자 장재의 28대손이고, 횡거서원 부속 장재사(張載祠)기념관 관장이었던 짱쓰민(張世敏)과 그의 제자들이 살고 있다. 장 관장의 제자인 쇼이(蕭易), 치민(齊敏) 그리고 짱츠(張馳)는 모두 서예가들이다. 이곳은 타이바이산 줄기를 타고 내려온 물의 수량이 풍부하고 수질이 좋아 온천 지구로 개발되고 있다. 이 산의 명성은 당나라 때부터 유명했다. 수많은 시인 묵객들이 이곳을 찾아 산수를 읊고 온천 휴양을 즐겼다. 저 유명한 시인 이태백(李太白) 또한 이곳에 많은 흔적을 남겼다. 검은 빛깔이 짙은 어느 큰 바위 덩어리에 후대인들은 이태백의 전설을 깊숙하게 입혔다. 검은 색깔의 돌덩어리가 바로 이태백의 먹물 흔적이라나.

이곳의 친구 서예가들은 각자의 직업이 있다. 쇼이는 주역을 공부한 전문가로서 연구소를 찾아오는 사람들에게 인생 상담을 해 주고 풍수(風水) 선생으로서 지역에 이름이 널리 알려져 있다. 치민은 영어를 잘하는 그의 아내와 함께 횡거진 유일의 유치원을 운영하고 있다. 최근에는 무용 학교

좌로부터,
짱츠, 치민, 쇼이,
짱쓰민 관장

를 졸업한 딸도 교사로 참여하고 있다. 갈 때마다 그의 유치원 사업이 번성하는 것을 보는 것 또한 즐거운 일이다. 그리고 짱츠는 서실을 운영하며 키위 농장을 경영하기도 한다. 그의 아내는 쇼이의 아내와 마찬가지로 타이바이산 초입 상가 단지에서 가게를 경영하고 있다. 이들 모두 나보다는 연하이지만, 나의 라오펑요우(老朋友)들이다. 내가 처음 중국어를 접했을 때 가장 마음에 드는 단어가 '펑요우'였다. 오랜 친구를 '라오펑요우(老朋友)'로 부른다. '펑요우' 이외에 '아름답다'는 뜻의 '퍄오리앙(漂亮)'이란 단어 역시 처음 들었을 때 그 발음이나 뜻이 너무 좋았다. 만나는 사람마다 '퍄오리앙'이라고 하면 적어도 밉상은 되지 않겠다는 생각을 했었다.

　쇼이의 서체는 그의 성격을 닮아 매우 철학적이다. 깊은 생각을 담아 묵직하게 힘주어 쓴다. 그는 그냥 글을 쓰는 것

이 아니라, 마치 수행자처럼 깊은 생각을 눌러 찍듯이 토해
낸다. 치민의 글은 정직하다. 그는 자신의 성격처럼, 멋스럽
게 치장하려 하지 않고 글자 하나하나를 우직하게 찍어 내듯
쓴다. 치민의 우직함은 소문이 나 있다. 우리 일행이 그곳을
방문할 때마다 자신의 차로 우리를 안내하는 일에 마음을 다
한다. 그러면서 그는 말이 별로 없는 친구이다. 그리고 짱츠
는 그 외모가 멋이 있다. 성격이 활발하고 밝다. 그래서인지
그의 글은 매우 예술적이다. 그림 같은 글씨이다. 글을 그림
처럼 뿌린다.

　위의 사진은 2011년 대구교육대학교의 초청으로 대구에
왔을 때, 세 명의 서예가들이 한 장에 함께 글을 써 선물로 주
고 간 것이다. 왼쪽은 치민의 글이다. 좀 큰 글씨로 '신월여가
인(新月如佳人)'이라고 썼다. '한국에서 보는 달이 마치 아름
다운 사람 같다'로 읽으면 될 것 같다. 작은 글씨라서 잘 보

이지는 않지만 그의 꾸밈없는 담백한 서체의 글이다. 중앙의 큰 글씨는 짱츠의 글이다. '수연(隨緣)'이라는 큰 글자를 중심으로 한국 친구들의 이름을 작은 글씨로 마치 그림처럼 그리고 있다. 한국에 있는 친구들과 만나는 게 좋은 인연이라는 의미이다. 오른쪽은 쇼이의 글이다. 淸品猶蘭虛懷若谷 澄襟似水朗抱凝冰(청품유란허회약곡 징금사수랑포응빙)이다. 중국 고대 수신처세(修身處世)와 관련된 민간 격언이다. '맑은 성품은 난초와 같고 텅 빈 마음은 계곡과 같네. 정명한 마음은 물과 같고, 명랑한 마음은 차가운 얼음 같구나'로 이해하면 될 것 같다. 이 글은 쇼이의 차분한 성품을 담아내고 있다.

III. 파리 · 프라하

고흐 마을을 걷다

생라자르 역에서 고흐 마을로 가는 기차를 탄다. 생라자르 역은 높이 솟은 철 지붕을 하고 있다. 그 틈새로 빛줄기가 공간을 깊숙이 침투한다. 이 순간을 클로드 모네(Claude Monet, 1840-1926)는 놓치지 않았다. 한동안 이 역만을 그린 그였다. 이 역을 배경으로 12점의 그림을 그린다. 인상파의 면모를 드러낸 작품으로 알려져 있다. 저렇게도 빛의 존재를 잘 드러낼 수 있을까? 하기야 빛의 존재는 어두운 역에서 가장 잘 드러난다. 마치 우리의 삶이 죽음이라는 어두운 상황에서 더욱 절박하게 드러나듯이.

고흐 마을은, 파리에 오면, 예술가가 아니더라도 가 보고 싶은 곳이다. 빈센트 반 고흐(1853~1890)가 죽기 전 70여 일 동안 머문 곳이다. '오베르 쉬르 우아즈(Auvers-Sur-Oise)'라는 자그마한 밀밭이 많은 마을이다. 2월인데도 노란색이 곳곳에 있다. 이곳에서 고흐는 죽기 전 거의 매일 한 점씩 그림을 그린다. 인간에게 죽음을 바로 앞둔 삶이 가장 진실하다.

이 마을을 처음 방문한 이방인에게 가장 인상적이었던 곳이 오베르 노트르담 성당이다. 고흐의 〈오베르 성당〉의 배경이 된 곳이다. 그가 마지막으로 살았던 공간도 인상적이었지만, 성당은 고흐의 내면을 비추는 거울처럼 서 있다. 어둡고 두터운 로마네스크 양식에 겸손한 고딕을 얹은 건물이다.

〈생라자르 역〉, 클로드 모네, 1877

로마네스크의 어두움에 얕은 고딕으로 빛을 선사한다.

　인간의 깊고 어두운 실존이 한 줄기 빛을 사모하는 희망으로 승화된다. 고흐가 만년에 걸었을 이곳 밀밭 길은 남부 독일의 숲이 울창한 슈바르츠발트 지역의 작은 마을 메스키르히에서 태어난 철학자 마르틴 하이데거가 걸었던 숲길을 소환한다. 태양은 가려진 숲 사이로 한 줄기 빛을 선사한다. 숲길의 철학자 하이데거는 한 줄기 빛으로 다가오는 존재에 응답하는 것이 철학함이라고 역설한다. 존재는 인간의 편에서 말할 수 없는, 인간의 사유와 언어에 앞서 하나의 빛으로 주어진 사건이다. 사건은 인간의 편에서 감당할 수 없는, 존재의 편에서 이미 일어난 일이다. 인간은 다만 이 사건에 귀를 기울이고, 이제껏 인간의 언어로, 그것도 과학적인 언어로 존재를 재단했던 태도를 바꾸어, '존재'라는 사태로 돌아가 그 사건 앞에 겸손해져야 한다. 왜냐하면 근대의 과학주의적 언어에 존재를 담아내는 데는 한계가 있어, 존재 자체를 드러 낼 수 없기 때문이다. 존재는 과학적 언어가 아닌 시적 언어 에 의해 비로소 드러날 수 있다. 그래서 시인은 존재의 집을 지키는 파수꾼이다. 그는 예술을 통해 존재에로 이르는 길을 열어 놓았다.

고흐는 이 존재의 말 걸어옴에 그림으로 응답한다. 죽음 을 앞둔 고흐의 절박한 실존이 그의 그림을 통해 드러나고 있다. 남부 아를에서의 정열적인 삶을 뒤로 하고 찾은 오베 르 쉬르 우아즈에서 고흐는 마지막 삶의 여정을 마무리한다. 고흐는 1889년 5월까지 남부 아를에 머물렀다. 그가 생을 마 감하기 14개월 전이다. 그는 아를에 15개월 머무는 동안 약 200점의 그림과 100점의 스케치 그리고 200통의 편지를 썼 다(드 보통: 237).

2018년 줄리언 슈나벨 감독의 영화인 〈고흐, 영원의 문 에서〉는 고흐가 오베르 쉬르 우아즈에서 80일간 머물면서 75점의 그림을 그렸다고 영화의 마지막 장면에서 자막으로 알려 준다. 그리고 슈나벨 감독은 고흐가 고갱과 화법에 관 해 논쟁을 하면서 그렸던 남부 아를의 카페 주인 지누 부인 에게 돌려준 장부에서, 고흐가 그렸던 65점의 스케치가 2016 년에 확인되었다는 사실도 자막으로 처리한다. 지누 부인을 그리는 고흐에 대해, 고갱은 매끈한 평면으로 처리하지 않

〈두 여인과 사이프러스 나무〉, 고흐, 1889

고 덧칠을 하는 기법이 불만이다. 하지만 고흐의 광기는 평면에 매끈하게 처리하기를 거부한다. 광기의 자유로움은 평온한 마음으로 매끈한 평면에 잡아 두기에는 그 저항이 너무 세다. 고흐는 순간의 영감을 빠른 속도로 미친 듯이 토해 낸다. 그는 그렇게 그리지 않을 수 없다. 그에겐 고갱처럼 느긋하게 그릴 만한 경제적, 심리적 안정도 허락되지 않았다. 슈나벨 감독은 아직도 논란이 되고 있는 고흐의 죽음을 10대 악동 두 명에 의한 타살로 처리하고 있다. 이 영화보다 1년 전인 2017년에 〈러빙 빈센트(Loving Vincent)〉가 제작되었다. 107명의 애니메이터들이 10년에 걸쳐 약 6만 5천 개의 밑그

<올리브 숲>, 고흐, 1889

림을 그렸다. 이것을 토대로 고흐의 그림 130점의 유화가 완성되고, 이 완성된 그림들을 애니메이션 기법으로 제작한 영화이다. 2018년 영화는 고흐의 죽음을 명백한 타살로 처리하지만, 2017년 영화는 고흐의 죽음을 미스터리하게 재구성하는 데 앵글을 맞춘다.

고흐에게 있어 존재는 색이다. 그의 만년은 더욱 강한 색으로 존재를 채색한다. 그는 "농담(濃淡)의 배합 기술을 버리고, 캔버스에 원색을 듬뿍 발랐다"(드 보통: 252). 그는 죽은 사실을 그린 게 아니라 생생한 현실을 그렸다. 어떠한 극사실주의자도 사실을 사실대로 그릴 수 없다. 그에게 이해된 현실로 그린다. 고흐의 현실은 색채이다. 생생한 현실을 가장 현실답게 그리는 건 사실에 입각하면서도 원색으로 존재를 표현하는 것이다. 그래서 평범한 사이프러스와 올리브 나무도 역동적인 현실로 태어난다. 죽음을 예상하기라도 한 듯, 1889년 그는 하늘로 쭉 뻗은 사이프러스를 그리는가 하면, 마치 고통을 연상케 하는 올리브 나무를 그린다. 희망과 고통이 교차한다. 사이프러스는 그리스 신화 속 키파리소스와 중첩된다. 케오스 섬에 살던 미소년 키파리소스는 어느 날 창을 잘못 던져 자신이 애지중지하면서 타고 다니던 수사슴을 맞추었다. 고통스럽게 죽어 가는 수사슴을 지켜보는 게 힘들었던 키파리소스는 아폴론에게 자신도 죽여 달라고 간청한다. 아폴론은 키파리소스의 몸을 사이프러스 나무로 변하게 해 주었다. 사이프러스는 죽음을 상징하는 나무이면서도 하늘로 쭉쭉 뻗어 있어 죽음의 초월을 은유하기도 한다. 주로 묘지 근처에 많이 심겨 있으며, 마치 병풍처럼 속세와 경계를 짓고 있는 나무이다. 마디가 뒤틀려 있는 올리브는 그 모양새가 고통을 은유한다. 하지만 올리브는 평화의 상징이다. 아테네 시민들에게 아테나 여신이 선물한 것이 바로 올리브 나무의 평화이다. 고흐는 생 레미 요양원에서 정신적으로 매우 고통스러웠을 때 10여 점이 넘는 올리브 나무를 그렸다. 고통 속에서도 그는 평화를 그렸다. 그는 남부 프로방스에 머무는 동안 자신의 색의 존재론을 그 절정에 올려놓는다.

그는 빛으로 찾아오는 존재의 소리에 원색으로 응답한다. 마치 죽음을 준비한 듯, 채색은 더욱 삶을 동경한다. 삶에 대한 애착이 마치 야수처럼 이글거린다. 그를 '후기 인상파'로 분류하기 망설여질 정도로 야수적이다. 고흐의 색은 존재를 드러내는 언어이다. 시인의 언어보다 더 절실한 언어이다. 강한 색으로 표현된 자연은 그가 돌아가 쉴 곳이었다. 이곳에서 그는 동생 테오와 함께 영원히 안식하고 있다.

기하는 저항을 거세한다

　　최근 서울대 건축학과 정년 퇴임 강연(2018년 2월 22일)에서, '좋은 건축이 어떤 것이냐'를 묻는 것보다 '좋은 학교가 어떤 학교인가'를 물어야 한다고 말한 김광현 교수의 기사를 읽었다(『중앙일보』, 2018. 3. 4). 평생을 건축학을 가르친 교수의 말치곤 지극히 소박하다. 그런데 건축은 삶이다. 그리 사치스러운 게 아니다. 인생의 가장 소중한 시기를 보내야 하는 학교 공간이 갖는 의미를 새삼 묻게 된다. 가장 변하지 않는 게 학교 건축이다. 물론 변화를 해 온 건 사실이지만, 여전히 그 공간에 육화된 오래된 역사를 탈피하고 있지 못하다. 반듯하게 건축된 공간은 어쩌면 학생들의 행동 규범만큼이나 질서정연하다. 그런데 이 질서는 학생들의 정서와 창의력을 제한하는 규준이 될 수 있다. 일제강점기의 치욕적인 시간 동안 경험했던 규율적 공간을 이제는 탈피할 수 없을까? 아마 김 교수의 고민(?)인 것 같다. 한때는 정치적 기획에 의해, 지금은 경제적인 이유로 인해 학생들의 창의적인 공간이 거세당하는 학교 건축을 안타깝게 바라본 김 교수의 말은 건축학 개론의 첫 페이지를 장식하기에 충분하다.

　　원래 루브르는 바이킹으로부터 파리를 지키기 위한 요새였다. 이 박물관 앞에 루이 14세의 동상은 왜 서 있는가? 루브르는 그가 베르사유 궁전을 짓고 살면서 모아 둔 미술품들을 전시하는 미술관 정도의 규모였다. 이후 16세기 때 르네상스 양식으로 리모델링하였다. 나폴레옹 1세가 원정을 다니면서 모은 것들이 많아지면서 미술관 루브르에 관심을 가진다. 나폴레옹 3세가 북쪽 갤러리를 지어 완성한 이후, 1981년 미테랑 대통령이 미술관을 확장하고 그 앞에 유리 구조물을 건축한다. 지금의 모습이다.

베르사유는 궁전이라서 바로크 양식으로 그 화려함을 더했다. 하지만 루브르는 요새였고, 박물관의 용도에 맞게 르네상스 양식으로 합리적이고 실용적으로 구성했다. 루이 14세의 동상이 나란히 서 있는 베르사유와 루브르는 그의 권력이 재현된 대표적 건축이다. 베르사유의 설계 단계부터 절대 권력이 그 설계자였다. 공간이 만들어지기 이전에 이미 당시의 절대 권력이란 터가 열려 있었다. 루이 14세의 존재가 이 공간에 육화(肉化)되어 있다. 그에겐 공간이 권력이다. 루브르는 루이 14세 이후 확장되고 개축되는 과정을 겪지만, 여전히 그 주인은 루이 14세의 권력이다. 르네상스 양식은 실용성을 전제하여 합리적으로 건축한다. 실용성은 대칭성과 비례와 균형이다. 기하학적으로 정확하게 측량하여 건축한다. 그런데 베르사유 정원이 그렇듯, 기하는 장식을 절제하며 권력에 저항하는 인간의 다양한 욕망을 통제하는 기능이 있다. 권력은 그 저항의 소리가 기하학적 질서 안으로 수렴되도록 강요한다. 루이 14세는 아직도 이 두 곳 전면에서 마치 파놉티콘(Panopticon)[1]처럼 지키고 서 있다. 건축은 정치와 무관할 수 없다.

루브르의 화룡점정(畵龍點睛)은 유리 피라미드이다. 미테

랑의 그랑 프로제(Grand Projects)의 야심작이다. 에펠탑의 경우도 그랬듯이, 이 구조물을 세울 때 파리 시민 절대 다수가 반대했다. 루브르의 오랜 역사와 뷰(view)를 해친다는 이유이다. 하지만 그 이면에는 정치적 이유가 더 컸을 것이다. 이 구조물은 루이 14세의 권력의 상징이다. 미테랑의 권력이 루이 14세를 이어 육화되어 있다. 돌로 만들어진 루브르와 유리와 철로 만들어진 새로운 구조물은 어쩌면 좋은 앙상블일 수 있다. 지상의 피라미드와 지하의 역 피라미드의 조화는 멋지다. 지하의 역 피라미드는 또 다른 자그마한 피라미드와 꼭짓점으로 이마를 맞대고 있다. 루브르의 뷰를 해치지 않기 위해 피라미드 형식으로, 그것도 투명한 유리로 겸손하게 지었다.

낮 동안 다소 생뚱맞아 보이기도 하는 이 피라미드는 밤이 되면 프랑스적인 뷰를 연출한다. 주변의 분수와 앙상블을 이루어, 다소 지친 듯 고풍스럽게 서 있는 루브르를 위로

해 주는 듯하다. 철과 유리는 건축의 소재로 가장 많이 쓰인다. 그 이유는, 유리는 투명성을 보장해 주고, 철은 지구성(持久性)을 보장해 주기 때문이다. 권력은 지구성을 염원한다. 절대 권력일수록 더욱 그렇다. 철은 녹이 슬긴 하지만, 비교적 그 속도가 느리다. 하지만 언젠가는 녹이 슬고 삭는다. 철의 작가 리처드 세라²의 〈시간의 문제〉는 바로 이걸 말한다. 녹슨 철판 8개로 전시되어 있어 다 보는 데 시간이 걸린다. 전시 기간도 10년이다. 왜 제목이 〈시간의 문제〉인가? 철이 은유하는 권력이 녹스는 건 시간문제라는 것이다. 유리는 투명하지만 타인의 속내를 살피는 창이기도 하다. 권력은 시시때때로 푸코의 파놉티콘이 되어 저항 세력을 살피고 감시한다. 돌과 철 그리고 유리의 물질성은 권력의 장수를 염원하는 사람들의 존재를 드러낸다. 루브르의 기하학적 구조물과 또 하나의 기하학적 구조가 덧붙여져, 기하가 드러내는 규율을 그 누구도 헤쳐서는 안 된다는 권력의 메커니즘이 작동한다.

루브르 박물관 앞 공원은 유명하다. 튈르리 공원(Jardin des Tuileries)이다. 파리 정원은 거의 다 기하학적으로 꾸며져 있다. 주변의 조경도 그렇다. 튈르리는 파리의 대표적인 정원으로서, 거기에도 권력이 육화되어 있다. 기하가 장식을 억압하고, 모두 그 준엄한 질서에 따라야 한다는 권력의 존재가 여실히 드러나는 공원이다. 다음 백과사전에는 "1564년 앙드레 르 노트르³가 자연과 과학의 조화를 기하학적으로 표현하려고 설계한 공원"으로 설명되어 있다. 르 노트르는 파리에서 기하학적 정원을 설계한 최고의 전문가이다. 베르사유 정

원도 그의 작품이다. 미셸 푸코의 눈에 그것은 지식과 권력의
야합(野合)으로 보였다.

그랑 프로제의 또 하나의 작품은 라데팡스 신개선문이
다. 우선 그 규모에 놀란다. 다음 백과사전에 따르면, "개선문
의 한 변의 길이가 36층 건물에 맞먹는 높이인 110m에 달하
고 30만 톤 무게의 철 콘크리트 건물인 신 개선문은 가운데
1ha에 달하는 사각형 구멍이 뚫려 있는데, 이 공간으로 파리
의 노트르담 대성당이 그대로 들어갈 수 있다고 한다." 내 눈
에는 거대한 괴물이 두 발을 벌리고 있는 것 같다. 시야를 압
도하는 권력이 존재하는 집이다. 이 거리는 한산하다고 한다.
딸과 함께 이 건물을 지나치면서 위압감을 느꼈다. 얼마나 실
용적인지 의심이 간다. 미테랑의 그랑 프로제는 거대 권력 프
로젝트인 것 같다. 나에겐 이 신 개선문이 구 개선문과 함께
파리를 감시하는 파놉티콘으로 보인다. 모든 게 정치적일 수
밖에 없으니까.

타자에 의해 응시된 샹젤리제

샹젤리제는 파리의 상징이다. '영웅들이 가는 천국'이란 뜻을 가진 말이다. 다른 거리와 크게 달라 보이지 않는다. 그런데 무엇이 이 거리를 낭만(?)의 거리로 만드는가? 샹젤리제는 콩코르드 광장과 개선문을 잇는 직선거리이다. 거리엔 이방인의 눈을 취하게 하는 낭만적인 풍광들이 늘어서 있다. 하지만 이곳은 그 이름만큼 낭만적이지 않다. 원래 루이 15세 광장이었던 콩코르드 광장은 루이 16세[4]와 마리 앙투아네트,[5] 로베스피에르[6] 등 1,343명이 단두대의 이슬로 사라진 곳이다. 프랑스 대혁명이 일어난 지 6년 뒤인 1795년 미래를 위해 화합하자는 뜻을 담아 '콩코르드'로 개칭한 것이다. 마주 서 있는 개선문은 1805년 아우스터리츠 전투[7] 승전을 기념하기 위해 1806년 나폴레옹이 기획하여 30년에 걸쳐 완성된 파리의 대표적인 에투알 개선문이다. 샹젤리제는 바로 이 두 역사적 현장을 직선으로 잇는 거리다. 1789년 프랑스 혁명은 루이 16세의 절대 권력을 무너뜨린다. 시민혁명군에 의해 바스티유 감옥이 함락된다. 이제 권력자들은 시민들의 저항을 한 곳으로 모아 효율적으로 처리할 수 있는 공간을 구성하지 않으면 안 된다. 그래서 만들어진 것이 개선문의 방사형 도로망이다.

샹젤리제는 베르사유 궁전의 정원을 디자인한 르 노트르

가 조성한 2.3킬로미터의 거리다. 베르사유 정원은 2.6킬로미터이다. 거리의 차이는 있지만 구조는 동일하다. 기하학적 질서는 다양한 저항의 목소리를 한 곳으로 수렴시켜 효율적으로 대처하기 위한 것이다. 모든 시민들은 이 기하학적 질서에 저항할 수 없다. 샹젤리제는 개선문 한 곳으로 수렴된다. 궁전에서 정원으로 내려다보는 감시(瞰視)에는 권력의 확장이, 정원 끝자락에서 궁전으로 올려다보는 앙시(仰視)에는 권력의 수렴이 육화되어 있다.

개선문 위에서 보면 샹젤리제를 중심축으로 12개의 방사선 형태로 거리가 재단되어 있다. 낭만적인 아름다운 거리를 지나 올라선 개선문은, 승전을 기념하는 장소이기 이전에 마주 보이는 콩코르드 광장의 단두대를 섬뜩한 눈으로 바라보게 한다. 격자형 거리와는 달리 방사형 거리는 중심과 주변을 뚜렷하게 경계 짓는다. 지배와 저항의 담론이 맞물려 있다.

권력이 중심으로 수렴되는 구도이다. 거리의 시민들은 높은 개선문 위에서 내려다보는 권력의 눈을 볼 수 없다. 하지만 항시 권력자는 이 공간을 감시(瞰視)의 눈으로 조망한다. 나는 공리성이란 규준으로 일상의 삶들을 통제하는 현장을 이곳에서 목도한다. 낭만의 옷을 벗은 샹젤리제는 공화정의 새로운 역사를 희망적으로 창조한 공간이기도 하지만, 그것을 위해 엄청난 대가를 치른 절망의 공간이기도 하다. 희망과 절망이, 프랑스의 역사적 주름이 겹겹이 쌓여 있는 파리지앵의 삶터이다. 개선문에서 바라본 2017년 2월의 파리는 그날따라 잿빛 얼굴이었다.

태초에 흔적이 있었다

고흐 마을로 가는 기차를 탔다. 이른 시간이라
그런지 텅 비어 있다. 눈에 들어오는 건 별난 색깔들이다. 우
선 한국과는 다르다는 느낌이다. 획일성에 식상한 나에겐 참
신하다. 서로 달라서 아름답다. 차이의 공존이다. 근대 철
학에 의해 동일성이 강요되어 왔다. 타자와의 다름을 '지양
(Aufheben; 止揚)'[8]이란 해법으로 치유하려고 했던 헤겔의 프
로파간다는 프랑스적이지 않다. 정신의 동일성으로 회귀되는
방식으로 나와 타자의 다름이 서로 중재되어 지양될 것이라
는 오만한 게르만적 사유에 식상했던 프랑스인들은 차라리
다양성을 예찬한다. 다양성은 '보편성' 혹은 '객관성'이란 미
명하에 항상 일치와 동일성에 예속되기를 강요당해 왔다. 하
지만 리오타르[9]는 불일치와 차이의 철학을 강조한다. 포스트
모던적 조건은 바로 불일치와 차이 그리고 다양성에 대한 예
찬이다. 물론 다양성에 대한 지나친 예찬은 자칫 서로 간의
연대성마저 해체한다는 불안도 있다. 하지만 프랑스인들에겐
그 불안보다는 다양성에서 경험하는 자유가 더 소중하다.

철학자들이 오랫동안 탐색해 온 합의, 일치, 동일성, 공약
가능성[10] 등의 어휘는 이제 향수를 느끼게 하는 옛 어휘들이
되었다. 합의를 겨냥한 대화는 프랑스인들에겐 사치스러운
액세서리였다. 다양성 속을 관통하는 하나의 동일성을 탐색

하는 근대 철학을 거대 담론이라 부른다. 이 거대 담론, 즉 차이성에도 불구하고 하나의 동일성이 구성되리라는 근대인들의 이야기에 식상해하고 이를 해체하려는 시대정신이 포스트모더니즘이다.

프랑스 철학자 데리다를 소환한다. 그는 1930년 알제리에서 태어난 유대계 프랑스인이다. 그의 출생이 말해 준다. 알제리는 한때 프랑스 식민지였다. 그는 프랑스적인 것을 하나도 갖지 않고 프랑스인으로 살았다. 프랑스적인 것과 차이나게 살지 않을 수 없다. 소수자와 다수자란 오래 묵은 이분법을 해체하고 서로 다름을 인정해 주는 사회를 그리워하지 않을 수 없다. 그가 사용하는 어휘 중 '차연(différance)'이란 특이한 단어가 있다. 그의 단어 사용조차 남다르다. 그가 만들어 낸 이 단어는 무엇을 말하는가? 차연(差延)의 差는 '다를' 차이다. 그런데 延은 뜻이 많다. 늘이다, 벌여놓다, 끌어들이다, 퍼지다, 어느 장소에 미치다 등등이다. '차(差)'보단 '연(延)'이 더 까다롭다. 延은 공간적으로든 시간적으로든 앞의 것이 뒤의 것으로 밀린다, '퍼진다' 혹은 (어느 지점에) '이른다' 그리고 '겹친다' 등의 의미로 이해하자.

데리다의 '흔적'은 타자란 이름으로 나의 의식 속에 침입해 있는 이방인이다. 데리다는 에르곤(ergon)에 곁다리처럼 붙어 있는 파레르곤(parergon)을 말하지 않는다. 파레르곤은 에르곤에 침입하여 에르곤의 독자성에 흔적을 남기면서 개입한다. '그림'이라는 텍스트 곁에서 경계를 이루어 텍스트와 서로 분리되면서 결합하는 방식으로 교착하고 있다. 텍스트와 문맥은 서로의 경계를 해체하면서 분리되며 결합한다. 그림의 테두리이지만 이미 그림 안으로 성큼 들어와 개입하면서 방해하고 있다. 우린 이미 타자이다. 우리는 기표와 기표의 경계를 허물면서 분절을 통해 차이를 생산하는 활동인 차연의 결과물로서 차이를 경험한다. 기차 안 의자의 다양한 색깔들이 차연의 징표이다. 서로에게 간섭하면서 다층적으로 생산해 내는 형상들의 다양성이다.

데리다는 현상학이란 이름으로 독일철학이 자기의식의 자명성 속에서 잠꼬대를 하고 있을 때 의식의 현전에 흔적으로 침입해 들어와 있는 타자를 발견한다. 에드문트 후설이 의식의 목소리에 최면당해 있고, 하이데거가 존재의 부름에 경이로움을 표출할 때, 데리다는 이미 서구 형이상학의 '음성중심주의'[11]를 고발하고 있다. 시니피앙을 초월해 존재하는 시니피에에는 이미 시니피앙의 흔적이 비집고 들어와 있다.[12] 태초에 흔적이 있었다. 시니피에는 시니피앙의 자리에 밀려 더 이상 의미의 주인이 되기를 포기하고 있다. 시니피앙과 시니피앙의 관계 속에서 생성되는 차이가 초월적 시니피에를 피곤하게 방해하고 있다. 시니피에는 항상 시니피앙보다 지각(遲刻)한다. '차연'이라는 다소 생소한 어휘는 데리다가 차이를 생산해 내어 음성언어의 의미를 갖도록 할당하는 활동을 일컫는다. 눈에 다양하게 들어오는 색 기호들의 의미는 다른 기호들과의 관계 속에서 빚어내는 차연에 의해 비로소 경험된다.

잠깐 신호등 앞에 서 보자. 신호 체계 안에 세 개의 색은 서로 차이가 있다. 빨강, 노랑, 녹색이다. 당신이 좋아하는 분홍, 보라라도 좋다. 왜 하필이면 빨강, 노랑, 녹색인지 물을 필요는 없다. 다만 약속일 뿐이니까. 바둑알이 왜 희고 검은지 물을 필요가 없듯이…. 노랑이 꺼지고 빨강으로 바뀐다. 그리고 다시 녹색으로. 노랑이 꺼지면서 바로 빨강이 들어오는 경우, 노랑은 그저 훌쩍 떠나 버린 게 아니다. 여운을 남기면서 떠난다. 여운을 남긴다는 건 빨강에 겹친다는 것이다. 영어 leave가 바로 남기면서 떠나는 걸 동시에 담고 있다. 사랑하는 자의 곁을 떠나지만, 그냥 떠나는 게 아니듯. 사랑은 가도 옛날은 남는다고. 만약 우리에게 이 leave란 어휘가 없었다면, 이 상황을 어떻게 표현했을까? 노랑이 사라지는 동시에 빨강과 겹치면서 차이를 드러낸다. 시공간적으로 사라지고, 밀리고, 겹치면서 차이가 발생한다. 데리다는 이 현상을 '차연'이라 표현한다. 파리의 기차, 지하철 그리고 거리 곳곳에는 다양성의 미학이 온존한다.

살바도르 달리의 초현실

전쟁은 예술의 아버지이다. 너무 지나친가? 나폴레옹의 원정이 없었다면 루브르가 있었을까? 전쟁은 인간에게 죽음의 고통을 주지만, 예술을 선물로 준다. 알렉산더의 정복 전쟁이 없었다면, 그레코-불교가 있을 수 없었다. 간다라 미술은 알렉산더가 인도에 가서 낳은 자식이다.

20세기 초에 프랑스의 지적 풍토는 다양하게 발산된다. 발산은 이제까지 통제된 것의 발산이다. 무엇이 인간을 그토록 오랫동안 통제해 왔는가? 그 이름도 다양한 20세기 초의 프랑스 미술은, 역사는 이성에 의해 진보한다는 오만한 헤겔의 죽음 이후, 우후죽순처럼 번진다. 1831년 헤겔은 근대 합리주의의 적자로 생을 마친다. 1806년 나폴레옹 1세가 프로이센을 점령하고, 1870-71년 프로이센과의 전쟁에서 패전한 결과로 독일이 베르사유 궁전에서 프로이센의 깃발을 올리는 걸 지켜봤던 프랑스인들이다. 몽마르트르 언덕에 있는 사크르쾨르 성당은 이 당시 프랑스인들이 다시는 이와 같은 일을 당할 수 없다는 의지를 모아 세운 수호신과 같은 것이다. 그 후 1919년 1차 세계대전이 끝나고 잃었던 알사스-로렌을 돌려받는 승전의 기쁨을 잠시 맛보기도 했다. 다만 1940년 2차 대전 초기에 나치에게 다시 이 땅을 되돌려줄 때까지 그랬다. 프랑스 지식인들은 전쟁을 통해 이성이 무엇인지를 반문

한다. 과연 이성이 신뢰할 만한 인간의 능력인가 하는 문제에 직면한다. 이성에 통제되어 왔던 인간의 본능을 자유롭게 하려는 인상파, 야수파, 입체파 등등 많은 반고전 운동들이 봇물처럼 일어난다. 물론 이 시기에 다양한 이름으로 분출된 예술적 표현들이 어느 면에서는 중첩된다. 왜냐하면 이성에 대한 고발과 동시에 감정과 본능에 충실하다는 점에서 그 궤를 같이 하고 있기 때문이다.

이런 상황에서 초현실주의도 등장한다. '초현실주의' 혹은 '쉬르 레알리즘'이라고도 불리는 이 운동은 현실을 초월하면서도 동시에 현실로 돌아오는 운동이다. 초현실이 비현실과는 다른 점이다. 가상현실이 비록 현실은 아니지만 현실에 깊은 영향을 미치는 것과 같다. 현실을 상상할 수 없을 정도로 왜곡하고 비정상적으로 만들어 이제까지 왜곡된 현실을 회복하려는 운동이다. 역설적이다. 진정한 예술은 현실을 등지는 것이 아니라 현실로 돌아오는 것이다. 그래서 비현실이 아니라 초현실이다. 단순한 반이성이 아니라 초이성이다. 이성을 초월하여 열리는 진정한 인간성을 그림으로 옮겨 온다. '초(超)'라는 어휘는 철학에서 꽤 까다롭게 사용된다. 단순히 넘어선다는 의미가 아니라 현실을 가능하게 해 주는 보다 근원적인 현실이라는 의미이다. 의식을 가능하게 하는 거대한 무의식의 지평을 열어 보인 프로이트와 연결된다. 정상/비정상이라는 고전적 틀을 넘어, 지극히 비정상적인 것을 통해 지금까지 정상적인 것이라 여겨 온 것들이 허상에 지나지 않음을 고발하는 초현실이다.

나를 초현실주의로 안내한 것은 살바도르 달리[13]이다. 그의 작품은 너무나 잘 알려진 뒤샹[14]의 작품과 같은 전시실에 놓여 있다. 뒤샹의 〈샘〉이 나오면서 반예술 운동은 절정에 다다른다. 고전주의에 대한 반동이다. 현대미술은 고전주의의 대부격인 레오나르도 다빈치와 신고전주의의 장 오귀스트 도미니크 앵그르[15]와 그 터치가 인상파와 닮은 들라크루아[16]로 이어지는 고전적 사실주의에 저항한다. 그중 달리의 작품에 초점을 맞춘다. 달리를 가장 비정상적으로 만드는 그림은 〈기억의 지속〉(1931)의 녹아내리는 시계이다. 이 그림은 시계는 고체여야 한다는 걸 오히려 비정상으로 고발하는 그림이다. 이것 이외에 제목과 그가 이 작품을 그린 의도 속으로 깊이 감정이입할 필요는 없다. 달리는 작품의 탄생과 함께 이미 사망했다.

내가 퐁피두에서 만난 달리의 작품은 〈상징적으로 기능하는 지저분한 오브제〉란 제목의 작품이다. 1931년 한 잡지에 소개되었다가 사라졌다. 그리고 1973년 달리가 다시 제작한 작품이다. 자그마한 구두와 우유 컵 그리고 각설탕과 성냥통과 음모(陰毛)로 구성된 미스터리한 작품이다. 아무런 질서도 없고 도저히 어울린다고 볼 수도 없는 오브제들이 상징적으로 기능하는 작품이다. 상징적으로 기능한다는 것은 무엇을 말하는가? 꿈이 무의식을 일깨우는 상징이듯, 상징은 인간의 오래된 편견을 해체하고 무의식을 전면으로 이끌어 오는 중요한 기능을 한다. 이 작품에 사용된 오브제는 일상적인 것들이다. 이것들은 원래의 용도와는 무관하게 작가가 부여하는 상징적 의미로 전용(轉用)된다. 한정된 특정한 오브제를 벗어나 일상적인 것들을 변용한다. 오래된 용도와는 달리 전혀 어울리지 않는 사물들과 배치함으로써 무의식에 잠재되어 있는 욕망을 일깨운다. 의식의 편견을 깨우는 충격요법과 같은 것으로서, 어울리지 않는 것들의 지저분한 어울림을 통해 잘 어울리는 오브제에만 길들여진 의식을 무의식으로 안내한다.

주름의 존재론

'바로크(Baroque)'는 '일그러진 진주'를 의미하는 포르투갈어다. 진주라는 말마디보다 '일그러진'에 초점을 둔다. 무언가가 일그러졌다는 것은 자로 잰 듯 반듯하지 못하다는, 다소 불경스럽다는 의미이다. 무언가 비정상적이고 불협이고, 울퉁불퉁하고 주름진 것들을 연상케 한다. 17세기 이후 반듯함에 식상한 일련의 화가나 건축가들이 혁명을 한다. 정상에 대한 비정상, 균형에 대한 불균형, 직선에 대한 곡선, 선에 대한 주름 등으로 고전에 도전한다.

생각은 자로 잰 듯 반듯하게 할 수 있다. 하지만 삶은 그렇지 않다. 삶을 자로 재단하기에는 너무나 많은 것들이 억압되어야 한다. 이 억압되어 있던 것들이 자유분방하게 표출된다. '바로크'란 이름으로. 자로 잰 듯 기하학적으로 사물을 표현하는 데는 한계가 있다. 왜냐하면 기하는 장식을 죽이기 때문이다. 기하가 추구하는 건 비율이고 반듯함이다. 그 대신 장식을 포기하지 않을 수 없다. 르네상스 양식을 보고 아름답다고 하기에는 무언가 부족하다. 삶의 역동성을 자유롭게 표현하기 위해선 직선으로 구도된 기존의 기하학적 도형으로부터 자유롭지 않으면 안 된다. 일그러진 것들이 반듯한 것을 정복한다.

철학 역시 사유의 건축이고 회화이다. 철학자는 개념을

가지고 집을 짓는다. 비율과 조화라는 전체 구도를 미리 설정하고 그 사이사이에 내용을 집어넣는 건 근대 철학자들의 몫이었다. 아마 헤겔만큼 '철학'이란 건축물을 완정(完整)하게 잘 지은 철학자도 없을 것이다. 하지만 그 건축 과정에서 삶의 주름들은 굴곡져 있다는 이유만으로 차단된다. 비율과 조화, 통일성을 전제로 한 집짓기를 허물고 순간순간 일어난 사유의 사건들을 마치 주름잡고 주름을 펼치듯이 연속해 나가는 것이 탈근대의 활동이다. 질 들뢰즈의 주름과 바로크 이야기이다. 그는 철학자 라이프니츠 속에서 바로크를 읽는다. 라이프니츠의 철학에 함의된 주름의 형이상학을 바로크를 통해 회화화(繪畫化)한다. "바로크는 주름은 구부리고 또다시 구부리며, 이것을 무한히 밀고 나아가, 주름 위에 주름을, 주름을 따라 주름을 만든다. 바로크의 특질은 무한히 나아가는 주름이다"(들뢰즈 I: 11). 데카르트에게서 그렇게도 투명하게 분리되었던 정신과 물질이 이제 애매하게 주름진 것으로 텍스트를 이룬다. 데카르트가 정신과 물질을 투명하게 분리하여 대칭화함으로써 조화를 이루려고 한다면, 라이프니츠는 이들 사이를 주름진 것들로 채워진 하나의 텍스트로 재구성한다. 마치 에르곤과 파레르곤처럼 하나의 텍스트를 이룬다. 르네상스의 대칭성과 조화를 바로크의 비정형으로 대신한다. 그래서 들뢰즈는 바로크를 앵포르멜[17]로 규정한다. 다만 극단적 혼란을 일으키는 추상이 아니라 주름 잡힌 것으로 형상을 재구성하는 앵포르멜을 말한다(들뢰즈 I: 70). 접힘과 펼침이 반복되면서 주름이 형성된다. 그렇게 주름진 것들이 형상을 구성한다. 물론 이 형상(figure)은 앵포르멜이 부정했던 형태(form)는 아니다.

주름은 사람마다 다르다. 손금이 그렇듯, 얼굴 주름도 다 다르다. 마치 바닷물이 계속 밀려오듯 주름지는 게 삶이다. 주름은 삶의 메타포이다. 각자의 주름은 특이하다. 라이프니츠의 모나드처럼, 각자는 창이 없는 자기 완결적이고 폐쇄적인 삶을 산다. 각자의 주름진 삶을 자기 방식대로 살아간다. 이 삶을 기하로 재단할 수 없다. 들뢰즈는 이른바 '주름 존재론'을 통해 어느 하나의 보편적 원리로 예속될 수 없는 특이성(singularité)을 주름으로 은유한다. 고전 양식에 가려진 삶의 굴곡진 주름들을 들여다본다. 주름은 어느 하나의 지점으로 통일됨 없이 연속된다. 연속은 어느 한 곳에 정착을 허락하지 않는다. 주름 잡히고 펼쳐지기의 연속이다. 들뢰즈는 홈이 팬 공간에 정주하지 않고, 지속적인 탈영토화를 이루면서, 매끈한 공간을 질주하는 유목민적 삶을 예찬한다. 단 하루만 들여다보아도, 마치 그의 책 제목처럼, 천 개의 고원이 연속적으로 주름져 있듯이, 나의 삶은 홈이 팬 공간에서 벗어나 있다. 그는 1995년 11월 4일, 그의 아파트에서 투신자살했다. 그의 자살 소식은 우리나라 언론을 통해서도 알려졌는데, 그 내용이 지금도 생생하게 기억난다. 1995년 11월 6일자 『연합뉴스』는 "1925년 파리의 보수(保守)가문에서 출생한 들뢰즈는 소르본 및 벵센大 등에서 강의한 후 87년 은퇴했으며, 줄곧 좌파를 옹호, '과격 좌파'로 활동해왔다"고 소개하였다.

거울의 방에서 소환한 스피노자

　　베르사유 궁전은 대표적인 바로크 양식이다. 인간이 장식할 수 있는 모든 것을 다 동원하여 루이 14세의 절대 권력을 표현하고 있다. 궁전과 달리 정원은, 파리의 대부분 정원이 그렇듯이, 기하학적이다. 권력을 넓게 펼치고 한곳으로 수렴하는 효과를 겨냥한 것이다. 이와 대조적으로 궁전 내부는 기하가 실종되고 장식만 절대화되어 있다. 기하 정원과는 달리 일그러지고 굴곡져 있다. 직선이 표현할 수 없는 권력의 아름다움을 바로크 양식을 통해 절정에 올려놓은 곳이 거울의 방이다.

　　난 거울의 방에서 들뢰즈가 소환했던 스피노자를 재소환해 본다. 들뢰즈에 의해 소환된 그는 누구인가? 그는 네덜란드 출신 근대 철학자이다. 이곳 거울의 방은 루이 14세의 절대 권력의 산실이었지만, 한때 독일의 제국 선언문의 낭독 장소가 되기도 했던 곳이다. 스피노자는 인간의 욕망을 어떻게 잘 치유하고 진정한 자유인이 되는지에 대해 고민한 철학자이다. 어느 철학자가 이런 고민을 하지 않았을까! 스피노자가 궁정에서 정원을 내려다본다. 절대 권력이 기하 정원으로 무한히 확장된 걸 본다. 그가 하이델베르크 대학 교수직을 정중히 사양한 이유도 그것에 마음이 흔들릴 걸 두려워한 때문이다. 그는 데카르트와 동시대를 살았다. 하지만 그는 이단자였다. 민족으로부터도, 당대의 주류인 합리주의로부터도. 그는 그 나름의 주름을 형성하면서 특이한 삶을 살아냈다. 그는 여러 개의 이름을 가지고 살았다. 그는 포르투갈에서 출생해 네덜란드에서 살았지만, 어느 한쪽으로부터도 그의 정체성을 담보 받지 못했다. 그는 유대인이면서도 유대인으로부터 추방당해 유대인과 비유대인의 경계인으로 살았다.

베르사유를 직접 방문한 일은 없지만, 루이 14세와 동시대를 살았던 스피노자는 궁전을 떠올리며 인간의 욕망에 대해 생각했으리라! 자연의 거대한 질서를 거슬러 살았던 루이 14세와는 달리, 스피노자는 그 질서에 대한 참다운 인식을 통해 인간이 한없이 자유로워질 수 있는 길을 열어 놓았다. 인간의 마음을 압도하는 욕망에 휘둘리지 않고 능동적으로 자신의 존재를 유지할 수 있는 역량을 덕으로 말한 스피노자가 아닌가! 루이 14세는 스피노자보다 여섯 살 아래였지만, 스피노자보다 30년을 더 산다. 네덜란드 파빌운스흐라흐트 72번지 친구 집의 작은 골방에서 유폐된 삶을 살아야 했지만, 스피노자의 그 절제의 정원은 베르사유 궁전보다 더 아름다운 공간이 아니었을까(디마지오: 35).

카페 드 플로르에서 사르트르를 만나다

딸과 같이 파리에서 가장 오래된 카페 드 플로르(Café de Flore)를 가 본다. 제3공화국 때인 1884년에 파리 6구 생제르맹 데프레에서 문을 열었다. 카페 이름은 로마 신화의 Flore에서 따온 것이라고 한다. 이 카페가 이름이 난 건 이곳을 유명 문인들이나 철학자들이 드나들었기 때문이다. 사르트르, 시몬 드 보부아르, 알베르 카뮈, 헤밍웨이, 피카소 그리고 중국의 저우언라이도 단골 고객이었다고 전해진다.

카페 안에는 이곳을 방문한 유명인들의 사진이 걸려 있다. 좁은 좌석에 앉아 있는 게 부담인 나도 이곳에선 맥주를 한잔했다. 한국만큼 넓게 앉아 다리 쭉 펴고 쉴 수 있는 공간이 많은 곳도 없다! 좁은 공간에 이마를 맞대고 앉아 무언가 열심히 이야기하는 노인들을 본다. 참 하고 싶은 애기들이 많은 파리지앵들이 구나 하는 생각이 든다.

난 이 카페에서 사르트르와 보부아르 그리고 사회학자 레이몽 아롱[18]이 만나

2층에 걸려 있는 이 카페를
드나들었던 인물들의 사진

대화하는 모습을 상상해 본다. 물론 이들이 이곳에서 실지로 만났는지에 대해서는 나는 확인할 길이 없다. 다만 만났을 때, 그들이 나누었던 얘기에 방점을 찍는다. 레이몽 아롱은 누구인가? 사르트르와 동갑인 그는 사사건건 사르트르와 이념적 갈등을 노출했던 사람이다. 사르트르와 아롱은 진보와 보수의 전형을 보여 주는 프랑스의 대표적인 지식인들이다. 보부아르 역시 사르트르의 동반자로서 페미니즘의 사상적 뿌리가 된 인물이다. 사르트르와 보부아르의 러브스토리는 세계적 관심거리였다.

> 아롱은 자신의 컵을 가리키며 말했다. "보라고, 자네가 현상학자라면 이 칵테일에 대해서 말할 수 있다는 걸세. 그리고 그것이 바로 철학인 것이지!" 사르트르는 감동으로 새파래졌다. 거의 새파래졌다고 해도 좋았다. 그것은 그가 오랫동안 바라고 있던 바에 꼭 들어맞는 것이었다. 즉, 사물에 대해서 말하는 것, 그가 접하는 그대로의 사물을…, 그리고 그것이 곧 철학인 그런 것을 그는 바라고 있었던 것이다. (木田 元: 7)

보부아르는 사르트르가 현상학을 처음 만났을 때의 광경을 이렇게 전해 준다. 1930년대 프랑스의 두 청년이 만난 현상학은 그 당시의 프랑스의 지적 분위기를 전환시킬 수 있는 새로운 사유 실험이기에 충분한 것이었다. 온갖 사변적이고 추상적인 철학에 식상해 있던 프랑스의 젊은 지성들에게는 그들 앞에 놓여 있는 칵테일 잔과 같은 구체적 현실에 대해서 말해 주는 그런 생생한 철학을 원했던 것이다. 이러한 지적 분위기에서 현상학은 그들의 지적 욕구를 충족시키기에 충분한 것이었다.

　1831년 헤겔의 죽음으로 근대 철학의 종말이 찾아온다. 1차 세계대전 이후 피폐해진 인간의 삶을 이야기하기에는 헤겔의 철학은 너무나 추상적이고 낭만적이었다. 전쟁이 가져다준 건 역사의 진보가 아니라 몰락이었다. 이성이 역사를 진보시킨다는 관념론에 종말을 고하면서, 이제 프랑스 지성인들은 구체적 삶인 실존을 이야기한다. 사르트르의 "실존은 본질에 앞선다"는 짧은 말마디가 전 유럽을 실존의 구렁텅이로 몰아넣는다. 인간의 본질이 무엇인가 이전에 사느냐 죽느냐의 구체적 실존이 절박했다. 어떻게 사는 것이 윤리적인가의 문제는 사는 문제 다음의 일이다. 전쟁은 죽음을 불러온다. 전후 자본주의의 거센 물결 속에서 인간은 하나의 기계 부품으로 전락한다. 인간은 주체성이 매몰되고 하나의 객관적 사물처럼 뒹군다. 1936년 찰리 채플린의 영화 〈모던 타임즈〉는 바로 이 점을 다룬 것이다. 철학은 이제 더 이상 추상적 개념 놀이가 아니다. 사르트르와 아롱이 내린 결론은, 철학은 내 앞에 놓여 있는 컵에 대해서 말하는 것이다. 그것도 사물을 있는 그대로 말하는 것이다. 현상학은 구체적 실존을 얘기하는 것이다.

살로 만난 세잔

　　본다는 것은 신비로운 경험이다. 무엇을 보고
안다는 것이 그렇다. 내 앞에 있는 컵을 보고 컵으로 안다는
것이 어떻게 가능한가? 나에게 보이는 컵은 그 일부분이다.
내 몸을 옮겨 다니면서 컵을 볼 때마다 컵은 그 일부분만 나
에게 보인다. 그런데도 어떻게 컵이라고 아는가? 나에게 보이
지는 않지만 일부분만 보고도 컵으로 알 수 있게 해 주는 이
전의 경험들이나 컵에 대한 선(先)지식이 그 배경으로 주어져
있기 때문이다. 보이는 것은 보이지 않는 것과 분리될 수 없
이 교직(交織)되어 있다. 메를로퐁티[19]는 이 교직되어 있는 현
상을 '키아즘(chiasm)'으로 말한다.

　　폴 세잔은 "풍경이 내 속에서 자신을 생각한다. 나는 풍
경의 의식이다"라고 했다. 내가 풍경을 보고 있는 게 아니라,
풍경이 나의 속으로 들어와 나와 하나가 된다. 장자(莊子)의
호접몽(胡蝶夢)을 연상시킨다. 꿈속에서 나와 나비가 하나가
되는 물아일여(物我一如)의 꿈을 꾼 것과 유사하다. 나와 타자
는 이미 하나의 살-덩어리로 뭉쳐져 있다. 나와 그림이 합일
되는 것처럼.

　　메를로퐁티는 근대 철학이 남겨 놓은 달갑지 않은 유산
인 주관과 객관의 분리를 치유하는 메타포로 '살'을 불러온
다. '몸'이라는 어휘로는 만족할 수 없어 가장 원초적인 감각

〈사과와 오렌지〉, 폴 세잔, 1895-1900

덩어리인 '살'을 언급한다. 물론 이 살을 피부와 같은 생물학적인 개념으로 이해할 수는 없다. 모든 것이 서로 분리될 수 없을 정도로 애매하게 엉클어져 있는 정황을 은유하는 메타포로 읽어야 한다. 마치 불교의 인다라망(因陀羅網)처럼 모든 것들이 서로를 비추고 비춰지는 방식으로, 옷감의 날줄과 씨줄처럼 교직되어 있는 양상을 은유하는 것이다. 살은 "보는 행위가 보이는 것에로, 보이는 것이 보는 행위에로 열개(裂開)하는(dehiscence)"(류의근: 332) 장(場)이다. 살은 가시성과 비가시성이 가역적으로 교차하는 장이다. 살은 의식과 대상으로 분리되기 이전의 원초적 덩어리이다. 보이는 것을 통해 보이지는 않지만 흘러넘치는 의미의 세계로 보는 자를 안내하는 세잔을 만난다. 세잔의 그림은 보는 자의 의식 속의 그림으로 들어와 있다. 나와 그림은 이미 그리고 항상 살로 교착되어 입 벌릴 수 없는 키아즘의 영역에서 하나가 되어 있다. 눈은 그저 하나의 감각기관이 아니다. 눈은 정신이 경험할 수 없는 깊은 의미의 세계로 정신을 안내한다. 사물을 본다는 일이 이렇게 신비로울 수 없다. 내가 그림을 보고, 그림이 나를 보며, 난 나를 보고 있는 그림을 본다. '본다'는 사건의 신비를 세잔을 만나 깊이 경험한다.

메를로퐁티가 만난 세잔은 색의 현상학자이다. 세잔은 사물의 형태나 선을 주로 그렸던 방식과는 달리 색에 주목한다. 세계는 색으로 빈틈없이 유기적으로 조직되어 있다는 세잔을 따라, 메를로퐁티 역시 색이 스스로 빚어내는 형태와 원근법을 읽는다. 색은 소묘로는 드러낼 수 없는 근원적인 의미를 스스로 드러내며 동일성과 차이성을 생산해 낸다. 색은 형태나 선이 빚어낼 수 없는 가역성을 갖는다. 배경을 이루는 색들이 주변의 다른 색조들과 가역적으로 교차하면서 형태와 선을 자연스럽게 빚어낸다. 세잔의 〈생트빅투아르산〉이 대표적인 작품이다. 풍경에서 원근은 더욱 잘 살아나고 있다.

메를로퐁티에게 있어 색은 마치 살과 유사하다. 모든 존재의 원소인 살을 세잔은 색으로 은유한다. 색의 다양한 변양을 통해 원근의 선이 자연스럽게 경험된다. 색의 진함과 옅음에 따른 원근과 형태와 선이 자연스럽게 구성된다. 메를로퐁티는 세잔의 색의 현상학을 회화적 존재론으로 다시 읽는다. 회화는 보이는 것을 통해 보이지 않는 넘쳐나는 깊은 의미를 길어 올리는 키아즘의 장(場)이다. 프랑스 현상학의 토대를 마련한 메를로퐁티는 그의 살의 존재론을 은유하듯, 파리 시내 공동묘지에 가족과 함께 하얀 대리석 옷을 입고 영면하고 있다.

소르본에서 교육을 생각하다

딸과 함께 소르본 대학 앞 노천카페에서 맥주를 한잔한다. 바로 옆에 책방이 있어 들어가 본다. 서점에서 눈에 띄는 철학 책은 프랑스 철학자, 베르그송과 푸코와 들뢰즈 등이다. 철저히 프랑스적이다. 서점에 독일어가 보이지 않는 건 당연할지도 모른다. 알퐁스 도데의 마지막 수업을 떠올린다. 프랑스어로 할 수 있는 마지막 수업이었다. 프로이센에게 패하고 1871년 알사스-로렌 지방을 독일에게 넘겨주면서 조국의 언어조차 사용할 수 없었던 프랑스인들의 아픔을 기억한다면, 독일어가 이곳에 있을 이유는 없을 것 같다.

소르본 대학 앞 서점 현관에 붙어 있는 2016년 프랑스 바칼로레아 문제 유형을 봤다. 대충 보아도 가장 기본적인 개념에 대한 이해를 요구한다. 지향성, 지각, 상상, 정체성 등등. 우리의 수능도 많이 발전했다고 생각한다. 하지만 디테일한 문제를 이해하기보다 기본적인 사고 능력을 묻는 문제들이 아쉽다. 바칼로레아는 출제된 문제 자체를 이해하지 못해 적지 못하는 경우가 허다할 것이다. 문제는 쉽고 간단히 이해할 수 있되, 자신의 의견을 제시하기는 쉽지 않은 문제들이 출제되어야 한다. 예컨대 신은 존재하는가, 인간은 왜 도덕적이어야 하는가, 국가란 무엇인가 등등.

과연 한국에도 교육이 있는가? 깊이 성찰하는 인간으

매주 일요일 오전 10시 파리의 한 카페에서 열리는 토론 현장

로 만들어 가고 있는가? 교육이 아니라 학습만 있는 것은 아닌가? 학습은 교육과는 다르다. 학습의 사전적 의미는 과거의 경험을 통해서 새로운 지식과 기술을 익히는 것이다. 학습은 동물에게도 가능하다. 학습 효과는 인간보다 동물이 더 뛰어날 수도 있다. 교육이 무엇인지 새삼스럽다? 교육은 education이다. 이 단어의 라틴어 어원은 educo이다. e(밖으로)와 duco(끌어내다)의 합성어이다. 피교육자의 소질과 잠재력을 밖으로 이끌어 내는 것이 교육이다. 고대 그리스에서 교육은 파이데이아(paideia)이다. 이 용어의 의미는 플라톤의 '동굴의 비유'를 통해 잘 이해할 수 있다. 동굴 안에 오랫동안 갇혀 있는 죄수들은 앞 벽에 나타난 그림자를 보고 참

된 실재라고 생각한다. 그림자는 죄수들이 보지 못하는 뒤편에 피워 둔 불 때문에 생긴 실재의 그림자이다. 그런데 이 불을 보지 못하는 죄수들은 앞에 나타난 그림자가 참된 세계라고 생각한다. 그들에겐 이게 바로 진리이다. 하지만 그중 누군가가 묶여 있는 손을 풀고 동굴 바깥으로 나간다. 그는 동굴 밖의 또 다른 세계를 본다. 이 세계는 이전의 세계와는 전혀 다른 세계이다. 지금까지 본 것은 그림자이고 빛 아래에서 보는 세계가 참된 세계임을 안다. 그리고 혼자 그 참된 세계를 독점하는 게 아니다. 동굴 안으로 다시 들어와 다른 죄수들을 참된 세계로 이끌고 나온다. 이끌고 나오는 게 바로 교육이다. 독일어로 교육을 의미하는 Erziehung도 '이끌다'는 의미를 가진 동사 erziehen에서 유래한 단어이다. 편견의 세계에서 진리의 세계로 이끌어 내는 것이 교육이다.

소크라테스와 알키비아데스는 나이 차이가 많다. 하지만 그들 사이를 동성애라고 놀릴 만큼 그 둘은 요즘 말로 군대 동기이다. 칼키디키 반도의 포티다이아에서 함께 군대 생활을 했다(BC 432). 고대 그리스는 동성애를 권장했다. 물론 이 동성애는 스승과 제자로서 바람직한 관계를 의미한다. 알키비아데스는 그 시대의 아이돌이다. 정치가이면서 군인이다. 보라색 망토를 걸치고 거리에 나가면 모든 여성들의 눈을 붙잡기에 손색이 없는 용모이다. 그런데 『플루타르크 영웅전』에서는 그를 카멜레온 같은 인물로 평한다. 그는 자신의 이익을 좇아 쉽게 변절하는 자이다. 조국 아테네를 배반하고 적국 스파르타로 투항하며, 그리고 다시 한때 적국이었던 페르

〈소크라테스에 의해 관능의 늪에서 끌려 나오는 알키비아데스〉, 장 밥티스트 르노, 1791

시아로 옮겨 다닌다. 하지만 그는 소크라테스를 만나면서 바뀐다. 바뀐 모습을 『플루타르크 영웅전』에서는 "불에 달아 무르게 된 쇠가 찬물에 들어가면 다시 단단해지고 그 입자가 더 촘촘하게 뭉치듯 알키비아데스는 허영과 방종으로 가득 한 상태에서 소크라테스를 만날 때마다 스승의 가르침을 통하여 수축되고 모양을 갖추었으며 겸손하고 조심스럽게 되었다"(플루타르크: 18))라고 쓰고 있다. 이게 교육이다.

소크라테스는 아스파시아[20]의 집에서 알키비아데스를 이 끌어 낸다. 마치 동굴에서 밝은 세계로 이끌어 내듯이. 제자의 눈은 여인에게 가 있다. 여인도 제자를 놓치기 아쉽다. 스 승의 오른손은 하늘을 가리킨다. 그러나 제자의 손은 아직도 여인의 어깨 위에 얹혀 있다. 스승은 이곳이 아닌 진리의 세계가 있는 곳으로 올라가자고 손짓한다.

소크라테스는 알키비아데스의 진정한 멘토이다. 멘토(Mentor)는 오디세우스의 절친이다. 오디세우스는 트로이 전쟁에 10년, 전후(戰後)에 고향 이타카로 돌아가는 데 10년, 무려 20년 동안 집을 떠나 있었다. 그걸 예견이라도 한 듯이, 전장(戰場)에 나아가면서 친구 멘토에게 아들 텔레마코스를 맡긴다. 멘토는 친구의 아들의 스승이 되어 잘 가르친다. 우리는 누굴 멘토로 만나는가에 따라 변하는 존재이다. 인간만큼 가소성(可塑性)이 큰 존재는 없다. 물이 담기는 그릇의 모양에 따라 달라지듯, 인간은 누굴 만나는가에 따라 달라질 수 있는 존재이다. 그래서 사르트르는 인간-임(Mensch-sein)이 아니라 인간이 되어-감(Mensch-werden)이라고 말한다. 성 아우구스티누스는 젊은 시절 이방 종교에 빠져 탕자의 생활을 했다. 하지만 암브로시우스를 만나면서 성자로 바뀌었다. 사울은 다메섹으로 가는 길에서 그리스도를 만나 바울로 바뀌었다. 그리스도를 메시아가 아니라고 선동하던 거만한 사울에서 작은 자 바울로 바뀌었다. 죄인 중의 죄인이라고 자신을 낮추는 자로 변한 것이다. 이전의 삶에서 새로운 삶으로 바꾸게 하는 힘이 교육이다. 그래서 교육은 만남이다. 그 만남의 대상은 인간이 아니라 한 권의 책일 수도 있고, 우연히 읽은 한 편의 시일 수도 있다.

나는 타자이다

파리 지하철 하나하나가 같은 구조, 같은 색으로 된 게 없다. 지하철 안내판 역시 차이와 다양성의 혼종이다. 단순한 미학적 고안만으로는 읽히지 않는다. 차이의 철학이 육화되어 있다. 우리는 연대감을 상실하는 게 불안해서인지 그리고 다름에 대한 초조감 때문인지 동일한 색과 구조의 지하철에서 안도감을 느낀다. 지하철엔 꼭 앉아야 하고, 문도 자동으로 열려야 안도한다. 나의 기억이 정확하다면, 파리 지하철은 반자동이다. 간단하게라도 손으로 조작해야 열린다. 자동으로 열리는 건 없다. 서서 가는 사람도 많다. 나도 요즘 지하철에서 잘 앉지 않는다. 습관이 되니 그게 오히려 편해진다. 생각의 차이다. 유목민적 삶이 편해진다. 어느 한곳에 정착하여 안도감을 맛보기보단 항상 새로운 것에로 이주해 가는 노마디즘이 일상이 된 파리를 기억한다. 나 역시 고정된 정체성을 갖지 않는다. 나의 정체성은 항상 타자에 의해 간섭받고, 타자에 의해 결정된다. 나는 한 곳에 정착하는 자가 아니라 항상 떠다니는 유목민이다. 지하철의 안내판을 따라 분주히 질주하는 파리지앵들 속에서 나 역시 부유(浮游)하는 자아로 유동한다.

나는 나여야 한다는 오랜 생각 속으로 이방인이 들어설 때 나 자신도 해체되고, 내가 해체되면 나와 타자 사이의 관계도 복원된다. 차이는 민주주의의 시작이다. 나와 다름을 인정하는 상호 인정이 민주주의의 가치이다. 그 가치를 앞서 발견한 자크 라캉을 소환한다. 그는 나의 의식에 비집고 들어오는 타자를, 나를 불안하게 하는 이방인이 아니라 오히려 나의 정체성을 결정하는 손님이라고 말한다. 주관과 객관이라고 할 때, 객(客)은 손님을 일컫는다. 의식의 거울을 갈고 닦으면서 자신의 정체성을 확인하려 했던 데카르트적 나르시시즘은 근대적 자아에 대한 갈망이다. 라캉이 '거울 단계'라 한 것이다. 나는 생각하는 것이 아니라, 생각된다. 무슨 말인가? 나의 생각을 결정하는 구조, 언어로 짜인 문화와 윤리 등 관습을 말한다. 나는 거울을 보면서 나의 정체성을 지속적으로 확인하려 하지만, 거울은 나 아닌 타자이다. 거울인 타자가 나의 정체성을 확인해 준다. 나는 이미 타자이다. 타자는 나 아닌 다른 사람만을 의미하지 않는다. 타자성(alterity)은 언어적 질서로 짜여 있는 사유의 문법들이다. 이를 라캉은 '상징적 질서'로 부른다. 거울 단계의 '상상적 질서'와는 다르다. 한 사회를 결정짓는 상징체계이고 문법이다.

　내가 며칠간 파리 시내를 다니면서 느낀 것은, 그들은 타자에 별 관심을 갖지 않고 사는 것 같다는 점이다. 길거리의 걸인도, 심지어 지하철 안으로 성큼 뛰어 들어온 개에 대해서조차 그리 관심이 없어 보인다. 그건 나름대로 타자를 인정하는 배려이다. 이 '타자성'이란 어휘는 원래 '제례,' '재단'이라는 거룩한 의미를 갖는다. 타자는 나를 결정하는 거룩한 자이다. 라캉은 피카소의 〈아비뇽의 처녀들〉에서 거룩한 타자성을 발견한다. 아비뇽은 스페인 바르셀로나의 저잣거리이다. 처녀들은 마도로스를 상대로 몸을 파는 창녀들이다. 피카소가 그린 그 처녀들은 단순히 몸을 파는 성욕의 도구가 아니다. 그는 그 시대의 문화의 문법을 그린 것이다. 그 처녀들역시 그 시대의 상징적 질서가 만들어 낸 산물이다. 상징적질서에 억압된 욕망의 군상들이 짧은 자유를 맛보는 아비뇽이다. 그 아비뇽에서 라캉의 목소리를 듣는다.

베르사유의 이우환

이우환[21]의 생가 터에 마련된 안내판에, 그는 1936년 경남 함안군 군북면 명관리 구서동 산골에서 태어나, 군북초등학교와 경남중학교를 졸업하고 서울대학교 미술대학을 다니다가, 1956년 도일하여 일본대학 철학과를 나온 뒤 미술 활동에 전념한 것으로 소개되어 있다. 2014년 이우환은 베르사유 궁전을 배경으로 파리 전시회를 가졌다. 그는 일본 모노하(물파物派)[22]의 창시자이다. '물파'란 무엇인가? 돌이나 쇠와 같은 오브제를 그냥 그대로 사용한다. '그냥 그대로'는 '있는 그대로'이다("사태 자체로 돌아가자!"는 현상학의 구호를 연상케 한다). 돌이 가지는 물질성을 강조한다. 그 이유는 무엇인가? 인간은 스스로 가치를 부여해 놓고 그것을 가지지 못해 고통스러워한다. 이 고통으로부터 자유로워지는 길은 물질의 물질성을 회복하는 것이다. 인간의 세속적 욕망에 의해 채색된 물성을 회복하자는 일종의 미니멀리즘 운동이 물파이다. 그는 보이는 것을 최소화하면서 보이지 않는 것을 극대화하려고 한다. 오브제의 단순화는 결국 그 단순성을 넘어 흘러넘치는 의미의 풍요로움을 건져 올리려는 그의 의도에서 비롯된 것이다. 오브제의 단순성이 그 단순성을 넘어 또 다른 단순성을 만나 펼쳐지는 세계를 갈망한다. 그래서 그의 주제는 '관계항(relatum)'이다. 그의 작품에 등장하는 돌과 쇳덩

〈항(項) — 조용히〉, 이우환, 2006 © Lee Ufan

이나 철판이 하나하나의 실체성을 벗을 때 비로소 그들 사이의 관계성이 회복된다. 상호 관계성이 살아나기 위해 오브제의 실체성은 절제될 대로 절제되어야 한다. 돌과 쇳덩이가 무엇인가 하는 문제는 그리 중요하지 않다. 그들 사이의 관계성이 소중하다. 우리가 그가 무엇을 하는 자인지를 묻기 전에 그와의 소통과 대화를 더 소중하게 생각하는 이유이다. 그가 얼마나 소유하고 있는지를 아는 것은 오히려 그와의 관계성을 차단하는 방해물이 된다. 그의 생가 터에 설치된 작품의 제목은 〈항(項)〉이다.

아마 이우환의 작품 세계의 화두가 '관계'란 사실은 우연이 아닐 것이다. 특히 그는 주관과 객관 '사이'의 관계성을 철학적으로 조명하는 서양 현상학에 관심을 가지고 있다. 그가 현상학에서 영향을 받은 건 바로 인간과 인간의 상호 관계성

〈관계항 — 대화×〉, 이우환, 2014 © Lee Ufan

이다. 난 이미 타자와 존재론적으로 얽혀 있다. 그의 작품에 돌과 쇠는 하나의 실체가 아니다. 서로 기대고 있는 관계항들이다. 관계를 중심으로 읽어야 할 이유이다. 실체는 다른 것에 의존하지 않는 독립적 개체이다. 하지만 현대는 근대의 실체 개념을 허물고 관계성을 강조한다. 욕망으로 과부하된 근대적 주체의 과도한 힘을 스스로 내려놓을 때 비로소 존재의 편에서 그 스스로를 드러낸다. 존재의 스스로 드러남은 인간의 편에서 스스로 자유를 내줄 때 비로소 일어난다. 타 주체와 상관적으로 엉클어져 있는 존재로서의 사건이 열린다. 근대적 주체의 오만함에 의해 야기된 존재의 은폐와 망각은 이제 '주체'란 이름으로 비대화된 욕망 덩어리를 스스로 내려놓을 때, 이미 타자의 종이라는 사태가 비로소 개시된다. 이것이 이우환이 존재로부터 들었던 관계성의 메시지일 것이다.

베르사유에서 열린 그의 파리 전시회에 전시된 작품은 〈관계항 ― 대화×〉(2014)이다. 이 작품이 말하려고 하는 것은 무엇일까? 쉬운 게 아니다. 육중한 쇠판, 하나는 누워 있고, 다른 하나는 우뚝 서 있다. 땅에 놓인 쇠판 위에 돌덩이 하나가 얹혀 있다. 그리고 그 뒤로 베르사유 궁전이 배경을 이루고 있다. 아마 이 작품에서 작가가 강조하고 싶은 것은 '관계'일 것이다. 세계는 서로 서로의 '관계항'으로 얽혀 있다. 가해자의 나라 일본에 살면서 소수자의 한을 안으로 달래야 했던 이우환은 작품으로 말한다. 베르사유는 프랑스인에게도 한이 서린 공간이다. 베르사유는 1871년 프로이센-프랑스 전쟁[23] 때 프랑스가 패전하여, 독일의 빌헬름 1세의 황제 즉위식이 열렸고, 그 후 1918년 1차 대전 때 프랑스가 승전국이 되어 되찾았다가, 2차 대전 중인 1940년 6월 22일 독일에게 다시 빼앗겼던 장소였다. 이우환이 베르사유를 전시회 장소로 선택한 이유가 아닐까? 그는 작품으로 말한다. 우리 모두 가해자도 피해자도 더 이상 존재하지 않는 사랑의 공동체를 회복하자고! 서로가 서로에게 필요한 돌과 쇠가 되어 기대고 살자고!

빛으로 만난 화가들

아르누보 양식의 웅장한 건물인 오르세 미술
관은 파리 만국박람회를 기념해 건축가 빅토르 라루(Victor
Laloux, 1850-1937)에 의해 만들어진 철도역이었다. 오를레앙
철도의 종착역이었는데, 철도의 전동화에 따라 운행이 중단
되면서 이후 건물의 용도가 다양하게 바뀌었다. 호텔이나 극
장 등으로도 이용되었고, 한때 철거될 위기에도 처했다. 그러
다가 1986년 국립 주드 폼 미술관에 전시되어 있던 작품들을
이곳으로 옮기게 되면서 오르세 미술관으로 태어났다.

오르세 미술관에 소장된 작품들은 대부분 인상파와 후기
인상파의 그림들이다. 프랑스인들은 왜 그렇게 인상파를 좋아
하는가? 오르세로 들어서는 순간 모네가 생라자르 역에서 그
린 그림이 마치 이곳에서 재현되는 듯하다. 미술관 천정이 역
의 지붕을 은유한다. 인상파는 무엇을 그리는가? '인상'이란
글자는 도장을 새기듯, 상을 새긴다는 뜻이다. 의식 속에 희미
하게 찍히는 것이 아니다. 생생하게 그리고 원본적으로 의식에
새겨지는 경험이 바로 인상이다. 현상학은 사물을 인간의 방식
대로 구성하지 않는다. 그것도 선입견을 가지고 사물을 조작
하지 않는다. 사물이 있는 그대로 생생하게 주어지는 대로 기
술하고 그리는 것이 바로 현상학적 환원이다. 이때 환원은 사
물에 대한 선입견을 에포케(판단중지)하고 사물 자체로 돌아가

〈풀밭 위의 점심식사〉, 에두아르 마네, 1863

〈아를의 침실〉, 고흐, 1889

려는 방법이다. 그런데 사물 자체를 있는 그대로 생생하게 드러내는 방법은 의식에 인상적으로 경험되는 것을 그리는 것이다. 의식은 사물을 생생하게 드러내는 명징한 거울과 같다. 그래서 전통적인 소실점을 괄호 쳐 두고 의식에 생생하게 주어지는 대로 그린다. 아무런 편견도 없이 그린다. 자유이다. 프랑스인들이 그렇게도 갈구해 온 자유이다. 보편적 양식의 노예로부터의 자유이다. 그 자유는 다양성을 잉태하고, 개체성과 특이성으로 나타난다. 그래서 프랑스인들은 루소와 베르그송 그리고 들뢰즈를 좋아한다. 베르그송은 생생한 경험을 가능하게 하는 직관을 소중하게 생각한다. 직관은 주어지는 대로 아무런 편견 없이 단적으로 사물을 대하는 자유로운 태도이다.

마네의 〈풀밭 위의 점심식사〉는 다소 불경스럽다? 스캔들을 일으킨 작품이다. 당시 기준에서 보면, 그림 속의 여성의 나신(裸身)은 규범적이지 않았다. 하지만 이 여성의 몸이나 시선 그 어디에도 인위적인 것은 없다. 자연스럽다. 그걸 빛으로 형상화했다. 마네는 이 작품으로 유명세를 탔다. 불경스러움이 오히려 전통적인 예술의 이데올로기를 해체시켰다. 그리고 〈아를의 침실〉은 고흐가 오베르로 돌아와 사망하기 1년 전 남부 아를에서 그린 그림이다. 죽음을 앞둔 그에겐 어디에도 구속은 없다. 이 그림은 화면에 평평하게 그린다는 문법을 해체한다. 물감을 두껍게 바르고 나이프로 눌러 붙인 듯하다. 그림 전체의 구도도 대칭성이 없다. 원근법도 없고 소실점도 사라졌다. 가구 하나하나도 뭔가 불안정하다. 창은 빛으로 가득 찼다. 그만의 자유로움이 재현된 방이다. 프랑스 남부의 자연을 그림 안으로 초청했다.

'파리'엔 파리가 많다

프랑스 '파리(Paris)'란 기호에는 우리가 생각하는 고정된 '파리적인 어떤 것'의 의미가 없다. 언어는 다만 약속일 뿐이다. 우리가 보고 느끼는 파리를 '파리'로 사용하자고 약속한 것이다. 'Paris'라는 말마디 하나하나에 파리 냄새도 없고 파리지앵의 생각도 들어 있지 않다. '서울'과는 다른 '파리적인 것들'이라고 부를 만한 것들이 이 말마디 어디에도 없다. 그건 무얼 말하는가? '파리'란 말에는 파리라고 할 만한 동일한 의미가 없으니 그 의미를 결정하는 건 이 말 외부에 있다는 것이다. '파리'라는 기호를 둘러싸고 있는 맥락에 의해 그 의미가 결정된다. 즉, 그 말의 의미를 결정하는 구조들이 있다는 점이다. 그 구조들이 다르면 그 의미도 항상 다를 수밖에 없다. 예들 들어 'red'란 기호 의미는 '카드' 혹은 '카펫,' '와인' 등의 기호와 갖는 관계성인 맥락에 따라 달라진다. '파리'라는 기호의 의미를 결정하는 것은 이 기호 바깥에 있다. 따라서 한 기호의 의미는 맥락에 따라 다양한 의미를 갖는다. 한 기호의 의미의 동일성을 구성하는 데 천착하는 의미론(semantics)과 기호학(semiotics)이 갈라지는 이유이다.

파리의 랜드마크인 에펠탑의 풍경은 여러 각도에서 달리 보인다. 2019년 4월 15일에 일어난 화재로 당분간은 올라갈 수 없는 노트르담 성당 전망대에서 본 에펠탑, 미라보 다리에서 본 에펠탑 그리고 개선문에서 찍은 에펠탑 그리고 탑 바로 앞에서 밤에 찍은 에펠탑은 각각 다른 관점에서 조망된 것이다. '에펠탑'이란 기호는 이렇게 어느 장소에서 어느 시점에서 찍는가에 따라 다양한 얼굴을 보여 준다. 마치 하나의 언어가 그것이 사용되는 시점이나 위치에 따라 다양한 이미지를 갖듯이 그렇다. 공간적 위치에 따라 내려다보는 각도와 올려다보는 각도, 즉 감시(監視)와 앙시(仰視)에 따라 다르다. 낮에 본 것과 밤에 본 게 다르다. 이처럼 '에펠탑'이란 기호의 이미지는 그것을 둘러싸고 있는 시공간적 맥락에 따라 다양하게 변한다. 그렇게 변하게 하는 문법이 바로 '구조(structure)'이다.

에펠탑은 건축될 당시만 해도 파리의 대부분의 시민들이 반대한 흉물이었다. 하지만 지금은 파리를 먹여 살린다고 해도 과언이 아닌 관광 명소이다. 그땐 '그' 시점에서, 지금은 '이' 시점에서 에펠탑을 바라본다.

1960년대에 파리를 중심으로 등장한 구조주의는 실존주의와 대립하면서 출발한다. 실존주의가 전쟁으로 피폐해진 인간의 주체적 삶과 자유를 노래한다면, 구조주의는 인간의 삶을 시대적 문법인 구조에 의해 결정되는 것으로 본다. 파리에 있는 '나'는 한국으로 돌아가 있어야 할 '나'와는 다르다. 개선문 위에서, 그것도 흐린 날 내려다보는 '에펠탑'과 밤에 올려다본 '에펠탑'도 다르지만, '나' 역시 공간적-시간적 위치에 따라 그때그때 다른 이미지의 '나'이다. 마치 바둑판 위 흰 돌과 검은 돌이 어디에 위치하는가에 따라 다르듯이. 우린

흐린 날 개선문 위에서 찍은 에펠탑(상)과
탑 광장 앞에서 밤에 찍은 에펠탑(하)

모두 자신이 의식하든 않든 이미 주어져 있는 구조에 의해 결정된 삶을 살고 있다. 내가 어릴 적 상상한 '파리'와 지금 내가 지각하고 있는 '파리'는 다르다. 어릴 땐 파리에 오리라고는 상상도 못했던 '파리'이다. 지금 '파리'는 대한민국 젊은 이들이 마음만 먹으면 바로 올 수 있는 '파리'이다. 어릴 때 역사책에서만 읽었던 '상하이' 임시정부는 한국 대학생들의 목소리로 가득 찬 '상하이' 속의 한국이 되었다. '몽마르트르 언덕'은 파리 시내를 한눈에 내려다볼 수 있는 전망 좋은 언덕이기도 하지만 프로이센과의 전쟁에서 패배하고 파리 시민들이 자신들의 주머니를 털어서 만든 사크레쾨르 성당이 서 있는, 그 당시로서는 을씨년스러웠던 언덕일 수도 있다. 한때는 순교자의 언덕이기도 했지만, 지금은 배고픈 예술가들에게 점령당한 젠트리피케이션의 공간이 되었다.

파리에서 본 풍경은 누가 언제 어디에서 보는가에 따라 다 다른 얼굴로 만난다. 내가 본 파리만 옳은(?) 파리일 수는 없다. 다른 사람이 본 파리도 옳다. 풍경이란 그런 것이다. 어떤 관점에서 읽는가에 따라 '파리'의 이미지는 그때그때 다양하게 생성된다. 그리고 그 이미지는 다시 사라진다. 마치 바닷가 모래성처럼. 풍경은 민주주의를 허락한다. 누가 어디서 언제 보든 다 '파리'라고. 여러분 모두의 '파리'라고!

모파상의 단골 식당

　　'수도 한가운데의 발기,' '흉측한 괴물.' 에펠탑
건축 당시 예술가들의 불평이었다. 에펠탑을 미학적으로만
바라보기엔 곤혹스럽다. 더구나 민낯을 드러내는 낮엔 더 그
렇다. 그저 기능주의적으로 보면 장대하다. 오죽 보기가 민망
했으면 모파상이 에펠탑이 유일하게 보이지 않는 탑 내부 식
당의 단골손님이 되었을까? 이 구조물은 1889년 프랑스 대
혁명 100주년을 기념한다는 명분으로, 그 시대에는 상상할
수 없는 철재로 높이 쌓아 올린 거미집 건물이다.

　에펠탑은 250만 개의 리벳이 정확한 위치에 고정되지 않
으면 안 되는 정교한 철 구조물의 완전체이다. 기능주의적 측
면에서 당시로서는 완벽한 구조물이다. 당시 파리의 대부분
건물들이 석조 건물인데, 유독 이 구조물만 철골이다. 당시
영국의 철강 산업에 대한 프랑스의 콤플렉스는 심각했다. 철
강 산업은 영국에 비해 반세기나 뒤떨어졌다. 영국이 세계 최
초의 만국박람회를 성공적으로 치러 낸 것이 1851년이었는
데, 당시 프랑스는 제2공화정의 연속된 정치적 실패로 홍역
을 치르고 있었다(정대인: 31). 이 콤플렉스를 치유하기 위한
프로젝트가 세계만국박람회의 개최였다. 하지만 1855년과
1867년에 개최한 만국박람회는 그리 성공적이지 못했다. 제3
공화국 때인 1878년 박람회 역시 콤플렉스를 극복하기엔 힘

이 부쳤다. 1889년 박람회 때 에펠탑의 건축으로 콤플렉스는 치유된다.

귀스타브 에펠(Alexandre Gustave Eiffel, 1832-1923)에 의해 세워진 이 철 구조물은 박람회가 끝나면 철거될 예정이었다. 에펠탑이 뵈닉하우젠(Bönickhausen)탑이 될 수도 있었다. 하지만 귀스타브 에펠의 고조할아버지인 독일인 장르네 뵈닉하우젠이 18세기 초 파리에 정착하면서 프랑스식 이름인 에펠로 개명하였기 때문에 에펠탑이 된 것이다(정대인: 58). 에펠은 1832년 12월 15일에 태어났다. 에펠이 철의 마법사로 성장하게 된 계기는 1855년 대학 졸업 후 처남이 운영하는 주철 공장에 무보수 도제로 들어가면서이다. 철도 교량 건설 현장의 책임자로 성장하면서 에펠탑을 건축하는 데 필요한 기량을 닦아 왔다. 1867년 두 번째 만국박람회 전시관 철골 아치 건축에 참여하였고, 1867년과 1878년의 박람회를 거치면서 그의 명성은 더욱더 높아진다. 그가 에펠탑을 세우기 10년 전에 이미 프랑스 정부로부터 훈장을 수여 받을 정도로 자리를 굳히고 있었다.

1871년 프로이센-프랑스 전쟁에서 독일에게 패한 프랑스는 이후 경제적으로 부흥된 모습을 세계박람회를 통해 알리고 싶었다. 경제 부흥이란 관점에서 에펠탑은 당시 산업부장관이자 1889년 만국박람회 조직위원장이었던 에두아르 로크루아의 1,000피트 높이의 아이디어로 시작되었다. 1909년에 철거될 위기에 처했지만, 송신기를 세우는 데 사용하기로 하면서 철거를 모면한 건물이다. 대부분의 시민들이 파리와

베트남 롱비엔철교(좌)와 파리 에펠탑(우)

는 잘 어울리지 않는 구조물이라는 이유로 에펠탑이 세워질 때부터 반대했다. 송신탑이라는 기능적 명분으로 겨우 유지하게 되었지만, 그럼에도 이 탑은 독일에게 프랑스인의 자존심인 베르사유 궁전을 내주어야 했던 굴욕을 치유하기 위해 세워진, 프랑스인들에겐 치유의 공간이다. 파리의 웅장한 건물들은 대부분 1855년부터 거의 11년마다 열린 세계박람회 때 지어진 것들이다. 그 출생이 파리를 세계의 중심으로 우뚝 세우려는 의도와 무관하지 않다.

에펠탑 역시 단순히 프랑스 경제와 산업의 부흥을 선전하기 위한 구조물만은 아니다. 박람회용으로 세워졌다는 것은 이미 그 목적이 정치적이라는 것이다. 프랑스의 유명 건물이 박람회를 이용해서 세워졌다는 건 우연이 아니다. 인간이든 국가든 자신의 권력을 영속화하기 위해 얼어붙은 권력으로 그 지속성을 주조해 낸다. 철은 석재에 비해 탑을 세우기에 상대적으로 용이한 소재이고, 다시 허물기도 석재보다 쉽다. 물론 박람회용 탑을 지으면서 철을 그 소재로 선택한 건 우연이 아니다. 하지만 철은 그 영속성을 지속적으로 담보받을 수 없다. 절대권력이 그렇듯, 철 역시 언젠가는 녹이 쓴다.

1899년 프랑스 식민지인 베트남에 에펠에 의해 세워진 롱비엔 다리는 녹이 쓴 채 베트남인들의 역사적 상흔으로 자리하고 있다. 에펠이 돈을 많이 벌어들인 곳이 바로 베트남이다. 롱비엔 철교는 에펠탑이 지어지고 10년 후에 건설된 것이다. 에펠탑을 지을 때 사용했던 리벳 공법이 롱비엔에도 그대로 적용되었다. 당시 프랑스의 권력이 식민 도시에 육화하려 했던 현장이다. 하지만 지금 그 철은 녹이 쓴 채, 권력의 실체는 사라지고, 사진작가들의 피사체가 되고 있다. 당시 식민 공간을 통치하기 위한 수단으로 지었던 이 다리는 현재 여행자를 위한 볼거리로 이름값을 한다.

개인 권력이든 국가권력이든 그 속성은 오래 버티는 것이다. 오래 버티려는 욕망은 높이로 육화된다. 인간은 신적 권위에 도전하려는 욕망을 바벨탑 쌓기로 시도해 왔다. 인간은 근본적으로 남보다 더 높아지려는 욕망을 가지고 있다. 인간은 타자의 욕망을 욕망하는 존재이다. 그 욕망은 하늘을 높이 찌를수록 더 욕망적이게 된다. 에펠탑이 만들어지기 이전까지는 미국 워싱턴기념비가 가장 높았다. 169미터이다. 1,000피트(300미터)의 높이는 인간의 욕망이 절대화된 상징적 의미를 갖는다. 1,000피트를 세우려는 프로젝트가 몇 개 있었지만, 에펠에 의해 비로소 실현된다. 1,000피트 타워 공모전에서 16일간의 공모 기간 동안 무려 700개의 프로젝트가 제안되었다. 이 중 100개로 추려졌고, 다시 9개 안이 최종 후보에 올랐다. 철 구조물이 최종안으로 선정되기까지 많은 비난이 있었다. 당시, 돌에 비하면 철은 무미건조하고 건방지며 미학적으로도 예술성이 없고 언젠가는 녹이 쓸고 말 괴물 같은 소재라고 비아냥거렸다. 하지만 1,000피트 구상의 가장 중요한 난제는 바람의 저항을 어떻게 막아 내는가 하는 것이다. 에펠탑은 돌 구조물이 감당할 수 없었던 바람을 거미집 형식으로 잘 견딜 수 있게 설계되었다. 프랑스의 힘을 돌로 미화하는 것보다 철로써 강하게 그리고 단단하게 육화하는 것이 더 필요했던 것이다.

인간에게 권력을 추구하는 건 쾌를 추구하는 것만큼이나 본능적이다. 쾌락을 추구하고 영원히 반복되기를 바라는 건 인간의 무의식에 깔려 있는 욕망이다. 문제는 그 반복이 불쾌를 수반한다는 것이다. 아무리 좋은 경관도 여러 번 보면 식상하고, 맛있는 음식도 때론 고통스런 사물이 될 수 있다. 과식하고 과음하면 불쾌를 수반한다. 황홀한 성적 즐거움도 때론 죽음 본능 앞에 우리를 세운다. 언젠가는 불쾌로 전환되어 무의미한 덩어리로 귀찮게 굴기도 한다.

당시의 권력은 100년 전 프랑스 대혁명을 되새김질하면서, 절대 권력이 결국 반복적으로 죽음에 노출되었던 역사적 진실을 외면할 수 없었다. 루이 15세 광장에서 벌어졌던, 절대 권력의 대참극의 역사를 되새김질하면서도 역설적으로 그 권력을 지속적으로 유지하려는 인간의 권력 콤플렉스가 '콩코르드 광장'이란 이름으로 육화되어 있다. 권력의 쾌감이 반복적일 때 결국은 모든 것이 무화되어 버린다는 사실을 100년 후 권력은 되풀이하고 싶지 않았다. 권력은 반복적일수록 더욱더 쾌감이 짙다는 엄연한 진실을 외면할 수는 없는 것이다. 권력은 반복적이어서는 안 된다는 금지된 욕망을 욕망하는 것이 권력자의 민낯이다. 그 권력자의 민낯을 높은 철탑으로 은폐한다. 권력은 높을수록 더 절대화된다. 권력이 주는 쾌를 더 이상 반복해서는 안 된다는 상징적 질서의 언명에 권력자 역시 중단된 권력의 쾌를 넘어 잉여의 쾌를 영속화하기 위해 높은 철의 시니피앙을 구축한다.

해체의 얼굴 퐁피두

해체는 파괴가 아니다. 새롭게 재구성하는 것이다. 그래서 destruction이 아니라 de-construction이다. 파괴적으로 다시 짓는다. 모더니즘을 재구성하는 포스트모더니즘은 이런 의미로 해체주의다. 그 해체의 얼굴을 퐁피두센터에서 만난다. 지속적으로 어디 한 군데 묶이기를 거부하는 프랑스인들은 근본적으로 노마디즘을 구현한다. 유목인들이다. 정주해 안정된 삶을 지속하기보다 끊임없이 새로운 거처를 찾아 옮겨 다닌다. 그래서 자유롭다. 이 건물은 건축학적으로 자유롭다. 기본의 틀에서 자유롭다. 안이 밖으로 나왔다는 이유만으로도.

루브르와 오르세를 거쳐 퐁피두에 왔다. 이른 아침이라 줄은 그리 길지 않았다. 평상시에도 줄은 길다고 한다. 딸은 자기 일이 있어 나 혼자 관람한다. 내 기억엔 앤디 워홀의 〈Ten Lizes〉(1963)가 현대미술관 제일 안쪽에 전시되어 있었다. 그 옆에는 뒤샹의 〈샘〉과 잭슨 폴록의 작품 그리고 살바도르 달리의 작품이 전시되어 있었다. 루브르나 오르세보다는 최근의 작품들로 구성되어 있다. 20세기 이후의 현대의 작품들이 있다. 예술이란 무엇인지, 새삼 자문해 본다. 과연 앤디 워홀의 작품이 예술 작품일 수 있는가? 잭슨 폴록의 뿌리는 예술도 그리는 예술과 같은 것인가? 왜 뒤샹은 남성용 변기를 '샘'이라고 제목을 달았으며, 올덴버그[24]는 왜 일상의 것으로 오브제로 택했을까? 이 모든 의문들은 포스트모던적 시각에서 그 답을 구하지 않을 수 없다. 결국은 모든 게 예술이라고. 칸트에 의해 예술의 본질을 묻는 미학이 성립된 이후, 아서 단토[25]가 그 본질로서의 예술의 종말을 선언하였을 때 이미 예술과 사이비 예술의 경계는 해체되었다.

우리는 퐁피두센터의 건축학적 특징을 안이 밖으로 표출된 것으로 이해한다. 그리고 기능별로 구조물에 다양한 색을 입혀 놓은 것으로 안다. 그렇다. 왜 안을 밖으로 드러내는가? 이유는 안을 확장하기 위해 밖으로 노출시킨 것이다. 물론 그렇다. 난 한 걸음 더 들어가 본다. 안과 밖이 과연 따로 존재하는가? 우리는 무엇을 '안'이라 하고 무엇을 '밖'이라 하는가? 모든 게 상대적인 것에 지나지 않는다. 나에게 '안'이 타자에겐 '밖'이고, 타자에게 '밖'은 나에겐 '안'이다. 데카르트는 일찍이 안의 철학을 구축했다. 그는 사유하는 나 자신, 즉 마음을 철학의 지렛대로 삼는다. 자연스럽게 밖과 구분된 나가 된다. 타자와 구분된 나이다. 근대의 이분법적 사유, 즉 타자로부터 나를 분리하는 사유는 나 중심의 역사를 잉태시켰다. 타자에 대한 배려보다는 그의 존재를 무시하면서 나의 존재의 확실성에 도달하려는 모험을 해 온 것이다.

난 이미 타자이다. 난 이미 몸을 통해 타자와 소통하고 있다. 어디가 안이고 밖인지 구분할 경계는 자의적으로 구획된 나의 욕망의 산물이다. 데카르트가 "나는 생각한다. 고로 나는 존재한다"라며 유아론(唯我論)의 단잠을 자고 있을 때,

폼피두센터

라캉은 타자를 나의 중심에서 발견한다. 이제 안/밖의 경계
는 해체된다. 그 해체가 육화된 공간이 이곳 퐁피두이다. 타
자를 이제 더 이상 나에 대립하고 서 있는 사물로 보지 말자.
타자는 나에겐 상전이다. 파리 중심에서 배회하고 있는 소수
자들은 다수자 파리지앵들에겐 배려와 이해의 대상이다. 소
수자와 다수자의 갈등을 어느 나라에서보다 더 심하게 겪었
고 또 겪고 있는 프랑스인들은 이제 소수와 다수의 경계를
허물어야 한다. 기능별로 다양하게 채색된 건물 구조는 바로
다양성에 대한 예찬과 다양성의 통일이라는 창조를 향한 메
시지이다.

퐁피두에서 해체의 얼굴을 더욱 두드러지게 하는 게 센

터 옆 스트라빈스키 분수이다. 왜 하필 그 많은 음악가들 중 스트라빈스키인가? 스트라빈스키[26] 역시 유목민이다. 러시아에서 태어나 프랑스를 거쳐 미국으로 망명한다. 그 역시 다른 것으로 대체 불가능한 그만의 특이성을 가진 자이다. 어디에도 구속되지 않는 자이다. 쇤베르크[27]가 주도하던 음렬주의를 따른다. 음렬주의란 기존의 조성, 즉 하모니를 강조하던 음악과는 다르다. 조성의 반복은 결국 동일성의 구성이다. 관객에겐 동일성만 허락한다. 반복된 동일성에 예속하라는 듯이. 하지만 음렬주의는 동일성의 반복이 아닌 우연한 것들의 연속(serial)을 말한다. '고전'이라는 이름으로 지속해 온 보편성에 저항하는 우연성, 그것도 어디에도 잠시도 정착하지 않는 특이성이란 이름으로 자유를 노래하고 있다. 이 우연한 것들의 연속을 동일성으로 성급하게 읽어 온 근대성은 퐁피두에서 해체된다. 그리고 '자유'란 이름과 함께 다시 소생한다.

현상학자가 만난 앙리 마티스

앙리 마티스[28]는 프랑스의 대표적인 야수파이다. 인간의 감정은 '이성'이란 잣대로 마치 기하학자처럼 정확하게 재단할 수 없다. 인간은 절대 선과 악으로 정확하게 재단할 수 없는 야수성을 가진다. 물론 야수파는 인간의 이성을 무시하거나 선악의 기준을 파괴하는 야성을 옹호하는 것은 아니다. 이성 못지않게 욕망과 광기에도 질서가 있다는 것을 표현한다. 눈에 보이는 색채가 아니라 마음에 느껴지는 색채를 강조한다. 빛이 선사하는 색채를 사실주의에 입각해서 수동적으로 그리는 것이 아니라 마음의 영감을 보다 강렬하게 그리고 단순하고 거칠게 원색적으로 표현한다. 이른바 야수파 혹은 포비즘(fauvism)이다. 이것은 후기인상파와 중첩된다. 후기(post)인상파는 인상파를 비판적으로 계승한다. 왜 비판적인가? 인상파는 대상을 있는 그대로, 다만 강한 자연의 빛을 모사하는 데 반해, 후기인상파는 이런 면을 계승하면서도 화가의 마음을 보다 강하게 원색적으로 표현한다. 야수파 역시 강렬한 원색으로 야수처럼 감정을 쏟아낸다. 이지적으로 표현하기에는 아쉬운 감정을 단적으로 쏟아낸다. 마음에 강하게 새겨지는 인상을 질서에 따라 하나하나 표현하지 않는다. 주관의 영감을 색채로 과격하게 표현하는 주관적 색채주의가 바로 야수파가 지향하는 것이다. 아프리카의 원

〈사치, 평온, 쾌락〉, 앙리 마티스, 1904

시적 영감처럼 정리되지 않는 방식으로 감정을 표현한다. '원시적'이란 이성의 손이 덜 간 원초적 감정을 거칠게 표현하는 방식이다.

후기인상파는 소박한 인상론자처럼 그저 빛에서 주어지는 인상을 수동적으로 그리지 않는다. 이 때문에 초기 모네의 인상파를 객관주의적 인상파로 부르기도 한다. 고흐의 후기인상파와 마티스의 야수파는 빛으로 들어오는 인상을 수용하는 데 그치지 않고 주관에 현전하는 생생한 원-인상(Ur-impression)을 강렬하게 표현한다. 초기 '객관주의적 인상파'

〈꽃무늬 배경 위의 장식적 인물〉, 앙리 마티스, 1925

와 구분하여 '주관주의적 인상파'라고 할 수 있다. 주관의 강
렬한 원인상을 구도나 형태가 아닌 색으로 표현하는 것이 기
존의 표현주의와는 다른 특징이다.

그 야수성으로 초보자의 시선을 강탈하는 그림이 앙리
마티스이다. 그는 20세기 초 프랑스 야수파 운동의 핵심이
다. 야수파는 9년간 짧지만 강하게 일어났던 프랑스 미술의
혁신적 활동이다. 고흐는 프랑스 남부 아를에 15개월간 머무

는 동안 180여 점의 그림을 그린다. 이곳에서의 그의 그림은 후기인상파로 분류될 정도로 원색적인 색채로써 자신의 강렬한 감정을 표현한다. 마치 오베르에서 자신의 죽음을 예견하기나 한 것처럼, 복잡한 생각들을 다 버리고 오직 자신의 감정에 충실했다. 인간의 교활한 이성으로는 감출 수 없는 야수성을 드러낸 시기가 아를 시기였다. 다만 고흐가 노란색으로 단순하게 처리한 것을 마티스는 더 단순하고 거칠고 강하게 야수성을 드러낸다는 점에서, 후기인상파와 야수파를 인위적으로 구획할 수는 있을 것이다. 감정은 포세이돈의 바다 같고, 비너스의 욕정 같다. 아레스와 사랑을 나누었지만 여전히 부족한 비너스의 욕정은 말 그대로 야수적이다. 야수파는 아테나의 지성으로는 흉내 낼 수 없는, 야만스럽기까지 한 비너스의 욕정을 강하고 굵게 그리고 두텁고 거칠게 쏟아낸다.

앙리 마티스의 초기 작품인 〈사치, 평온, 쾌락〉은 그가 1904년에 생 트로페에서 그린 그림이다. 이 그림은 그가 상징주의 화가로서 마지막으로 그린 그림이다. 상징주의 시인 샤를 보들레르의 시 「여행에의 초대」에서 영감을 받아 그린 것이다(최상운: 181). 다른 하나는 1925년에 그린 〈꽃무늬 배경 위의 장식적 인물〉이다. 이 작품은 전성기의 작품으로 볼 수 있을 것이다. 〈사치, 평온, 쾌락〉보다 터치가 강렬하고 색채가 더 야수적이다. 야수파로서의 초기 작품에는 오베르 시기의 고흐와 중첩되는 면도 있지만, 후기 작품인 1925년 작품은 이미 고흐의 세심한 터치를 넘어 서고 있는 듯하다.

장기 대(對) 바둑

'구조'란 이름으로 인간의 자유를 질식시키는 것에 대한 들뢰즈의 저항은 거세다. 그는 자신의 노마디즘을 폴리스와 대립된 노모스 개념에서 확인한다. 이 경우 노모스는 이중적 의미를 갖는다. 이것은 노마드의 어원의 이중성에서 유래한다. 하나는 협약과 규범, 코드 등을 의미하는 노모스와 초원과 들판을 의미하는 노모스이다. 전자는 악센트가 앞의 모음에 있는 노모스이고, 후자는 뒤의 모음에 있는 노모스이다. 전자가 폴리스와 연결된다면, 후자는 노마드와 연결된다.

들뢰즈는 중국 황제가 즐기던 국가 혹은 궁정의 놀이인 장기를 바둑과 비교한다. 장기의 경우, 말 하나하나는 유기적 질서에 맞게 코드화되어 있다. 그래서 말은 이미 정해진 공간에서 움직인다. 그의 용어대로 홈 파인 공간에서 움직인다. 이에 비해 바둑의 알은, 장기의 말이 유기적 질서 안에서 각각 내재적 특성을 갖는 것과는 달리, 기능적 역할밖에 하지 않는다. 장기는 이미 코드화되어 있는 전쟁이지만, 바둑은 전선 없는 전쟁, 충돌도 후방도 없으며, 심지어 극단적인 경우 전투마저 없는 전쟁이다. 이처럼 장기가 구조주의와 궤를 같이 하는 기호론이라면, 바둑은 코드화된 기호 체계를 벗어나려는 순수한 전략이다. 바둑알은 코드화된 유기적 질서에 따

라 이리저리 움직이는 장기의 말과는 달리, 목적도 목적지도,
출발점도 도착지도 없는 끝없는 되기(생성)이다(들뢰즈·가타
리: 674-5). 들뢰즈는 장기와 바둑을 홈 파인 공간 대(對) 매끈
한 공간, 즉 코드화된 국가의 질서에 정주하는 폴리스적 삶
대 코드화된 국가를 자기의 것으로 영토화하고 동시에 자기
영토를 포기하고 다른 장소를 향해 스스로를 탈영토화 하는
노마드적 삶을 대비시킨다

  2017년 2월, 퐁피두에서 내게 생소한 세자르 도멜라
(César Domela, 1900-1992)의 〈Geometric Composition #4〉
(1923)를 만났다. 도멜라는 암스테르담 출신이다. 그는 18세
부터 그림 그리는 일에 열정을 다한다. 그는 정식 교육을 많
이 받지는 않았다. 19세 때 스위스로 옮겼다가, 1923년 독일
베를린에서 '11월 그룹'[29]을 만난다. 그는 다음 해 파리로 옮
겼고, 1925년까지 데 스테일(De Stijl)[30] 미술 운동에 가담했다.
  이 운동은 1917년 암스테르담에서 화가인 피트 몬드리
안, 빌모스 후사르, 바르트 판 데르 레크 등이 주창했다. 추상
양식을 추구한 이들은 예술 및 인간과 사회에 모두 적용할
수 있는 균형과 조화의 법칙을 추구했다. 하지만 '데 스테일'
의 엄밀한 규칙에 식상한 도멜라는 조각으로 옮겨 자유로운
추상표현주의[31]로 나아간다. 내가 퐁피두에서 만난 이 작품은
그의 초기 작품이다. 후기 조각으로 넘어가 앵포르멜의 자유
분방한 작품 활동을 하기 이전의 몬드리안의 초기 작품과 같
은 〈기하학적 구성〉 시리즈 중 하나이다. 모든 추상 화가가

〈Geometric Composition #4〉, 세자르 도멜라, 1923

그렇듯, 초기 기하학적 추상의 차가움에 더 이상 머물지 않는다. 후기에 이르러 따뜻한 추상표현주의로 기운다. 세계대전을 경험한 유럽 화가들은 기하학적 구성으로 담아낼 수 없는 삶의 부조리와 비정형을 즉흥적으로 쏟아내는 앵포르멜적인 추상표현주의로 나아간다. 도멜라 역시 예외는 아니다.

도멜라 작품 옆엔 낯익은 잭슨 폴록의 작품이 있다. 그는 대표적인 미국 추상표현주의의 화가이다. 전통적인 형식적 구성을 초월하여 자유분방하게 즉흥적으로 퍼포먼스를 하는 화가이다. 그는 틀에 묶이지 않으면서 작가의 실존적 체험을 차가운 형식에 내맡기지 않고 생생하게 표현한다. 내가 만난 1948년 그림이다. 그냥 흘리고 뿌리고 쏟아낸 것이다. 전통적인 의미에서는 작품이 아니다. 전통을 해체하는 자유로움만 화면에 담는다. 무질서 속에서 추상의 질서를 그린다. 질서는 주어진 형식이 만들어 내는 것이 아니다. 기하학적 추상은 스스로 형식과 질서에 구속되어 있다. 추상표현주의는 질서 없음을 통해 질서에 대한 갈망을 역으로 표현한다. 전쟁과 죽음과 불안이 인간에게 안겨다 준 절망을 무질서하게 표현하면서 그 속에 희망이라는 새로운 질서를 배치한다. 기하학적 추상에는 아직도 대상에 대한 재현에 미련이 남아 있다. 잭슨 폴록[32]에게는 구상의 희미한 그림자도 남겨 두지 않는다. 그만큼 자신의 실존적 체험을 쏟아 내는 데 급급하다. 더 이상 형상과 구조에 매달리지 않는다. 소쉬르의 구조주의는 인간 실존을 구조 속으로 환원시켜 버렸다. 인간의 삶이 구조에 의해 결정된다는 구조주의와 칸딘스키[33]의 기하학적 구성이 무관할 수 없다. 문제는 과연 인간 실존이 객관적 구조로 환원될 수 있는가 하는 것이다. 고전적인 객관적 구조주의에서 인간의 자유를 회복하려는 포스트구조주의의 얼굴을 폴록에게서 읽는다. 그는 구상과 추상이라는 낡은 경계를 자유롭게 넘나들면서 자유를 노래한다. '구상'이나 '추상'이란 이름으로 화석화된 낡은 패러다임에 나의 자유를 맡길 수는 없다.

　여기서 구조주의와 포스트(후기)구조주의의 경계점을 다시 한 번 읽고 넘어가자. 이른바 소쉬르와 레비스트로스의 고전적 구조주의는 사르트르의 실존주의와 대립각을 세우면서, 인간의 주체성 역시 이미 주어진 객관적 질서에 의해 구조화된 것임을 강조한다. 자유에 마냥 취해 있던 사르트르를 정면으로 비판한다. 구조주의는 그 자유조차도 객관적 질서에 제한되어 있음을 강조한다. 따라서 구조주의와 실존주의의 대립은 인간 주체성의 위상에 대한 논쟁이다. 하지만 데리다, 라캉, 들뢰즈 등으로 연결되는 일련의 포스트구

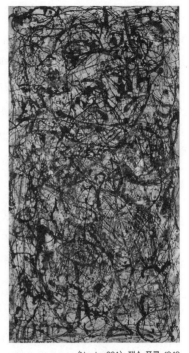

〈Number26A〉, 잭슨 폴록, 1948

조주의는 이미 주어진 객관적 구조에 의해 질식당한 인간의 자유를 복원하는 데서 출발한다. 물론 그렇다고 해서 실존적 주체를 포함한 근대적 주체로 되돌아가지는 않는다. 다만 주어진 객관적 질서를 해체하면서 지속적으로 새로운 질서를 창조해 나가는 역동적인 힘을 가진 새로운 주체를 회복하는 데로 나아간다. 따라서 포스트구조주의적인 주체는 고전적 구조주의와 실존주의의 경계를 자유롭게 횡단하는 주체이다. 구상과 추상의 경계를 허물고, 칸딘스키의 차가운 추상에서

앵포르멜의 뜨거운 추상으로, 홈 파인 공간에서 매끈한 공간으로 질주하는 잭슨 폴록이 언급되는 이유이다.

들뢰즈는 홈 파인 공간과 매끈한 공간을 대립시키기 위한 하나의 메타포로서 추상적인 기계로서의 예술을 언급한다. 그는 추상적인 선(線)을 기하학적 또는 결정적(結晶的) 형태로 구조화되기 이전의 유목적인 선으로 규정한다. 원시예술은 추상적인 것 또는 전(前)-구상적인 것에서 시작된다. 예술은 처음부터 추상적이며 그 기원에서부터 추상적인 것 이외의 다른 것일 수 없었다. 문자와 더불어 출현한 제국 하에서 추상적인 선은 구상적인 것으로 되는 경향이 있다. 그러므로 추상과 구상은 직접적으로 대립하는 것이 아니다. 구상은 선이 특정한 형태를 취할 때 갖게 되는 결과일 뿐이다. 추상적인 선은 재현될 수 있는 유기적 선과는 다르다. 추상적인 선은 유목민적이기 때문에, 그만큼 더 생생하게 살아 있다. 유기적인 재현이 홈 파인 공간을 주재하는 감정이라면, 추상적인 선은 매끈한 공간의 변용태이다(들뢰즈·가타리: 945-951). 추상과 구상의 대립이라는 홈 파인 공간을 벗어나, 자신의 방식대로, 재현될 수 없는 추상적인 선을 질주해 간 잭슨 폴록을 퐁피두에서 만났다.

알랭 바디우와 노자의 조우

　　딸과 약속한 콩코르드 광장에 서 있다. 샹젤리
제 거리를 건너 개선문과 마주하고 있는 이 광장은 프랑스의
역사 그 자체라고 해도 과언이 아니다. 이 역사의 현장에서
알랭 바디우를 소환한다. 알랭 바디우(Alain Badiou, 1937~)는
프랑스 식민지였던 북아프리카 마그레브 지역, 그중에서도
인구의 99%가 무슬림인 모로코 수도 라바트(Rabat) 출신의
프랑스 철학자이다. 프랑스에는 튀니지와 알제리를 포함한
아프리카 북부 마그레브 출신의 무슬림 소수자들이 많이 살
고 있다. 프랑스 정부의 입장에서는 그리고 프랑스 주류 사회
의 다수자의 입장에서는 다소 골칫거리인 소수자 집단이다.

　　그는 후기구조주의자들의 공공의 적인 플라톤으로 되돌
아간다. 그는 신플라톤주의자로 거명될 정도로 플라톤에게
많은 빚을 지고 있다. 다만 플라톤에 대한 새로운 독서를 가
능하게 하면서 일자 중심의 존재론을 해체하고 다자에 초점
을 맞춘다. 그리고 무신론자이면서도 사도 바울을 거명한다.
알랭 바디우는 특이한 방식으로 새로운 프랑스의 질서 재구
축을 역설(力說)한다. 그는 프랑스 주류 철학이라 분류될 수
있는 들뢰즈로 대변되는 후기구조주의자들에 의해 실종된 진
리를 그리고 기호적 주체로 질식당한 주체를 새롭게 회복하
려고 한다. 바디우는 들뢰즈의 '기관 없는 신체론'에 함의된

유기적 질서에 대한 폭력을 우려한다. 모든 유형의 유기적 질서를 차단하려는 들뢰즈의 야만성에 대항해 바디우는 다소 보수적인 냄새가 날 정도로 새로운 질서의 구축을 희망한다. 후기구조주의에 의해 극단적으로 예찬된 다양성과 이질성에 의해 차단당한 새로운 질서를 회복하려는 바디우는 '네오' 혹은 '포스트' 포스트모더니스트이다. 바디우는 진리의 구성을 이야기하지만, 그것이 차이를 배제하는 것과는 무관하다고 말한다. 구성적인 것은 차이의 문제가 아니다. 차이는 그저 있는 것이다. 사람들과 민족들은 불가피하게 서로 다르다. 우리에게 남은 것은 상당히 부정적이었던 차이에 대한 숭배에서 빠져나와 새로운 질서와 통일성을 구축하는 것이다(바디우 · 타르비: 71-2). 그는 2018년 말 노란 조끼 시위대가 샹젤리제를 혼란의 도가니로 몰아넣는 것을 목도하면서 새로운 질서를 희망하였을 것이다. 다수와 소수의 두 힘이 새로운 진리를 정치적으로 구축하기를 소수자의 철학자로서 간절히 염원할 것이다.

그는 진리와 주체를 거명하면서도 근대적 방식으로 접근하지 않는다. 그렇다고 해서 그는 탈근대의 우연적이고 돌발적인 무질서와 다양성을 예찬하지도 않는다. 어떤 방식으로든 진리와 주체는 새롭게 살아나지 않으면 안 된다. 그에게는 역사적 경험에 앞서 존재하는 진리와 주체는 가능하지 않다. 진리는 사건에 앞서 존재할 수 없다. 그때그때의 사건에 의해 진리가 그리고 그 진리를 사후적으로 충실히 실천하려는 주체가 비로소 생산될 뿐이다. 주체는 사건에 앞서 존재하지 않

고 사건 속에서 주체화된다(subjectivation). 진리는 항상 사건
적 진리로 그 생명을 다한다. 새로운 사건으로 진리가 생산될
때까지.

　그는 철학에 의해 주조된 하나의 초월적 진리를 해체하
고 4개의 비철학적 진리 공장에 진리 생산을 외주화(外注化)
한다. 철학은 진리를 생산할 수 없는 불임이다. 정치, 과학,
예술 그리고 사랑이라는 네 개의 공장에서 생산되는 진리들
은 서로 특이한 방식으로 진리를 구축한다. 그가 진리의 공
가능성(compossibilite)으로 부르는 네 개의 진리 생산 공정은
서로를 간섭하지 않으면서 특이한 방식으로 진리를 구축한
다. 이 네 개의 진리들이 전통적인 초월적 진리 체계에 구멍
을 뚫는다. 콩코르드와 개선문에 이르는 샹젤리제는 프랑스
의 역사적 사건들이 그때그때 생산해 놓은 진리들이 나타났
다가 사라져 간 역사적 사건의 장(場)이다. 그 역사적 사건의
장에서 진리를 실천해 온 수많은 주체들이 나타났다가 사라
져 갔다. 광장은 진리가 육화되어 있는 생생한 역사의 현장이
다. 이 현장에서 대한민국의 광화문 광장을 떠올려 본다. 민
주화를 실천해 온 수많은 민중들의 진리 생산의 현장이었던
광화문이 아닌가!

　바디우의 주저인 『존재와 사건』(1988)은 그 분량에서 우
선 주눅이 든다. 이 책에서 그가 말하고 싶었던 것을 다 측량
하기란 나에겐 감당하기 힘든 숙제이다. 다만 그의 다소 특
이한 개념인 '순수 다자'에 담겨 있는 의미를 생각해 본다. 이
'순수 다자'란 하나로 셈하기를 통해 일자로 현시되고 구조

화되기 이전의 '무규정적인 다자(multiple inconsistant)'를 말한다. 일자로 구조화되어 수많은 일자들이 집합을 이루는 규정적인 다자(multiple consistant)와는 구분되어야 한다. 순수 다수가 일자로 구조화되어 여러 개의 일자들이 다수를 이루고 있는 것이 상황-상태이다. 순수 다자가 일자로 셈하여 분류하고 통제하기 위한 다수로 구조화되어 나타난 상황-상태의 대표적인 기제가 바로 국가이다. 국가는 일자에 의해 통제되거나 관리될 수 없는 순수 다자를 일자로 셈하기를 통해 체계적으로 분류하여 통제의 대상으로 구조화한 결과물인 상황-상태이다. 하나하나 일자로 셈하여 분류하는 지식 체계에 구멍을 뚫는 것은 바로 사건을 통해 드러난 진리를 실천하려는 주체들이다. 이 상황-상태에 의해 일자로 셈해지기 이전의 공(空, vide)의 상태인 순수 다자를 회복함으로써 비로소 일자 중심의 통제의 존재론이 해체될 수 있다. 우리가 바디우의 공백으로서의 순수 다자가 지향하는 것이 무엇인지를 생각해 봐야 하는 이유는 무엇인가? 다시 소수자 바디우로 되돌아가 보자.

무슬림 소수자 이방인 바디우의 정치적, 철학적 지향은 다수/소수의 이분법적 경계로 셈하기 이전의, 아무런 규정성도 갖지 않는 공을 불러내는 것이다. 전통적 철학은 일자를 생산하는 데 급급했고, 그 일자를 중심으로 수많은 다자-소수자들이 희생당해야 했던 역사적 사건을 경험했고, 현재도 경험하는 바디우이다. 국가에 의해 일자로 셈해져서 다수/소수, 가톨릭/이슬람으로 분류되어 통제당한 이방인의 실존적 절규가 그의 철학에서 들린다. '순수 다자'란 바로 그의 공백의 민주주의와 다문화주의를 함의하는 철학적 메타포이다. 아무런 인권적 차별도, 인위적 규정성도 허락하지 않은 순백의 다자를 회복하려는 그의 메시지가 들린다.

나의 상상력을 자유에 잠시 맡긴다. 바디우를 통해 노자를 만난다. 얼핏 떠오르는 노자의 『도덕경』 첫 장이다. 혹시나 해서 '바디우와 노자'를 검색어로 확인하고, 김상일 교수의 책 『알랭 바디우와 철학의 새로운 시작: 존재와 사건과 도덕경의 지평융합을 위한 한 시도』에 눈이 멎었다. 나의 상상력이 엉뚱한 곳으로 나아간 것은 아니라는 안도감에 잠시 젖는다. 바디우는 무규정적인 다자와 규정적인 다자 사이의 관계를 노자와 유사한 구조로 언급한다. 바디우는 "현시되는 것은 본질적으로 여럿이고, 자신을 현시하는 것은 본질적으로 하나이다"(바디우·타르비: 31)라고 말한다. 그는 일자와 다자의 존재론적 관계를 현시(presentation)를 매개로 모순 없이 설명하고 있다. 다자가 하나로 셈하기를 통해 현시되고 재현시되어 일자화(一者化)되지만, 그것이 근대적 의미의 일자가 아닌 것은 어디까지나 다자의 현시라는 사실 때문이다. 현시는 무규정적인 다자로 접근하는 통로이다. 규정적 다자는 무규정적 다자를 읽어 내기 위한 사다리일 뿐이다.

고(故) 신영복 교수는 『도덕경』 1장을 '道可道非常道 名可名非常名(도가도비상도 명가명비상명)'에 초점을 두기보다 무와 유의 대구(對句)에 방점을 두어 읽어야 하는 것으로 설명한다(신영복: 264). 우리는 도와 명에 방점을 두어 무와 유를

도를 수식하는 보조어 정도로 설명하는 데 익숙해져 있다. 하지만 제1장의 요지는 무와 유이다. 그리고 묘(妙)와 요(邀)로 이어진다. 노자의 무는 제로를 의미하지 않고 인간의 인식을 초월한다는 의미이다. 순수 다자가 무(rien)가 아니라 공(vide)인 것은 인간의 인식에 의해 규정되기 이전의 다자라는 의미이다. 현시되어 인간의 인식에 들어오는 순간 이름을 갖는 규정적 다자가 된다. 인간의 인식에 들어온다는 것은 순수 다자가 하나로 셈하기를 통해 일자화 된다는 것을 의미한다. 그래서 무와 유 양자는 같으면서도 다른 이름이다(此兩者同出而異名). 이름을 붙이기 이전에는 무규정적인 묘함(妙)이며, 이름을 붙인 후에는 요함(邀), 즉 현시되어 규정할 수 있는 다자로 드러난다. 우리는 무와 유 그리고 묘와 요를 대구적으로 읽으면서, 양자 사이의 차이를 지나치게 강조하여 연대성을 훼손하는 위험을 차단하는 『도덕경』 1장의 해석을 중요하게 생각한다. 이어지는 2장은 이러한 해석을 더욱더 지원한다. 다수와 소수로 구획되어 서로를 적으로 규정하는 일상의 폭력을 치유할 수 있는 노자의 전략이 그 핵심이다. 인간의 언어로 인위적인 방식으로 규정된 모든 것들은 거짓[僞]이다. 개념적으로 분리되어 경계를 맞대고 있는 모든 것들은 단지 인간의 언어로 하나로 셈하여 분류된 것에 지나지 않는다. 순수 다자는 이러한 분류를 허락하지 않는다. 이것이 알랭 바디우와 노자가 조우하는 이유이다.

마음은 실재를 재현하는 거울이 아니다

2020년 2월 10일 오전(한국 시각) 미국 캘리포니아 주 로스앤젤레스 할리우드 돌비극장에서 열린 제92회 아카데미영화상 시상식을 생중계로 보았다. 6개 부분에 노미네이트 된 봉준호 감독의 〈기생충〉이 최우수 작품상, 감독상, 각본상 그리고 국제영화상 4개 부문을 석권하는 장면을 황홀한 기분으로 보았다. 난 이 영화를 개봉하는 날 관람했었다. 솔직히 그 당시에는 그렇게 인상적으로 다가오지 않았다. 그저 한국 사회의 상황을 독특한 문제의식을 가지고 접근한 영화 정도로 이해했었다. 그런데 시간이 지나면서 이 한국적인 상황을 그린 영화가 글로벌한 이슈가 된 이유를 이해할 수 있을 것 같다. 봉 감독이 감독상을 수상하면서 그가 말한 수상 소감이 연일 언론 매체를 도배하고 있다. 그는 같이 노미네이트 된 거장(巨匠) 마틴 스코세이지에게 존경을 표하면서, '가장 개인적인 것이 가장 창의적인 것'이라는 그의 말을 인용하여 수상 소감을 대신했다.

재현은 결코 창의적일 수 없다. 근대 이후 의식은 실재를 동일한 것으로 재현(再現)하는(re-present) — 인식론에서 표상(表象)한다는 의미와 동일하게 사용된다 — 거울과 같은 것이다. 명징한 거울 속에서 실재가 있는 그대로 재현될 것이라는 오래된 교설은 현상학에도 여전히 작동한다. 의식의 동일성 속에서 실재가 동일한 것으로 재현되고, 타자의 삶 역시 나의 삶을 통해 감정이입의 방식으로 재현될 것이라는 교설 역시 그렇다. 의식이 몸으로 그리고 살로 바뀌어도 보이는 것을 통해 보이지 않는 실재를 재현하려는 욕망은 메를로퐁티에서도 여전하다. 이 지점이 포스트모더니즘과 결별하는 분기점이다. 재현의 욕망은 어디서 기인하는가? 인간은 동일성을 재현하는 데서 안정감을 누린다. 동일성이 파괴되는 지점에서 삶의 위기가 찾아온다는 오래된 가설을 포기할 수 없는 이유이다. 아들은 아버지의 삶을 표상으로 재현하고, 현대는 전통을 재현함으로써 밖으로부터 오는 이방인을 외면할 수 있다. 그런데 문제는 인간의 의식도 실재도 재현하고 재현될 수 있는 메커니즘을 가지고 있지 않다. 재현할 수 있는 유기적 질서가 어디에도 존재하지 않는다. 역설적으로 재현이 가능하기 위해서는 인간 주체가 사망하지 않으면 안 된다. 왜냐하면 아무리 실재를 있는 그대로 재현한다고 해도 자신만의 영감으로 자신만의 방식으로 재현하기 때문이다. 온전한 재현은 미션 임파서블이다. 하찮은 파이프 하나도 재현할 수 없다. 그래서 르네 마그리트[34]는 〈이미지의 배반〉에서 파이프를 그린 후 '이것은 파이프가 아니다'라고 텍스트를 달고 있다. 파이프를 그리고도 그려진 파이프는 파이프를 그대로 재현한 것이 아니라고 고백한다. 결국 인간의 마음은 실재를 재현하는 거울이 아니라는 말이다. 인간의 생각으로, 인간의 말로 사물들을 있는 그대로 재현하려는 것은 인간의 마음을 마치 죽어 있는 거울과 유사한 것으로 생각하기 때문이다. 마음

〈시녀들〉, 디에고 벨라스케스, 1656~7

은 실재를 단순히 비추는 거울이 아니다. 아버지의 삶이 아들의 삶을 비추는 거울이 아니듯이 그렇다. 재현에 구속된 삶은 자유도 창조도 아니다. 그래서 자신의 창조적인 삶은 구상이 아니라 추상화이다.

　미셸 푸코는 그림 속에 거울을 잘 이용하는 벨라스케스

의 〈시녀들〉에 대해 언급한다. 이 그림은 스페인 프라도 미술관의 핫 플레이스에 걸려 있는 스페인을 대표하는 그림이다. 푸코는 이 그림에 대해 그의 『말과 사물』 1장에서 약 18쪽에 걸쳐 길게 설명한다. 이 그림은 1656년 펠리페 4세의 가족을 그린 것이다. 이 그림에는 왕 부처와 화가 자신을 포함하여 11명의 인물이 등장한다. 특이한 것은 화가 자신을 그림 속에 그려 넣고 있다는 점이다. 물론 그러한 그림이 간혹 있긴 하지만, 푸코가 이 그림을 특이한 관점에서 해석하는 과정에서 화가 자신의 등장이 매우 중요한 의미를 띠게 된다. 이 그림을 해석하면서 푸코가 하고 싶은 말은 재현은 근본적으로 인간 주체의 죽음이나 소멸을 전제한다는 것이다. 즉, 온전한 재현은 불가능하다는 것이다. 푸코는 이 시대의 에피스테메를 재현(표상)으로 확인하고, 이 재현의 시대에는 인간 역시 재현의 한 부분에 불과하다는 것을 강조한다. 화가 역시 이 그림 속에 위치하고 있는 하나의 기호에 지나지 않는다. 고전주의 시대의 재현에서는 인간 주체가 더 이상 중심에 서 있을 수 없었다. 재현하는 화가 역시 자신의 실재와는 다른 모습으로 재현되지 않으면 사물에 대한 재현이 불가능하다. 왕 부처에 대한 존경심을 그림 속에 나타내야 하는 긴장감으로, 화가는 이미 자신이 아닌 타자로 변했을 것으로 추론할 수 있다. 이 그림은 재현하고 있는 화가를 재현하는 '재현의 재현'이다. 재현은 모사된 이미지일 뿐 실재는 아니다. 화가가 큰 캔버스 옆으로 자신의 모습을 드러내어 왕 부처를 보고는 그림을 그리려고 캔버스 뒤로 사라지는 것으로 재현되면서 화가의 실재는 소멸된다. 아무리 있는 그대로 재현한다고 하더라도 결국은 실재를 모사된 이미지로 재현할 수 있을 뿐이기 때문에, 실재는 부재하고 소멸되어야 비로소 재현이 가능하다. 화가에 의해 재현된 거울 속의 왕 부처 역시 재현된 모사이다. 거울은 재현의 메커니즘이다.

푸코는 『말과 사물』에서 인문과학의 발생 근거를 고고학적으로 분석한다. 그는 19세기에 이르기 전까지 고전주의 시대에는 인간 주체가 설 자리가 따로 없었다는 사실을 이 그림을 분석하면서 말하고 있다. 화가도, 왕 부처도, 시녀와 그 일행들도 모두 그림 속에서 재현되는 순간 인간 주체로서의 실재성은 그 어디에서도 설 자리가 없다. 그림에 배치된 각각의 자리에서 재현된 기호로서 주어져 있을 뿐이다. 아무리 있는 그대로 재현한다고 하더라도 화가는 자신의 입장에서 왕 부처를 경외감이든 그 반대의 감정으로든 재현한다. 그리는 자나 그려지는 자 모두 실재가 소멸된 이미지로 재현된다. 궁정 화가와 왕 부처 사이의 구속적인 관계가 사라지지 않으면 순수 재현(표상)이 불가능하다. 인간 주체가 부재할 경우에만 온전한 재현이 가능하다. 이제 실재와 이미지 사이의 경계는 사라진다.

푸코가 르네 마그리트의 〈이것은 파이프가 아니다〉를 언급하는 궁극적인 목적은, 말은 사물의 완전한 재현이 아니라는 사실을 말하기 위해서다. 그는 말과 사물 사이의 불일치와 공백을 강조한다. 푸코는 말이 어차피 사물에 대한 완전한 재현이 아니라면 말은 사물이나 그 사물에 대해 말하는 인간 주체와는 무관한 기호일 뿐이라는 사실을 강조한다. 그의 책 『말과 사물(Les mots et les choses)』(1966)의 영역본 제목이 'The order of things'인 것도 나름의 이유가 있다. 사물들의 질서를 인간 주체의 말로 재현하기란 근본적으로 불가능하다는 것을 함의하는 제목인 것 같다. 사물의 실재는 인간 주체에도, 그의 말 어디에도 정착할 공간은 따로 없다. 이 공백에서 말은 그저 하나의 기호로서 그 기능을 다할 뿐인 일종의 시뮬라크르와 같은 것이다. 말은 사물의 재현이라는 구속으로부터 자유로워져 그 스스로 기호로서의 기능을 충실히 하면 된다. 이제 말은 사물의 원본과 복제라는 구속에서 벗어나 현실을 담아내는 기능을 담당하지 않으면 안 된다. 푸코는 말이 사물을 완전하게 재현할 수 없다는 역설(逆說)이 오히려 기호로서의 말의 생산적 힘이라는 사실을 역설(力說)한다. 플라톤에 길들여진 전통적 형이상학은 세계나 실재에 재현할 원본이 주어져 있다는 전제에서 그 원본을 복제하는 데 온 힘을 기울여 왔다. 이는 마치 실재하지 않는 키메라를 사냥하는 것과 유사하다. 들뢰즈 역시 재현의 형이상학을 강하게 거부한다. 다소 길지만, 그의 말을 인용해 본다.

현대적 사유는 재현의 파산과 더불어 태어났다. 동일성의 소멸과 더불어, 동일자의 재현 아래에서 꿈틀거리는 모든 힘들의 발견과 더불어 태어난 것이다. 현대는 시뮬라크르(simulacres), 곧 허상(虛像)들의 세계이다. 이 세계에서 인간은 신보다 오래 존속하지 않으며, 주체의 동일성은 실체의 동일성보다 오래 존속하지 않는다. 모든 동일성은 흉내 낸 것에 불과하다. 그것은 차이와 반복이라는 보다 심층적인 유희에 의한 광학적 '효과'에 지나지 않는다. 우리는 차이 자체를, 즉자적 차이를 사유하고자 하며 차이소[차이나는 것, 차이짓는 것]들의 상호관계를 사유하고자 한다. 이는 차이나는 것들을 같음으로 환원하고 부정적인 것들로 만들어 버리는 재현의 형식들에서 벗어나야 가능한 일이다. (들뢰즈 II: 17-8).

푸코의 해석을 좀 더 확장해 보자. 재현, 즉 원본에 대한 완벽한 복제가 불가능하다면, 복제가 오히려 현실을 현실로 불러오는 데 그 기능적 역할을 더 적극적으로 하는 것이 아닌가? 이제 더 이상 원본과 복제라는 낡은 플라톤적 형이상학에 구속당해서는 안 된다. 푸코는 유사와 상사를 이런 관점에서 대비시킨다. 세계에 대한 온전한 재현이 불가능하다면 또 다른 유사성으로 옮겨 가지 않을 수 없다. 유사(類似, resemblance)는 원본과 복제의 닮음인데 반해, 상사(相似, similitude)는 복제와 복제 사이의 닮음이다. 모사된 이미지가 함의하는 현실적 기능은 바로 원본과 복제라는 낡은 이분법에서 창조적으로 탈주하는 데서 생산된다. 들뢰즈는 리좀적 사유의 특성 중 하나를 데칼코마니에서 확인한다. 원본과 복제가 전복되어 더 이상 어느 것이 원본이고 복제인지를 경계 지을 수 없는 것이 데칼코마니이다. 주어진 동일한 것을 유사한 것으로 재현하기보다는, 재현은 이미 복제된 것이라고 한다면, 그 복제된 것들 사이의 차이를 인정하면서 그 차이가 반복되는 무한한 지평 속에서 그때 생산되는 새로운 종류의 힘 있는 동일성을 향해 가는 것이 더욱 창조적이다. 우린 어차피 모두가 원본 없는 복제된 삶을 살아내고 있으리라! 우리는 그저 원본 없는 삶이기에 나만의 지도를 그렸다가 찢고 다시 그리면서 그렇게 살다 가는 것이리라!

올로모우츠에서 소환된 들뢰즈

체코는 서부 보헤미아와 동부 모라비아 지역으로 나뉜다. 보헤미아는 체히(Cechy)라고 하며, 체코의 중심이다. 모라비아는 9세기에 대모라비아를 이룰 정도로 세력이 굉장했다. 하지만 모라비아가 쇠퇴하면서 보헤미아에 복속된다. 올로모우츠는 1640년까지 모라비아 왕국의 수도였다. 이후 합스부르크 왕조의 통치를 받다가 1968년 프라하의 봄[35]과 함께 보헤미아와 더불어 체코공화국의 일부로 편입되었다. 상업 도시 브르노와 함께 올로모우츠는 현재 체코 동부의 대표적인 곳이다. 프라하가 그렇듯, 올로모우츠 역시 역사적으로 외부 침입자에 의해 그때그때 정체성이 변해 온 도시다. 프라하에 비해 올로모우츠는 더 큰 변화를 겪어 온 도시이다. 그 때문인지 도시의 아픈 역사를 위로해 주는 수호신들이 많다. 호르니 광장 주변에는 신화에 등장하는 헤라클레스, 넵튠, 머큐리 분수 등이 있다.

이러한 역사적 배경을 토대로 올로모우츠는 다양한 건축 양식을 걸치고 있다. 인구는 10만 명에 조금 못 미친다. 서부 보헤미안이 서민적으로 소박하다면, 모라비안은 좀 까탈스럽다. 이 도시의 분위기는 전체적으로 르네상스 양식이 두드러진다. 다양한 색의 나지막한 르네상스식 건물들이 광장을 에워싼다. 광장 중심에 이 도시의 랜드마크격인 성삼위일체 석주가 35미터의 높이로 서 있다. 1716년에서 1754년까지 도시를 대표하는 예술가들에 의해 지어졌다. 매우 예술적인 바로크 양식이다. 이 석주는 주변의 르네상스식 양식과 대비되어 한껏 그 아름다움을 자랑한다. 기하학적 대칭성을 벗어나 비대칭적 곡선의 예술성이 더욱 돋보인다. 베르사유 궁전 내부의 바로크를 그대로 재현해 놓은 듯하다. 다만 베르사유의 화려함이 루이 14세의 절대 권력을 미화하는 도구라면, 이 석주는 당시 이 도시의 종교적 신앙을 예술적으로 승화시킨 것이다. '올로모우츠 바로크 양식'으로 특칭할 정도로 유럽의 대표적인 바로크 건물이다.

올로모우츠의 모라비아는 보헤미아와 서로 분리되어 있으면서도 서로에게 흔적을 남기는 방식으로 조화를 이루고 있다. 올로모우츠인들이 기념비로 세운 바로크 양식의 성삼위일체 석주는 항상 역사의 주변인으로 살아왔던 그들의 한을 비정형의 양식으로 표현해 놓은 것이다. 나는 들뢰즈가 화가 프랜시스 베이컨[36]의 그림 속에서 읽었던 바로크적 주름을 이 석주 앞에서 읽는다. 들뢰즈와 가타리가 『천 개의 고원』의 12장 「1227년 ― 유목론 또는 전쟁 기계」에서 언급하는 전쟁 기구(국가, 제국 등)와 전쟁 기계(인민, 소수자)를 연상한다. 그의 '기관 없는 신체'는 유기적 질서에 저항하면서 지속적으로 자신의 자유를 찾아 매끈한 공간을 질주하는 생명의 주체인 '알'에 은유된다. 전쟁 기계-기관 없는 신체-알-매끈한 공간-유목민은 들뢰즈의 철학을 횡단하는 메타포들이다.

유기적 질서를 인위적으로 구축해 온 수많은 국가 장치

성삼위일체 석주를 중심으로 한 호르니 광장

의 포획에 의해, 유린당한 채, 새로운 삶을 창조하기 위해 지속적으로 탈영토화 하면서 매끈한 공간을 자유롭게 질주하는 전쟁 기계로서 살지 못하고, 제국의 주변인으로 살아야 했던 체코인의 삶의 주름들을 읽는다. 나는 옛 모라비아 왕국의 수도였던 이곳 올로모우츠에서 들뢰즈를 회상하면서, 그들이 홈이 팬 공간(제국)에 예속당하여 겪어야 했던 한을 한스럽게 호흡한다.

유기적이고 대칭적인 전통 양식으로는 표현할 수 없는 그들만의 한의 역사가 있다. 로마네스크 양식으로 재단하기에는 너무나 비정형적인 것들, 높은 고딕으로 솟아오르기에는 힘이 부치는 그들만의 아픔 등이 추상적으로 표현된 곳이 이 석주이다. 기하학적 추상의 차가움으로는 더 이상 식힐 수 없었던 그들의 한이 앵포르멜의 서정적 추상으로 표현되어 있다.

역사를 관통하는 본질을 인위적으로 구축하려 했던 나치의 국가주의에 상처를 입었던 체코인들은 비본질적이고 주변적인 것들이 생산해 내는 새로운 형상을 통해 그들의 희망을 육화하고 있다. 서로 잇대어 부대끼면서 부둥켜안은 주름들로 체코의 새로운 역사를 형상화하려는 희망이 석주를 통해 재현되어 있다. 직선에 대한 곡선의 저항, 반듯함에 대한 일그러짐의 대비, 투명성에 대한 흐릿함의 대두 등이 주름처럼 엉클어져 석주에 육화되어 있다.

시 청사는 르네상스와 점잖은 고딕의 융합이다. 주변의 나지막한 르네상스의 본체를 압도하면서까지 높아지기를 사양한 고딕이다. 광장 뒤편으로 오래된 로마네스크 양식의 성당도 인상적이다. 바츨라프 대성당은 로마네스크 양식 위에 고딕 양식을 이고 있다. 간간히 바로크 양식도 수줍은 듯 숨어 있다. 호르니 광장을 중심으로 다양한 양식의 건축들이 겹주름을 이루고 있다. 역사를 다수자와 소수자로 뚜렷하게 분리했던 야만스러움이 모라비안에겐 한이 되어 메아리로 돌아온다. 역사는 서로에게 빛으로 흔적을 남기며 경계를 흐릿하게 만들어 가는 주름의 생산자라는 사실을 추체험하면서, 그들만의 깊은 한숨을 들이키는 듯하다. 프라하로 돌아오는 기차를 기다리면서 마셨던 필스너 맥주의 쌉쌀함이 그립다. 체코 맥주는 쓰지만 싫지 않은 독특한 그들만의 해한(解恨)의 맛을 숨기고 있다.

보헤미안 랩소디

영화 〈보헤미안 랩소디〉를 보았다. 영화는 영국 록 그룹 퀸(Queen)의 싱어 프레디 머큐리의 자전적인 영화이다. 머큐리는 영국인이지만 전혀 영국적이지 않다. 그는 '프레디 머큐리'라는 낯선 이름을 갖기 전엔 공항의 수하물 담당 노동자인 파로버사라였다. 영국 식민지였던 아프리카 탄자니아의 잔지바르에서 태어난 그는 조로아스터교를 믿으며 살다가 무슬림에게 쫓겨 영국으로 귀화한 소수자 중의 소수자이다. 그의 이름이나 외모 어디에도 영국적인 것은 없다. 그는 영국인 싱어 송 라이터로서 갖추어야 할 그 어느 것도 온전히 갖춘 게 없다. 앞으로 돌출된 치아도 그리고 정체성이 불분명한 그의 외모나 왜소해 보이는 신체 역시 영국 식민지 출신 티를 벗지 못한다. 더군다나 그는 양성애자이다. 성 정체성조차 소수자의 그것이다. 하지만 머큐리는 에이즈에 걸려 주변인의 삶을 살았지만, 자신에게 주어진 삶을 사랑한다. 아니 자신의 주어진 삶을 받아들이지 않을 수 없었다. 소수자로서 다수자가 되려는 욕망 때문에 퀸을 잠시 떠난다. 팀으로 다시 돌아온 그는 마지막 공연 ─ 에이즈 환자를 돕기 위한 공연 ─ 에서 소수자로서 살아온 자신의 삶을 넘어, 다수자와 소수자란 경계를 넘어 하늘 높이 솟구쳐 오른다. 이 영화의 절정이다. 그는 이제 더 이상 경계에 구속되지 않

는다. 인간들이 주조해 낸 경계를 넘어 자유의 랩소디를 열창
한다. 관객들은 모두 그의 노래에 빙의되어 우리 모두의 머큐
리, 아니 파로버사라로 재탄생한다.

다수자와 소수자의 경계를 넘을 수 없었던 그에겐 음악
이 유일한 탈출구이다. 모든 이념과 획일적인 규준을 해체하
고 자유를 얻으려는 그에게 〈보헤미안 랩소디〉는 바로 그 자
신이다. '보헤미안 랩소디'라는 오래 되었지만 아직도 낯선
어휘는 무엇을 의미하는가? 보헤미안은 문자적으로는 체코
보헤미아 지방의 사람들을 뜻한다. 체코의 모라비아 지방 사
람들이 좀 까탈스런 반면, 보헤미안들은 소박하고 자유롭다.
보헤미안 랩소디는 이 지방 사람들의 실제 생활 모습과는 거
리가 있어 보이는 어휘이다. 하지만 보헤미안들은 항상 침략
자 이방인의 다수자 목소리에 눌려 소수자로서 힘든 삶을 살
았다. 프라하인의 한이 깊은 이유이다. 역사적 주변인으로서
살면서 그들만의 민족적 정체성을 놓치지 않으려 했던 슬라
브 소수자의 노래로 랩소디가 소환된다. 독일계 주민들이 다
수자였던 공간에서 보헤미안들은 슬라브 민족의 정서를 듬
뿍 담은 그들만의 영혼의 시를 음악에 담았다.

랩소디는 광시곡(狂詩曲)이라는 낡은 한자로 번역되어 마
치 미친 사람들이나 즐기는 음악 정도로 이해하기 쉽다. 하지
만 보헤미안 랩소디는 정해진 규범에 구속되지 않고 자유롭
게 자신들의 감정을 표출하려는 소수자의 목소리이다. 전통
적이고 보수적인 다수자의 틀에 박힌 음악에 대한 소수자의
저항을 담고 있는 것이다. 다수자와 소수자의 경계를 자유롭

게 넘나드는 자유분방한 음악이다. 〈보헤미안 랩소디〉는 당시 3분을 넘지 않았던 다수자의 음악에 6분짜리 음악으로 저항했던 보헤미안들의 음악이다. 보수적인 전통을 재현하려는 구상을 회화에서 뜯어내야 한다고 말한 들뢰즈의 회화론과 연결된다. 재현은 모방일 뿐 자유는 아니다.

가사 역시 있는 그대로 읽으면 된다. 가사 속에 담겨 있는 의미를 새롭게 찾아낼 필요가 없다. 음악 바깥에서 이념이나 규준을 가지고 음악을 재단하는 전통으로부터 자유롭다. 〈보헤미안 랩소디〉의 가사 어디에도 '보헤미안'은 등장하지 않는다. 가사와 가사의 문맥에도 틈이 있어 연결되지 않는다. 좌충우돌의 느낌이다. 가사가 전해 주는 것을 재현하기란 쉽지 않다. 하지만 가사와 가사가 단절되면서도 연결되어 새로운 의미를 구성해 주고 있다. 그저 주어진 대로 살아가는 게 인생이라고. 의미상으로는 서로 아무런 관련이 없어 보이는 시니피앙들이지만, 그것들이 연결되면서 그때그때 생산되는 이미지는 결국 '자유'이다. 어떻든 바람은 분다(Any way the wind blows). 가사 내용은 도발적이면서 즉흥적이다. 가사를 관통해서 읽어 낼 어떤 객관적 의미도 없다. 오히려 그 객관적 의미를 해체하고 있다. 그래서 그들의 음악이라는 텍스트 바깥에는 아무것도 없다. 가사가 그때그때 전해 주는 이미지들이 전부이다. 음악은 현실을 재현하고 모방하는 기제가 아니다. 현실이 요구하는 것들을 모방하는 건 머큐리를 스타로는 만들어 줄지 모르지만 전설로 만들어 주지는 않는다. 그는 틀에 박혀 주조된 스타가 아니라 그저 전설로 남기를 희망할 뿐이라고 외친다.

BTS가 겹쳐진다. 우연일까? BTS란 글로벌한 이름을 갖기 전, 우리에겐 방탄소년단으로 다가왔다. 다소 생뚱맞은 아이돌 그룹 이름이다. 글로벌한 아이돌의 이름치고는 지극히 촌스러운 작명이다. 방탄은 막아 준다는 것이고, 기존의 틀에 박힌 규준에 휘둘려 자신의 자유를 망각하고 살아가야 하는 청소년들을 지켜 준다는 의미로 읽어도 좋을 듯하다. 이런 의미를 담고 있는 이름을 그저 머리글자 BTS로 자유롭게 불렀다. 한국 사회에서 소위 금수저로 분류될 수 없는 평범한 청년들로 이루어진 그룹이다. 이들의 음악 역시 자유를 주제로 하는 랩소디이다. 너 자신을 사랑하라고, 있는 그대로를 사랑하라고 노래한다. 남이 당신을 뭐라 하든 신경 쓰지 말고 자유롭게 살라고 노래한다. 그들은 한국, 아니 전 세계 모든 청소년들에게 자신을 사랑하라고, 그것도 있는 그대로의 자신을 사랑하라고 주문한다. 생각보다 당신에게 관심을 가진 타인들이 별로 없다. 다른 사람의 틀에 맞추기보단 자신의 삶을 자신의 방식대로 살면 된다고 노래한다. 정해진 룰이 없기에 그저 살아 내다 보면 '자유'라는 형상이 우리를 행복하게 만들어 준다고 노래한다. 그들의 지극히 돌발적이고 즉흥적인 듯한 노랫말이지만, 우리를 대혼란으로 안내하지 않는다. 삶을 대혼란으로 이끄는 방종은 그 어디에도 없다. 절제된 방종으로서의 자유를 노래한다. 국적 불명의 다양한 어휘들이 글로벌리티를 구성한다. 그래서 BTS는 글로벌한 자유의 랩소디이다. 그들의 음악은 기성세대의 틀을 드로잉하거나 모방하지 않는다. 인생에는 정해진 룰이나 규준이 따로 없기에 자신만의 삶을 즐기라고 노래한다. 소수자로 태어난 몫을 피하지 말고 주어진 삶으로 받아들이라고. 우리의 삶에는 어떤 정해진 길도 따로 없기에 있는 그대로의 삶을 행복하게 즐기라고 노래한다. BTS는 '한국'이라는 척박한 공간을 가로지르고 있는 철조망을 넘어 자유를 노래한다. 보수/진보, 정규직/비정규직, 서울/지방, 강남/비강남의 경계가 또렷하게 작동하는 이 공간에서 숨쉬기조차 힘든 소수자 청소년들을 향해 그들은 노래한다. LOVE YOUR SELF!!!

중년의 도시 프라하

프라하성에서 내려다보이는 카를교와 볼타바강 그리고 주변의 희뿌연 집들은 체코의 역사적 상흔들을 들여 다보지 않을 땐 그저 아름답거나 다시 또 오고 싶은 곳일 뿐 이다. 체코의 어둡지만 아름다운 역사의 지평 위에 체코인들 은 그들의 방식으로 공간 짓기를 해 온 것이다. 이방인의 공 간 지각을 통해 그들의 역사적 상처들이 얼마나 온전하게 경 험될 수 있을지는 모르겠다. 하지만 그들의 존재를 불러낼 방 법이 없는가? 결국 그 공간을 살아온 그들의 삶을 문학과 철 학 등을 통해 이해할 수 있다. 건축 역시 그들의 존재의 집이 다. 시와 건축은 단지 방법만 다를 뿐 존재를 불러내는 메타 포들이다. 프라하의 봄을 벨벳 혁명[37]으로 완성하기까지 그리 고 벨벳 이혼으로 민족이 다시 분리되기까지 그들의 존재를 겹겹이 안고 있는 곳이 카를교이다. 프라하성과 카를교의 콘 트라스트는 그들만의 역사적 공간 지평에서 이루어진 역사의 주름이다. 그 주름이 관광객에게 주는 위로와 을씨년스러움 은 선물이다. 카를교는 그 위를 걷는 우리들에게 '사색'이란 선물을 허락한다. 자국의 의지와는 관계없이 주변국의 이해 타산에 휘둘려야 했던 한국과 체코는 닮아 있다. 난 여기에서 해한(解恨)의 카타르시스를 맛본다. 이곳은 그 아름다운 풍 경 때문이기도 하겠지만, 우리의 디아스포라의 한을 공유하고 있기 때문에도 가장 다시 오고 싶은 곳일지도 모른다. 체코 역시 슬로바키아와 갈라질 수밖에 없었던 역사적 상처가 있다. 그것조차도 우리와 닮았다. 프랑스 파리의 다양한 얼굴들이 연출하는 화려함에 식상할 때쯤, 이곳은 그 화려함에 의해 가려졌던 성찰의 시간을 허락한다. 그래서 프라하는 사색의 정원이다. 깊은 성찰을 허락하는 주름진 중년의 도시이다.

카를교는 이곳을 찾는 모든 사람들을 시인으로 만드는 재주가 있다. 난 그 공간에 주름져 있는 그들의 존재를 불러본다. 인간사에 찌든 세속 언어로는 들리지 않는다. 언어의 한계가 인간의 한계이다. 하이데거는 오로지 언어를 통해 존재의 문을 열 수 있는 길은 시 짓기(詩作)라고 말한다. 시적 언어는 우리의 세속 언어를 탈색해 낸 존재를 지키는 파수꾼이다. 라이너 마리아 릴케는 옛 보헤미안 왕국의 프라하에서 출생하여, 독일을 거쳐, 스위스에서 죽는다. 그는 영원한 보헤미안으로서 자신의 참다운 실존을 찾아 방황한다. 그는 이미 1968년에 올 프라하의 봄을 예견한 듯이, 「봄을 그대에게」를 속삭인다. 영원한 보헤미안 릴케의 아리랑이다.

갖가지의 기적을 일으키는
봄을 그대에게 보이리라.
봄은 숲에서 사는 것,
도시에는 오지 않네.
쌀쌀한 도시에서
손을 잡고서

나란히 둘이서 걷는 사람만
언젠가 한번은 봄을 볼 수 있으리

프라하 출신 화가 알폰스 무하[38]를 잠시 기억한다. 그가 완성한 〈슬라브 서사시〉는 민족의 슬픔과 희망을 담고 있다. 무하는 모라비아에서 출생하였지만, 1881년 체코를 떠나 프랑스와 미국에서 큰 성공을 거두었다. 하지만 그의 후반의 삶은 떠났던 조국으로 다시 돌아와 행한 민족주의 운동으로 채워졌다. 그 결정체가 바로 〈슬라브 서사시〉의 완성이다. 하지만 만년에 나치에 의한 고문으로 80세 나이를 채우지 못하고 죽는다. 오스트리아-헝가리의 지배를 받았고, 이후 나치의 폭정에 시달렸고, 결국은 민족이 체코와 슬로바키아로 갈라진 한은 두텁고 깊다. 디아스포라 무하는 그 한을 자신만의 독특한 양식으로 풀어낸다. 꽃과 여성을 화려하게 표현하는 아르누보 양식이다.

풍경 현상학

풍경 현상학, 다소 생소하다. 풍경을 현상학적으로 경험하기 정도로 이해하자. 그런데 현상학적으로 경험한다는 것은 무엇을 말하는가? 모든 경험은 대상을 하나하나 분리된 점으로서가 아니라 하나의 유기적 형태로서 경험한다. 즉, 게슈탈트적으로 경험한다. 게슈탈트(gestalt)적 경험이란 나의 시야가 특정한 대상을 경험한다고 생각하지만, 실지로는 주변의 배경을 이루는 다른 대상들과의 관계 속에서 함께 경험하는 것이다. 나의 시선이 한 곳에 머물러 있는 동안, 나의 시계(視界)를 벗어나 있는 지평들이 나의 시선을 간섭하고, 함께 경험된다. 모든 경험이 나와 나를 둘러싸고 있는 배경들과 중첩되는 방식으로 구성된다. 예를 들어, 높음은 낮음이 배경이 되고, 낮음은 높음이 배경이 되어 형태적으로 경험된다. 긴 것은 짧은 것을, 그리고 짧은 것은 긴 것을 배경으로 상호적 경험이 구성된다. 이것이 풍경에 대한 현상학적 경험이다.

이제 시선을 돌려 카를교를 둘러싸고 있는 지평들을 보자. '지평'은 원래 잡으려고 다가서면 멀리 도망간다. 나의 시선에 잡히지는 않으면서 나의 시계(視界)를 결정한다. 주변의 다양한 풍경들이 나의 시계를 한정한다. 다리를 중심으로 대비되는 구시가지와 신시가지의 앙상블, 프라하성, 성 비투스

카를교

대성당, 성 니콜라스 성당으로 이어지는 풍경 라인은 서로를
보듬고 위로한다. 직선의 지루함을 곡선이 위로해 준다. 곡선
의 나약함을 직선이 보완한다. 화려함과 은은함이 서로를 지
원해 준다. 프라하는 그 역사가 박물관이다. 힘없는 나라가
강한 나라에 도시를 통째로 넘겨준다. 그래서 다행스럽게도
(?) 도시 풍경이 비교적 온전하게 보전되어 있다. 프라하성의
교만스러운 높이는 낮은 카를교를 위로해 주고, 그 다리의
오래된 교각은 볼타바강의 느린 물 흐름을 방해하지 않는다.
낡은 아치형 사이로 볼타바의 강물은 수줍은 듯, 숨죽인 듯,
조용히 흐른다.

　천문 시계탑에서 맞은편의 틴 성당을 바라본다. 역사의
옷을 겹겹이 입고 있는 성당이다. 르네상스의 기하학적 질서
의 지루함을 달래 주는 고딕은 겸손한 높이를 자랑한다. 바

틴 성당

로크의 장식성이 교만하지 않도록, 르네상스의 기하학적 질
서가 장식을 절제한다. 옛 고딕의 낡은 역사가 어머니처럼 새
로운 양식으로 옷을 입은 전경의 배경으로 주어져 있다. 낡음
과 새로움이 교차한다. 다양한 양식들이 서로를 위로하며 전
체의 풍경을 드러낸다. 현상학적 풍경이다. 굳이 '현상학적'
이라 함은 보이는 것과 보이지 않는 것들이 서로 교차하면서
풍경을 구성하기 때문이다. 세속적인 인간들이 만든 민족과
역사의 이분법을 해체하고 서로가 서로를 위로해 주는 풍경
에서 역사의 상처를 치유 받는다. 나치와 유대인, 보헤미안과
모라비안의 낡은 이분법이 잉태한 상처들을 프라하의 풍경이
달랜다.

　도시 전체의 풍경은 아름답다고 말하기엔 너무 무겁고
어둡다. 이 무거움과 어두움을 전면으로 드러내는 가벼움과

밝음이 대조적이다. 가벼움은 하늘로 솟아오른 고딕으로 대신하고, 도시의 다양한 색채들이 어두움을 위로한다. 밤이면 고풍스런 희뿌연 가로등이 그 밝음과 어두움의 경계를 지키면서 졸고 있다. 도시의 바닥은 돌이 주는 육중함으로 대지성을 강조하고, 그 대지성이 지루할 만하면 카를교 입구의 낮은 고딕이 지루함을 달랜다. 하늘과 대지의 앙상블이다.

체코 큐비즘과 알폰스 무하의 아르누보가 곳곳에서 도시의 드라이한 풍경들을 위로해 주고 있다. 지하철의 오래된 금속성을 곡선으로 달래 주는 체코 큐비즘, 카를교의 낡은 돌이 품고 있는 물질성과 아르누보의 화려함이 앙상블을 이룬다. 그래서 프라하는 지루한 도시일 수 없다. 지루해질 만한 여유를 허락하지 않는다. 직선을 아름답게 배려하는 곡선, 비례가 품어 내는 깡마른 풍경을 일그러진 바로크가 지겹지 않은 새로운 비례를 연출한다. 고딕의 교만을 허락하지 않는 낮은 불빛들. 밤에 본 프라하의 모습은 더욱 프라하답다. 도시의 희미한 가로등이 무거움을 달래고 있다. 프라하의 도시 풍경이 구성하는 현상학적 라인에서 아름다움으로 승화된 프라하의 주름들을 길게 호흡한다.

틴 성당은 프라하의 역사를 온전하게 담고 있는 그릇이다. 이 성당에도 주름이 져 있다. 여러 개의 정체성이 혼란스러운 스타일로 혼종되어 있다. 1365년에 건립되기 시작해 17세기에 완성될 때까지 오래된 빛바랜 역사를 담고 있는 낡은 그릇이다. 중년(重年)의 두 고딕을 비교적 생생한 르네상스의 옷이 감싸고 있다. 이 옷들도 한꺼번에 입혀진 게 아니다.

지하철에 육화된 체코인의 한

우리는 에스컬레이터에서도 바삐 걸어가는 사람들을 보는 게 익숙하다. 심지어 옆으로 자리를 비켜 그들을 배려하기도 한다. 그것도 문화라면 문화이다. 옳고 그름을 따질 문제는 아닌 것 같다. 난 딸이 비교적 싸게 구입해 준 비행기 편으로 체코 프라하에 왔다. 3박 4일 일정이다. 그동안, 첫날 공항에서 호텔까지 갈 때 택시를 탄 것 그리고 프라하에서 외지로 갈 때 기차를 탄 것 외에는 모두 지하철을 이용했다.

첫날 나는 표를 구하는 방법도 모르고 표를 검사하는 사람도 없어 본의 아니게 하루 종일 공짜로 지하철을 이용했다. 프라하에서 지하철을 처음 이용하는 사람에게 흔히 일어날 수 있는 해프닝이다. 아무래도 이상해 인터넷을 검색해 보고서야, 검사하는 사람은 없지만, 한 번 발각되면 몇 배를 물어야 한다는 걸 알았다. 1일 이용권 한 장으로 하루 종일 이용할 수 있다. 여유 있는 프라하의 배려이다. 기차표 역시 우리와는 다

른 것 같다. 고객이 그렇게 많지 않아서 그런지 목적지로 가는 표를 사면 어느 기차라도 편리하게 이용할 수 있게 되어 있다. 혹 내가 잘 모르고 한 말이라면 양해를….

프라하 지하철은 녹색, 노랑, 빨강의 A, B, C 세 개 노선이 있다. 파리나 상하이에 비하면 간단하다. 다른 곳도 마찬가지지만 체코는 지하철을 이용하는 게 특히 편하고 경제적이다. 『위키백과』에 의하면, 하루 150만 명 이상을 수용하고, 유럽에서 6번째 안에 들어가는 규모의 네트워크이다. 지하철의 규모에 놀란다. 우선 깊고 크고 넓다. 에스컬레이터 길이는 100미터로 유럽에서 제일 길다. 넓고 크니까 구조물을 지탱하는 기둥도 튼튼하다. 누구든 군사적 목적을 겸한 지하철임을 알 수 있을 정도이다.

프라하 지하철은 체코인의 역사적 상처와 주름이 육화된 공간이다. 이유 없이 깊고 넓은 게 아니다. 그들의 한만큼 깊다. 그들의 한을 밖으로 드러내기 힘겨워 안으로 깊게 숨긴 것 같다. 체코는 슬로바키아와 분리되기까지 수많은 상처로 얼룩져 있다. 체코와 슬로바키아는 1918년 연방을 구성한다. 하지만 이들의 동거는 불편한 동거였다. 결국 74년 후인 1992년에 연방이 해체되었다. 그리고 체코슬로바키아 내의 독일 게르만족 300만 명이 거주하는 주데텐란트(Sudetenland)를 돌려 달라는 것을 구실 삼아, 히틀러는 1939년 9월 뮌헨협정을 통해 체코슬로바키아를 합병한다.

체코슬로바키아는 나치의 침략에 손 한번 제대로 못 썼다. 그 한이 너무 깊지만, 어디에도 하소연할 수 없어 그 한을

프라하 시민회관

깊게 숨겨 놓고 묻어 놓은 지하철이다. 그리 복잡하지 않고
넓어서 편하지만, 그 이면에 프라하의 깊은 한도 함께 녹아
있다. 그런 만큼 승강기 역시 길고 깊다. 이제 그 긴 승강기
위에서 아팠던 상처들을 치유한다. 그들은 그 상처들을 사랑
으로 치유하고 승화시킨다. 디아스포라 프라하인 알폰스 무
하는 누구도 흉내 낼 수 없는 그만의 화법으로 슬라브 민족
의 한을 표현한다. 한이 꽃으로 승화되어 치유된다. 그는 자
연의 아름다움을 화려하고 정밀한 색채로 표현한다. 어두웠
던 과거를 희망으로 화려하게 물들인다. 그의 아르누보, 신예
술은 역사적 다수자에 의해 강요된 고전주의를 벗어나 자유
롭게 해한(解恨)을 표현한다. 무하의 손길이 간 곳 중 대표적

프라하 지하철 A노선의
Staroměstská역

인 것이 시민회관이다. 그 어디에도 한은 없다.

　내가 하고픈 얘기는 그 길고 깊은 지하철에서 만난 프라하 젊은이들의 사랑 이야기이다. 깊고 길어서 이동 시간도 길다. 남성이 여성을 자신보다 한 칸 위에 서게 하고 서로 마주 보면서 가끔 사랑을 확인하는 걸 본다. 프라하의 봄이 이들에게 행복을 선물한 것 같다. 그들에겐 카를교 위만 사랑의 공간이 아니다. 소유의 많고 적음을 떠나 아무 곳이나 사랑의 공간을 만들 수 있는 그들의 여유를 훔쳐본다. 긴 에스컬레이터만큼 더 행복해 보인다. 초보 여행자도 더불어 행복하다. 그들은 아무리 바빠도 에스컬레이터를 달리거나 뛰는 공간으로 인식하지 않는다. 에스컬레이터 위에서의 여유는 우리에겐 아직 낯설다. 진리는 심플하다. 여기서 또 하나 배운다. 에스컬레이터는 뛰는 곳이 아니다. 위의 사진은 우연히 찍은 체코의 한 역 승강장이다. 원뿔과 사선을 활용하여, 프랑스 큐비즘과는 다소 다른 체코 큐비즘을 만날 수 있는 지하철 대기실이다. 프라하의 한을 평면에 그려내기에는 2% 부족하다. 그래서 그들은 입체적 효과를 통해 그 한을 길게 품어 낸다.

체코의 철학자 얀 파토츠카

체코를 대표하는 철학자가 있다. 체코 북부 보헤미아 지역 투르노프(Turnov)에서 태어나 체코의 프라하에서 생을 마감한 얀 파토츠카(Jan Patočka; 1907-1977)이다. 에드문트 후설의 마지막 제자이다. 우리는 그를 체코 출신으로서 현상학 계보를 잇는 처음이자 마지막 철학자로 기억해도 좋다. 그는 파리 소르본과 독일 프라이부르크에서 유학했다. 1932년 프라하 카렐 대학에서 철학박사 학위를 취득한다. 그는 후설과 하이데거의 영향을 받는다. 그리고 오이겐 핑크와 같이 활동을 한 철학자이다. 하지만 그는 프라하의 기질을 포기하지 않는다. 후설의 입장에서 하이데거의 철학을 비판한다. 유대계 독일인이 겪어야 했던 아픔을 후설과 공유하고 있다. 상대적으로 하이데거와는 거리를 둘 수밖에 없었다. 나치에 동조했던 하이데거였다.

파토츠카는 한국에서는 그리 많이 알려지지 않은 철학자이다. 그러나 체코인들에겐 철학자로서보다는 바츨라프 하벨[39]과 함께 공산주의 시절 반체제 운동가로 유명하다. '77헌장'에 참여한 정치 인사였다. 이 '헌장'은 공산주의 시절 체코슬로바키아의 반체제 운동을 상징하는 문서이다. 스탈린식 공산 체제가 저물어 갈 시점에도 프라하에는 여전히 인간의 얼굴을 하지 않은 공산주의가 작동하고 있었다. 이에 대한 저항이 이 '헌장'에 담겨 있다. 인권이 유린당하는 체코의 삶을 구원할 방도를 찾고 있던 지도자들이 모여서 프라하의 인권과 자유를 부르짖는다. 이것이 실마리가 되어 1989년 벨벳 혁명으로 체코슬로바키아가 독립하게 된다. 이처럼 파토츠카는 체코인에겐 바츨라프 하벨과 함께 공산주의 체제를 무혈로 끝낸 정치인이자 철학자로 기억된다.

안 파토츠카

철학자로서 그는 프라하에서 세상을 떠날 때까지 몇 권의 책을 남긴다. 그는 철학뿐만 아니라 역사와 문화의 장르를 넘나들면서, 인간의 자유가 이데올로기에 훼손되어 온 유럽 정신을 구원하는 데 관심을 가진다. 그는 데리다를 통해서 더 잘 알려진다. 데리다는 그의 저서 『죽음의 선물』(1997)에서 파토츠카를 거명하면서 글을 쓰고 있다. 데리다는 파토츠카의 『철학의 역사에 대한 이교도론적 시론』(1975)을 분석하고, 그의 사상을 하이데거, 레비나스 그리고 키르케고르와 비교한다. 데리다와의 소통을 통해 그는 프랑스 철학에 이름을 남긴다.

파토츠카는 스승 후설보다 52년 뒤에 태어났다. 스승과 제자는 생이 중첩되는 시기도 있지만, 스승보다 제자가 체코의 현실을 더 구체적으로 체험한다. 물론 스승과 제자 모두 디아스포라의 척박한 삶을 살았다. 제자는 스승과 같이 과학기술이 인간의 삶을 대신하는 현실을 비판한다. 다만 스승보다 훨씬 더 넓은 영역으로 확장한다. 문학과 역사 그리고 그리스철학과 기독교에 이르는 영역으로 사고의 지평을 넓힌다. 스승과 달리 공산주의 체제를 혹독하게 경험한 파토츠카는 인간 실존에 대해 보다 깊은 성찰을 한다. 특히 데리다를 통해 그는 절대적 타자 개념에 문을 열고 있다. 그는 나에 의해 구성될 수 없는 타자의 낯설음을 비밀 혹은 신비와 같은 절대적 타자성으로 규정한다. 왜 절대적인가? 나의 접근을 거부하는 타자의 얼굴이다. 타자는 나에겐 알 수 없는 비밀이다. 타자는 나에게 알려지는 존재가 아니라, 나에게 무한한 책임을 강요하는 존재이다. 마치 메두사의 눈처럼 나를 응시한다. 나에게 알려질 수 없는 비밀을 가진 타자, 그래서 그의 실존은 고귀하다. 그 고귀함에 윤리적 책임을 지는 것이 바로 철학이다. 스승 후설이 미완성으로 끝낸 생활세계의 회복을 통한 사랑의 공동체 이론을 유산으로 이어받은 제자가 바로 파토츠카이다.

프라하의 한을 담은 필스너

맥주는 그 물리화학적 성분으로는 누구에게나 균질한 음료이다. 적어도 성분상으로는 평등하다. 하지만 프라하인들에게 필스너 맥주는 그들의 삶이고 역사이다. 체코슬로바키아의 마지막 대통령이자 체코의 초대 대통령인 바츨라프 하벨은 1, 2차 세계대전이 끝나고 공산 정권이 들어설 때부터 공산주의를 풍자하는 글을 썼다. 프라하의 봄의 실패를 경험하고 이후 벨벳 혁명으로 대통령이 될 때까지 그의 실존의 장소였던 곳이 필스너 맥주 공장이었다.

필스너 그리고 카프카, 밀란 쿤데라, 바츨라프 하벨, 이 모두가 따로 떼어 놓을 수 없는 프라하의 군상들이다. 프라하는 카프카이고, 카프카는 필스너이며, 필스너는 프라하이다. 하고픈 말은, 이 세 말마디는 체코인의 깊은 한의 역사를 담고 있다는 것이다. 필스너의 맛은 프라하를 불러오고, 프라하는 카프카를 소환한다. 그래서 필스너는 카프카이다.

지난 2017년 2월 체코 프라하 호텔 방에서 마셨던 바로 그 필스너 맥주이다. 나는 술을 맛으로 먹는 건 아니지만, 이 맥주만큼은 맛이 묘하다. 뒷맛의 여운이 강하면서 씁쌀하다는 표현이 맞을 것 같다. 다만 쓰지만 그 여운이 길고 좋다. '필스너 우르켈'로 알려진 이 맥주는 체코어로는 Plzeňský Prazdroj인데, 독일어로 Pilsner Urquell이다. 이 '우어크벨

(Urquell)'이란 독일어는 우리말로 '원조'란 의미다. 필스너는 다른 곳에서 아무리 비슷하게 만들어도 체코 플젠 지방에서 만든 것이 원조란 자긍심이 묻어 있는 브랜드다.

필스너는 그 역사가 옛 보헤미안 지방의 플젠으로 거슬러 올라간다. 1295년 보헤미아 왕은 260명에게 그 지역에서 맥주를 만들어 팔 수 있는 특권을 준다. 그들은 맥주에 보리 외에 다른 걸 첨가하는 것을 금지한다. 에스프레소 마니아들에게는 아메리카노와 카페 라테는 뭔가 2% 부족하다. 에스프레소는 말 그대로 빨리 농축해서 뽑는다. 중국 상하이 주변 주가각(朱家角) 거리에서 Espresso를 중국 간자체로 작게 '농축(浓缩)'이라고 쓴 카페를 본 적이 있다. 이름이 재밌다. 다른 첨가물이 들어가지 않는 엑기스이다. 미국인들은 물을 적당량 첨가해서 마신다. 이게 나와 같은 한국 아재들이 좋아하는(?) 아메리카노이다. 다민족국가 미국인에겐 아메리카노가 실용적으로 좋을 것 같다. 하지만 타민족의 지배를 받아 혼융된 문화 속에서 소수자로서 살았던 프라하인들은 그들만의 정체성을 필스너에 담아 놓고 싶었을 것이다. 오스트리아-헝가리 제국 하에서 체코와 슬로바키아가 분리될 때까지 독일계, 유대계, 체코계 소수자 디아스포라로 살아온 그들의 한이 다중적으로 녹아 있는 필스너이다. 조국을 잃고 디아스포라로 살아온 역사적 한을 가진 한국인이 필스너의 쓴 맛에 유혹당하는 것도 이런 이유 때문일지 모른다.

맛은 멋이다. 난 개인적으로 짙은 녹색을 좋아한다. 그 짙은 녹색 안에 들어 있는 황금빛의 맥주는 멋스럽다. 마치 구스타프 클림트의 황금색 그림처럼 빛깔이 좋다. 어두운 흑맥주도 좋지만, 우선 미학적으로 어두운 색보단 조금 밝은 색이 맛스럽다. 전문가의 말에 따르면, 주위에서 보는 맥주는 거의 다 이 원조 맥주의 짝퉁이란다. 전문가는 캔보단 투명한 잔 그리고 병보단 생맥주가 더 필스너스럽다고 한다(https://brunch.co.kr/@beerstory/9). 프라하인들은 맥주를 마시는 게 아니라 그들의 한스러운 역사를 마신다. 필스너는 그들에겐 삶이고 정체성이다. 쌉쌀한 그 맛을 놓치기가 아쉬운 건 그들의 한을 삭이고 다시 증류해 희망으로 내뿜는 긴 호흡 때문이다. 다만 아쉬운 건 경제적 이유로 필스너의 경영권이 일본으로 넘어 갔고, 현재(2020년) 대한민국 공간에서 필스너는 금기의 술이 되어 있다는 점이다.

프라하의 'K'

프라하는 카프카라는 말이 있다. 카프카는 프라하를, 프라하는 프란츠 카프카를 소환한다. 그는 절친한 친구에게 보낸 편지에서, "그대와 나는 프라하를 떠날 수 없소. 이 조그마한 어머니는 끝없이 붙잡고 있소. 우리는 그저 내맡기는 수밖에… 아니면 그것을 비세흐라드와 흐라드카니 양쪽에서 불태우든지. 오로지 그렇게 해야만 우리는 그것을 떠날 수 있소"라고 쓰고 있다. 그는 오스트리아-헝가리 제국에서 유대인으로 태어났다. 그의 『변신』은 소수자 유대인으로서 살아가야 했던 그의 삶을 이야기한다. 오스트리아-헝가리 제국의 시민으로 태어났지만, 그는 유대인이었다. 그는 유대인이지만 유대인의 정체성을 가지지도 않았다. 독일어를 하지만 독일인도 아니었다. 경계인으로 살았던 많은 유대계 독일인 철학자나 사상가들이 있다. 한나 아렌트와 에드문트 후설이 그렇다. 이들은 모두 유대인도 독일인도 아닌 주변인으로 살아야 했다. 카프카 역시 정체성을 상실한 채 변신한 '그레고르'의 삶을 살아 내야 했던 암울한 현실을 고발한다. 'K'라는 정체불명의 이방인으로 살았던 카프카이다. 그는 정체성의 상실에서 오는 근원적 불안을 안으로 곱씹으며 살았다. 인간은 어차피 이방인이다. 결국은 혼자 외로움을 안고 죽어 가야 할 존재이다.

카프카 박물관 티켓에 찍혀 있는 이방인 카프카 'K'

　우리 민족의 한이 교차한다. 일제강점기에 나라를 강탈당하고 배가 고파 건너간 만주. 그곳에서 조선인은 중국인에게는 일본 앞잡이로, 일본인에게는 중국 첩자로 내몰려 살아야 했다. 조선인은 불령선인(不逞鮮人)이었다. '만주'라는 정체불명의 공간은 조선인에겐 '경신참변'(1920년)이 일어났던 아우슈비츠였다. 조선인은 그 공간에서도 희망을 노래한다. 작가 조정래는 한을 노래한다. "한이라는 것은 모양이 있을까. 형체가 있을까. 부피가 있을까. 그것은 원한이 뭉치고 뭉쳐서 만들어지는 것일까. 아니, 원한만이 뭉쳐서 되는 것은 아닐 것이다"(조정래: 277).

　이방인 카프카의 이야기는 프라하의 이야기면서 동시에 우리 민족의 이야기와 중첩된다. 인간 실존을 문학적으로 절정에 올려놓은 카프카의 작품들은 프라하의 한을 안으로 삭여 희망의 통로를 열어 보인다. 한은 짙을수록 더욱 희망적이다. 나치 하의 유대인만큼 깊은 한을 지니고 산 이방인은 없다. 리투아니아 출신의 유대인으로서 나치에 의해 가족이 몰살당한 에마누엘 레비나스는 타자의 얼굴에 책임을 져야 할 윤리에 대해 말한다. 난 이미 타자의 종이다. 나 아닌 '타자'라는 얼굴 속에서 비로소 나의 정체성을 담보 받는다. 나치의 전체주의적 폭력을 실제로 경험했던 레비나스는 이제 소수자의 한을 풀어 주어야 할 의무가 있다고 말한다. 이게 소수자에 대한 다수자의 윤리이다. 이제 소수자의 고통에 귀를 기울이고 그들의 편에서 그들의 이야기를 들어줄 때가 되었다. 모든 유대인들의 한이 'K'란 이방인으로 떠돌다가 이제 필스너의 황금빛 속에서 희망으로 승화되기를 기도한다.

프라하의 베트남 사람들

        허기를 달래려고 자그마한 베트남 식당에 들어간다. 필스너 맥주 한 잔과 쌀국수로 끼니를 때운다. 베트남 아가씨가 운영하는 테이블 4개의 식당이다. 점심시간을 훨씬 넘긴 허기 탓인지 맛있게 먹었다. 맥주와 쌀국수의 콜라보. 내가 프라하에 4일 머무는 동안 편의점과 작은 식당에서 아르바이트를 하거나 직접 운영하는 베트남 사람을 몇 번 만났다. 왜 이곳에 베트남인들이 많이 보일까? 한국에도 베트남인들은 적잖은데, 이곳엔 더 많이 있는 것 같다 프랑스와 베트남의 인연은 역사적으로 잘 알려진 사실이다. 하지만 난 파리 거리에서 베트남인들을 본 기억이 별로 없다.

       프랑스와 베트남의 인연은 인도차이나 전쟁 혹은 베트남 독립 전쟁으로 시작된다. 프랑스인에게는 인도차이나 전쟁이지만, 베트남인들에겐 독립 전쟁이다. 2차 세계대전이 끝난 후, 호찌민(胡志明)은 1946년에서 1954년까지 프랑스를 상대로 독립운동을 전개했다. 프랑스의 항복으로 베트남은 남북으로 갈라지면서 독립을 이루었다. 바로 이어 우리가 '월남전쟁'이라 부르는 베트남 전쟁이 발발한다. 1955년에서 1975년까지 일어난 전쟁이다. '월남(越南)'은 중국의 오랜 지배를 받아 온 베트남의 역사적 상흔을 담고 있는 어휘이다. 중국 한나라가 남쪽의 오랑캐란 의미로 낮추어 불렀던 게 '월남'

이다. 오늘날 '베트남'이 국호가 된 연원이다. 글로벌한 감각을 가진 사람은 월남이란 말을 사용하지 않는다. 한국인들 중 나이가 든 사람들에게는 아직도 '월남'이라는 말이 익숙하다. 하지만 이젠 베트남이라 하자. '월남'으로 부르는 것은 그들의 역사를 무시하는 게 된다. 베트남 전쟁은 남북 베트남 사이의 내전인 동시에 자본주의와 사회주의의 이데올로기 전쟁이다. 한국 역시 이 당시 정규군을 파병했다. 이 전쟁은 1973년 1월 호찌민의 승리로 끝난다. 1975년 사이공이 함락되고, 1976년 베트남 사회주의 공화국이 탄생한다. 함락된 사이공은 호찌민 시로 개칭되어 지금까지 실질적인 베트남의 수도 기능을 하고 있다.

내가 베트남으로 출장을 갔을 때, 대학 총장 몇 분을 만난 적이 있었다. 대부분 프랑스어를 능통하게 구사한다. 프랑스와 베트남의 인연은 매우 길다. 프랑스는 18세기 중엽부터 베트남에 진출하기 시작했다. 2차 대전이 종결될 때까지 이러저러한 방식으로 베트남을 지배한다. 프랑스는 중국과 담판을 하면서 약소국 베트남을 자기들의 이해관계에 따라 분할하고 통치한다. 호찌민의 독립운동이 일어난 건 2차 대전 종전 이후이다. 이처럼 베트남은 프랑스와 미국 그리고 중국을 상대로 길고 긴 독립 투쟁을 통해 이루어 낸 독립국가다. 이러한 베트남의 역사는 그들의 문화 곳곳에 그대로 남아 있다. 특히 그들의 언어는 한때는 중국 한자의 영향을 받고, 한때는 프랑스의 영향을 받은 성조가 6개인 로마식으로 표현된 그들만의 독특한 현대 언어를 가지고 있다. 민족 구성은 킨족이 87%이고, 나머지는 54개 소수민족으로 이루어져 있다.

베트남의 긴 역사를 개괄해 본 건 그들의 국민성을 얘기하고 싶어서이다. 이곳 프라하의 편의점에서 아르바이트하는 베트남인들을 보면서 그들이 얼마나 부지런한 민족인지를 알 수 있다. 외침을 수없이 당했던 그들이기에 자연스럽게 삶에 대한 애착이 강하다. 참 부지런한 민족이다. 그러면서도 강대국으로부터 받았던 한을 가지고 있기에 타자에 대한 배려가 남다르다. 그런 베트남인이 프라하에 왜 이렇게 많을까? 베트남은 이미 체코에 사파(SAPA)와 같은 자신들의 경제 블록을 탄탄하게 쌓고 있다. 단순 노동직이 아니라 일정한 경제적 지분을 가지고 활동한다. 비공식적으로는 10만 명의 베트남인들이 프라하에 '리틀 하노이'를 만들어 집단적으로 체류하고 있다. 베트남은 상대적으로 부유했던 체코슬로바키아로 경제적인 이유에서 이주하기 시작하였다. 체코와 베트남은 역사적으로 깊은 한을 공유하고 있다. 오랜 외세의 지배와 침략으로 인한 깊은 마음의 상처를 안으로 달래면서 고난의 시간을 살아냈다. 프라하에서 베트남의 한을 읽는다. 그들의 희망적인 한은 대한민국에서도 여전히 현재진행형이다. 출입국 외국인정책본부의 통계에 의하면, 2019년 11월 현재 한국에 체류하는 베트남인은 22만 6천여 명이다. 중국 다음으로 많은 수이다.

프라하의 춤추는 빌딩

피타고라스가 후손들에게 남긴 위대한 유산은 수학적 사고이다. 우주의 질서를 수라는 기호로 표시한다. 공간을 기하학적으로 처리하고 윤리학을 기하학적으로 논증하는 것은 모두 기하학적 사고만이 우주의 원리를 깨달을 수 있는 능력이라고 규정했기 때문이다. 이른바 모더니즘이란 이름으로 서양의 문화를 지배한 코드가 바로 기하학적 모델이다. 사실 피타고라스의 수학은 자신들만의 공동체 생활을 통제하기 위한 규율이다. 내밀한 질서를 누설하는 자들을 통제하는 감옥과 같은 수단이 질서라는 도구였다. 플라톤의 아카데메이아 현관에 붙어 있다는 '기하학을 모르는 자는 입학 불가'란 글귀도 수학적 추리가 가능한 이성의 왕국임을 선포한다. 격정과 욕정이 통제되어야 할 이성의 정원이 아카데메이아였다. 이런 전통은 고대 그리스를 지배한다. 스토아의 질서 있는 주랑들도 금욕의 정원이다. 길게 늘어선 회랑은 동일성의 반복이다. 우연성이 들어설 공간이 없다. 이성의 질서 하에서는 격정이 들어서지 못한다. 공간은 '정념으로부터의 해방'을 뜻하는 아파테이아(apatheia)가 육화되어 있다. 기하는 욕정을 통제하는 율법이다. 파르테논 신전의 도리아식 기둥들도 수학적인 황금 비율로 재현되어 있다. 피렌체에서 부활된 고대 양식이 르네상스 양식이다. 이 양식도 동일한 것이

연속되는 질서를 강조한다. 르네상스는 철저하게 인간의 기하학적 사고가 재현된 시기이다. 동일한 것이 반복되면서 차이와 우연은 이방인으로 배제된다.

포스트모던은 더 이상 기하학적 모델에 거세당하지 않는다. 탈질서를 해방구로 삼는다. 오랫동안 질서의 노예로 살아온 사람들에게 탈질서는 그 자체만으로도 자유이다. 자유는 구속의 강도가 강하면 강할수록 더 자유롭다. 탈근대는 오래 곪아 온 종기가 터진 것이다. 정상적인 것은 더 이상 규범적이지 않다. 정상성을 규범성으로 읽어 온 근대는 이제 탈근대의 도전에 직면한다. 정상성/비정상성을 구획한 자들 역시 스스로를 정상적인 자들이라고 규정한 자들일 뿐이다. 유럽과 비유럽을 구획한 것 역시 유럽인들이듯이. 이젠 정상성은 비정상성과의 관계 속에서 가능할 뿐이다. 정상적인 것은 우리에게 더 친숙한 것일 뿐이다. 우리에게 덜 친숙한 것이 비정상적인 것이다. 기하학적인 것만 정상적인 것이 아니다. 상대적이다. 시골이 없는 도심이 없고, 높은 빌딩 역시 낮은 한옥들이 그 배경을 이룬다. 1996년 『타임』지가 선정한 최고의 디자인 작품은 프랭크 게리가 완성한 프라하의 춤추는 빌딩이다. 얼마나 자유로우면 춤을 출까? 보헤미안의 자유를 한껏 호흡한다.

카렐 대학에서 현상학을 읽다

한 나라의 역사를 보여 주는 것들 중에서 대표적인 것이 대학일 것이다. 체코 프라하 대학이 그 대표적인 곳이다. 현재 체코의 카렐 대학의 전신이 프라하 대학이다. 체코인들에겐 '프라하 대학'이 더욱 그리운 이름이다. 이 대학은 1348년 신성로마제국의 카렐 4세가 세웠다. 유럽에서 가장 오래된 대학인 이탈리아 볼로냐 대학(1088년), 파리 대학(1150년)에 이어 세 번째로 오래된 대학이고, 중앙 유럽에서는 최초의 대학이다. 프라하 대학은 신성로마제국에서 카렐 4세의 권력을 확장하는 차원에서 설립되다 보니 처음부터 역사적 주름을 갖고 태어난 대학이다. 일종의 거점 대학으로 설립되었다. 프라하 역시 계획도시로 만들어지고, 이후 도시는 전성기에 이른다.

프라하 대학은 파리 대학을 모델로 학부를 구성했다. 신학, 법학, 의학 그리고 교양학부에 속하는 철학부가 있다. 대학 구성원 중 체코 학생들은 20%밖에 안 되는 소수자였다. 나머지는 독일어를 사용하는 다수자였다. 소수자와 다수자의 갈등이 자연스럽게 노정될 수밖에 없다. 대학의 설립 자체가 제국의 정치적 성향에 의존할 수밖에 없었기 때문에, 갈등은 예상되는 것이었다. 1882년 프라하 대학은 체코 대학과 독일 대학으로 분리된다. 그러나 1918년 체코슬로바키아가 독립국가가 되면서 독일 대학은 다수자에서 소수자로 자리가 바뀐다. 독일 대학은 프라하 대학의 법통을 잇지 못한다. 하지만 다시 나치에게 점령되면서, 1939년 프라하의 체코 대학인 카렐 대학이 폐쇄된다. 1945년 히틀러가 패망하면서 프라하의 독일 대학은 영원히 추방된다. 프라하의 체코 대학은 현재의 카렐 대학으로 그 역사를 이어 오고 있다. 이처럼 프라하 대학은 정치적 환경에 따라 부침을 거듭해 왔다.

이 대학 출신으로 눈에 띄는 사람은 얀 후스[40]이다. 그는 37세에 이 대학의 총장을 지냈다. 그는 체코어를 사용하는 소수자의 리더로서, 당시 영국 위클리프의 종교개혁을 계승하여 개혁을 부르짖다가 화형당했다. 그는 라틴어 대신 체코어로 성서를 번역하고 설교한다. 우리에게 익숙한 프라하 틴 성당은 그가 설교했던 곳이다. 후스야말로 지금의 체코가 있게 한 보헤미안의 리더였다. 후스는 체코어로 '거위'란 뜻이다. 그는 화형당하면서, "너희가 지금 거위를 불태워 죽이지만 100년 뒤 나타난 백조는 어쩌지 못할 것"이란 말을 해 루터의 등장과 종교개혁을 예언했다는 전설이 있다(조현).

이 대학이 체코와 독일 대학으로 갈라지기 전에 철학자이면서 수학자였던 베르나르트 볼차노[41]가 이곳을 다녔다. 두 대학으로 갈라지면서 카프카와 라이너 마리아 릴케는 독일 대학에서, 밀란 쿤데라는 체코 대학에서 수학한다. 현상학을 전공한 나로선 볼차노에게 관심이 간다. 현상학의 창시자 에드문트 후설은 볼차노의 영향을 받는다. 물론 후설은 일찍이 청년 시절부터 독일 라이프치히 대학에서 수학한다. 이 라이프치히 대학은 프라하 독일 대학이 프라하 체코 대학에 밀려 나면서 독일로 와 세워진 대학이다. 독일어를 모국어로 사용 하던 후설은 이러한 인연으로 라이프치히로 와 수학한다. 후 설 현상학에 직접 영향을 준 프란츠 브렌타노[42]와는 빈 대학 에서 인연을 맺는다. 하지만 학문적으로 방황하던 때에 그에 게 깊은 영향을 준 건 볼차노였다. 볼차노가 죽고 11년 후에 태어난 후설 역시 초기 그의 학문적 관심은 수학이었다. 후설 은 한때 베를린 대학 바이어슈트라스[43] 교수의 조교였다. 바 이어슈트라스는 「볼차노-바이어슈트라스 정리」가 보여 주 듯 볼차노와 공동 연구를 한 수학자였다. 후설은 바이어슈트 라스를 통해 이미 볼차노와 만나고 있었다.

후설은 당시 심리학에 영향을 받아, 수학도 일종의 심리 학에 뿌리를 둔다고 생각한다. 당시 심리학주의가 지배적인 풍토였다. 하지만 그는 수 개념은 심리학에 뿌리를 두지만 개 념 자체는 객관적인 것이라는 볼차노의 생각에 영향을 받는 다. 후설은 볼차노를 통해 수학에서 철학으로 전환할 계기를 발견한다. 후설의 '지향성' 개념을 발견하게 된 실마리를 제 공한 것이 볼차노이다. 말하자면 수 개념은 계산하고 추리하 는 심리적 활동(노에시스)에 뿌리를 두고 있지만, 그렇게 하여 구성된 개념 자체(노에마)는 객관적인 것이다. 마치 나무가 흙 에 뿌리를 두고 있다고 해서 나무가 흙이 될 수 없듯이. 수 개 념은 지향적으로 구성된 객관적 실재라는 생각을 다듬은 것 은 볼차노의 영향 때문이다.

프라하 대학은 체코인에겐 단순한 하나의 대학이 아니

다. 이 대학은 철저한 근본주의적인 종교적 태도를 가졌던 얀 후스와 보편적 진리에 대해 확고한 신념을 가졌던 볼차노 그리고 서양철학의 현상학의 토대를 구축한 에드문트 후설을 소환하는 공간이다. 역사의 소수자였던 그들은 특정 민족에 의해 임의적으로 재단될 수 없는, 절대적이고 보편적인 진리의 회복을 절규한다. 나는 나치에 의해 주조된 잘못된 역사를 향한 그들의 저항을 이 대학에서 목도한다.

현상학의 고향에서 상념에 젖다

　　나의 여행의 마지막 종착지인 현상학의 고향으로 간다. 나는 에드문트 후설의 고향 프로스테요프(Prostějov)를 방문하기 위해 체코로 왔다. 그곳은 체코 올로모우츠 주에 위치한 도시로, 인구는 46,436명(2017년 4월 현재)이다. 프로스테요프는 1939년 체코슬로바키아가 독일에 합병되면서 독일의 보호지가 되었던 메렌(Mähren) 주의 프로스니츠(Proßnitz)였다. 이곳은 15세기 중엽부터 유대인이 거주하기 시작하였다. 오스트리아-헝가리 제국의 속령이었던 1869년에는 이곳의 유대인이 1,825명이었지만, 독일에 합병되면서 나치에 의해 1,390명이 학살되었다. 나치는 이곳의 유대인을 테레진(Terezen)⁴⁴ 수용소로 이송하였다. 이곳에서 어린이 10명을 포함하여 단 84명만 살아 돌아왔다.

　　나는 다소 들뜬 마음으로 프라하에서 프로스테요프로 가는 기차를 탔다. 옛 소련의 흥취가 깊게 배어 있는 낡은 기차이다. 역에서 내려 길을 물어 후설의 얼굴이 조각되어 있는 시청으로 간다. 역에서 시청까지는 걸어서 20분이면 충분히 갈 수 있다. 가던 중 'E. Husserla'란 낯익은 글자가 쓰여 있는 건물 앞에서 걸음을 멈춘다. 아마 철학자의 이름을 이곳의 주소로 사용하는 것 같다. 우리나라 안동의 '퇴계로'와 강릉의 '율곡로'와 같은 것이다.

프로스테요프 시청에 걸려 있는 후설의 얼굴

　시청에 다다르자 시청 한쪽 벽에 새겨진 후설의 인물상
이 방문객을 맞는다. 현대 철학의 새로운 방법론을 창시한 거
장이다. 옛 독일령이었던 이곳에서 청년기를 보낸 후설은 유
대인 혈통을 타고났다. 시내 주변에는 그 당시 분리되어 살았
던 유대인 게토 지역이 그대로 남아 있다. 높은 벽으로 분리
되었던 공간이다. 평생 유대계 독일인으로 살았던 후설은 그
의 만년에 이르기까지 유대인 디아스포라의 삶을 살아냈다.
1차 세계대전 때, 두 아들이 참전하고 딸은 간호사로 종군한
다. 장남이 전사하고, 그의 부인 말빈도 사망한다. 1938년 후
설이 죽자, 나치에 의해 사라질 뻔했던 후설의 속기 원고 4만
5천 장과 타이프 원고 1만 장을 당시 벨기에 루뱅(Louvain) 대
학의 철학도였던 반 브레다(H.L. Van Breda) 신부가 유족과 루
뱅대학 당국을 설득하여 이 대학으로 옮겼다. 1년 후인 1939

년 이 대학에 '후설문서보관소(Husserl-Archive)'가 만들어졌다. 이것이 오늘날 가톨릭 루뱅대학교 철학고등연구소 부설 '후설문서보관소'이다. 반 브레다에 의해 1950년부터 『후설전집(Husserliana)』이 발간되기 시작하였다. 2012년까지 42권이 발간되었고, 발간 작업은 아직도 진행 중이다. 한 철학도가 2차 대전 당시, 독일의 프랑스 침공의 통로여서 나치로부터 안전하지 않았던 벨기에로 원고를 옮겨 온 것이 훗날 후설의 현상학 연구의 토대가 되었다. 나는 이곳을 꼭 한 번 방문해 그 원고들을 열람해 보고 싶다.

유대계 독일인으로서 후설이 받았던 차별 중 가장 힘든 것은 한때 자신의 제자였던 하이데거로부터 받은 인종적 차별일 것이다. 1933년에 후설은 명예교수로 있던 프라이부르크 대학으로부터 강제 휴직 통고를 받는다. 그해 5월 1일은 하이데거가 나치당에 입당하면서 총장이 된 날이었다. 1년 뒤 총장을 사임한 후에도 하이데거는 그의 스승 후설에게 헌정(獻呈)했던 저서인 『존재와 시간』(1927)에서 스승의 이름을 삭제하자는 출판사의 요구에 침묵했다. 제자는 스승이 불치병에 걸려 있을 동안 한 번도 병문안을 하지 않았고, 스승의 장례식에도 참석하지 않았다. 후설은 대학의 유대인화를 막기 위해 1933년에 제정된 '바덴 법령'의 최초의 희생자였다. 그는 유대인에 대한 아리안족의 정신적 학살의 희생자였다. 후설이 죽은 1938년 11월 9일과 10일 양일간에 걸쳐 일어난 '크리스탈나흐트(Kristallnacht) 사건'[45]을 계기로 유대인에 대한 정신적, 물리적 학살이 더욱 가혹해졌다.

Rodný dům E. Husserla čp. 47 (zhoršená kvalita reprodukce)

후설의 생가(Llenovský: 23)

　유대인 소수자로서 독일에 거주한 그는 타자에 대한 사랑을 역설(力說)한다. 독일에서 유대인으로 살면서 많은 어려움을 겪었던 그는 민족성에 대한 편견에서 자유로울 수 있는 삶의 태도 변경을 주문한다. 이른바 그의 '현상학적 환원,' '판단중지'이다. 타자에 대한 편견을 중지하고 타자를 타자의 입장에서 이해하고 존중하는 태도로의 변경을 요구한다. 유대인 철학자의 절실한 선언이다. 인류의 보편적 생활양식인 '생활세계'를 회복함으로써 상호 문화적 소통을 강조한다. 사랑의 공동체 구성을 위한 선언이다. 그의 철학적 절실함이 뭉클하다. 유대인 공동 구역인 게토가 일제강점기에 디아스포라의 삶을 살아야 했던 우리 민족의 한과 겹친다. 높은 벽으로 분리되었던 그들의 삶을 추체험해 본다.

디아스포라 후설의 고향에서 한민족의 영원한 디아스포라 윤동주가 소환되는 것은 우연일까? 문득 체코의 프로스니츠와 중국의 만주 간도가 중첩된다. 공간은 때론 기억을 소환한다. 그들의 깊은 한이 언제 미래지향적인 희망으로 승화될지? 동주의 한이 서린 이 땅에서는 오늘도 여전히 타자에 대한 원한(怨恨)을 복수로 풀어내려 하고, 원한이 원한으로 반복되고 있다. 여정의 마지막에서, 여행자는 원한(怨恨)이 미래지향적인 희망의 한인 원한(願恨)으로 증류되지 못한 채, 색 바랜 이념적 재단(裁斷)의 노예로 힘겹게 살고 있는 현실 앞에서 숨 가쁜 한숨을 길게 내쉰다. 오만한 인간 주체가 발설해 놓은 온갖 언설(言說)들을 잠시 내려놓고, 인간의 언어와 개념과 논리로 발화되기 이전에 이미 주어져 있는 진리의 사태를 경청하기를 요구하는 현상학자의 준엄한 경고를 성찰한다. 철학함은 결국 인간의 개념으로 조작되기에 앞서 주어져 있는 진리가 스스로 개시되는 빛 속으로 걸어가는 것이리라! 방랑자는 현상학의 고향에서 수행의 고삐를 당겨본다. "모든 것을 내려놓는 것은 모든 것을 얻는 것이다"(Husserl: 166)라고 한 현상학자의 자기 성찰의 메시지를 화두로, 여행자는 다시 길을 간다. 한 줄기 빛으로 도래하는 존재의 소리에 귀를 기울이며….

주

그리스

1. 라파엘 전파는 새로운 도덕적 진지함과 성실함을 작품에 표현하고자 애썼다. 14, 15세기의 이탈리아 미술에서 영감을 얻었고, '라파엘 전파'라는 이름도 전성기 르네상스 이전, 특히 라파엘로 시대 이전 이탈리아 미술의 전형적 특징이었던 솔직하고 단순한 자연 묘사에 대한 찬양을 나타내기 위해 붙인 것이다. (이하 특별히 출처를 밝히지 않은 것은 『위키백과』, 『다음백과』, 『네이버백과』 등을 인용 혹은 참고하였음을 밝혀 둔다.)
2. 미셸 앙리(Michel Henry, 1922~2002)는 옛 프랑스령 인도차이나 연방이었던 베트남 하이퐁에서 태어난 프랑스 철학자이다. 그는 기본적으로 현상학자로, 독일 관념론 연구에서 출발하여 멘 드 비랑, 후설, 하이데거 등의 영향을 받으면서 독자적인 현상학을 구축하였다.
3. 헤라클레이토스(기원전 540~480)는 에페수스의 왕가 출신으로 그리스 철학자이다. '만물은 유전한다'고 주장하였다. 그는 사물을 다양한 상태로 변화시키는 불이 만물의 기본 요소라고 믿었다.
4. 페르디낭 드 소쉬르(Ferdinand de Saussure, 1857~1913)는 스위스의 언어학자로 근대 구조주의 언어학의 시조로 불린다.
5. 브리콜뢰르는 레비스트로스가 자신의 대표작 『야생의 사고』에서 정립한 개념이다. 사전적으로, '도구를 닥치는 대로 써서 물건을 만드는 사람'을 의미한다.
6. 로만 야콥슨(Roman Jakobson, 1896~1982)은 러시아 태생의 미국의 언어학자·슬라브어 학자다. 러시아 형식주의자 중 한 사람인 그는 형식주의와 현대의 구조주의 사이에 중요한 연결 고리를 마련하였다.
7. 아이스킬로스(기원전 525/524~456/455)는 고대 그리스의 대표적인 비극 작가이다. 비극 예술의 창조에 기본적인 형태를 부여한 80여 편의 작품을 만들었다.
8. 구스타프 클림트(Gustav Klimt, 1862~1918)는 빈 분리파를 창설한 19-20세기 오스트리아의 화가이다. 초기에는 사실적인 화풍으로 건축물 벽화를 그렸다. 인상파와 아방가르드 미술 운동을 접하고, 1897년 이후 빈 분리파를 창설하고 고도의 장식적인 양식을 바탕으로 그림을 그렸

다. 후기의 벽화들은 정확한 선묘와 평면적이고 화려한 색채, 금박의 대담한 사용을 보여 주고 있다.

9. 라캉은 아이가 언어적으로 짜인 사회적 질서인 상징계에 익숙해지기 이전의 단계를 '상상계'라고 한다. 그리고 아이가 언어를 습득하면서 차츰 사회적 질서에 익숙해지는, 아니 길들여지는 단계를 상징계로 들어서는 것으로 규정한다. 법과 문화, 관습, 도덕 등을 상징하는 절대적 타자로서의 '아버지'로 은유되는 질서의 세계가 바로 상징계이다.

10. 아르누보(Art Nouveau)란 프랑스에서 싹터 19세기 말 최고조에 달했던 서정성이 강한 조형 표현 운동으로 신(新)미술이란 뜻이다. 유럽의 전통적 예술에 반발, 새 양식의 창조를 지향하여 자연주의, 자발성, 단순, 기술적인 완전을 이상으로 하였다. 종래의 건축 · 공예가 그 전형을 그리스, 로마 혹은 고딕에서 구한 데 비해, 이들은 덩굴풀이나 담쟁이 등 자연 형태 가운데서 모티프를 얻어 새로운 표현을 시도했다.

11. 에곤 실레(Egon Schiele, 1890~1918)는 구스타프 클림트와 함께 20세기 오스트리아 미술을 대표하는 화가. 인체의 왜곡, 독특한 구도와 색채가 특징인 심리적이고 에로틱한 주제의 초상화와 자화상을 많이 그렸다. 수직적 시점과 뚜렷한 윤곽선, 강렬한 색감이 돋보이는 표현주의적 풍경화 역시 유명하다.

12. 소포클레스(기원전 496~406)는 아이스킬로스, 에우리피데스와 함께 고대 그리스의 3대 비극 작가이다. 그는 123편의 작품을 썼다고 하는데, 비극 경연 대회에서 18회나 우승했다고 알려져 있다. 대표작은 『오이디푸스 왕』, 『안티고네』, 『아이아스』 등이 있다.

13. 아리스토파네스(기원전 446~385)는 고대 그리스 아테네의 대표적 희극 작가이다. 그는 아테네 근방의 부유한 가정에서 출생하였으며 페리클레스 시대에 성장하였다.

14. 크리톤(Kriton)은 소크라테스와 동갑이며, 그와 절친한 사이이다. 그는 소크라테스와는 달리 매우 부유했던 것으로 보인다. 그는 법정에서 소크라테스의 사형 대신 보석금을 내겠다고 자처하기도 하였으며, 사형이 확정된 이후 간수에게 호의를 보여 소크라테스가 감옥에서 불편하지 않게 하였다. 또한, 소크라테스의 탈옥을 준비하면서 그에 소요되는 제반 비용 등을 기꺼이 지출하였다.

15. 자크 루이 다비드(Jacques-Louis David, 1748~1825)는 대혁명과 통령 정부 제정을 거친 프랑스의 사회적, 정치적 격동기를 화폭에 옮긴 인물이다. 로코코 양식에 반발하여 일어난 신고전주의 양식의 대표적 화가이자, 고대의 모든 기법, 극적인 표현 효과와 사실주의적 양식을 하나로

결합시켰다고 평가받으면서 후대 화가들에게 엄청난 영향을 미쳤다. 제리코, 앵그르, 들라크루아 등 당대 모든 화가들이 그를 선망했으며, 들라크루아는 그를 '근대 회화의 아버지'라고 일컬었다.

16. 파르메니데스(기원전 510년경~450)는 고대 그리스의 철학자이다. 그의 주장에 의하면 모든 진리의 바탕은 바로 이성인데, 이성에 의해서 생각할 수 없는 것은 존재하지 않는다고 하였다.

17. 폴리크라테스(Polykrates, 기원전 535~515)는 사모스의 참주였다. 사모스 섬으로 돌아온 피타고라스가 다시 크로톤으로 이주한 것은 당시 사모스 섬의 참주인 폴리크라테스의 독재 때문이라고 한다.

18. 페리클레스(Perikles, 기원전 495~429)는 아테네 민주주의와 아테네 제국을 완전히 발전시켜 아테네를 그리스의 정치적·문화적 중심지로 만들었다. 그는 BC 461년에 암살당한 에피알테스의 뒤를 이어 민주주의 정파의 지도자가 되었다.

19. 크리스토프 빌란트(Christoph Martin Wieland)는 독일의 시인이자 작가이다. 그는 1733년 남부 독일 오버홀츠하임에서 목사의 아들로 태어났다. 초기에는 종교적인 작품을 썼으나 이후 계몽주의 문학을 쓰게 된다. 대표작으로는 『아가톤의 이야기』, 『압데라 사람들 이야기』 등이 있다.

20. 그레코-불교(Greco-Buddhism)는 기원전 4세기에서 기원후 5세기 사이에 현재 아프가니스탄, 인도, 파키스탄의 영토에 해당하는 박트리아와 인도 아(亞)대륙 사이에서 발전한 그리스 문화와 불교의 문화적 혼합주의를 의미한다.

21. 디오게네스(Diogenes)는 흑해 연안의 시노페 출신이다. 고대 그리스의 전기 작가 디오게네스 라에르티오스와 구별하기 위해, 보통 '시노페의 디오게네스'라고 부른다.

22. 오르페우스는 오이아그로스와 칼리오페의 아들로 초인적인 음악적 재능을 지녔다. 죽은 아내를 살리기 위해 지하 세계로 간 오르페우스에게 하데스는 뒤를 돌아보아서는 안 된다는 조건을 제시했는데, 태양빛을 본 오르페우스는 기쁨에 겨워 뒤를 돌아보았고 그 순간 그녀는 사라졌다. 훗날 뮤즈들이 그의 찢긴 지체들을 모아 장례를 치렀고, 오르페우스의 리라는 별자리가 되었다.

23. 마이나데스는 디오니소스를 추종하는 광기 어린 여성 무리들이다. 디오니소스를 추종하는 남성 무리들은 사티로스이다.

24. 정약전이 1801년 신유박해로 전라도 흑산도에 유배갔을 때, 그곳에서 해양 생물에 대해 자세하게 관찰하여 지은 책이다. 그는 해양 생물을 인류 20항목, 무인류 19항목, 개류 12항목, 잡류 4항목으로 총 55개의

항목으로 분류하였다.

25. 고르기아스(기원전 485~385)는 고대 그리스의 소피스트이자 철학자, 웅변가이다. 프로타고라스와 함께 1세대 소피스트를 형성하였다.

26. 엠페도클레스(기원전 493~430)는 고대 그리스의 철학자이다. 시칠리아섬에서 출생하였으며 정치 · 의술 · 예언 등 다방면에 재능을 가졌다. 세상의 모든 만물은 바람 · 불 · 물 · 흙 등 4개의 원소로 이루어졌다고 주장하였다.

27. 크세노파네스(기원전 570~480)는 고대 그리스의 철학자이자 시인이다. 그는 이오니아 콜로폰 출신으로 오랜 방랑 생활 끝에 엘레아에 정착했다. 엘레아에 망명한 뒤에는 생활을 위하여 자작(自作)한 시를 읊으면서 방랑하였다. 「자연에 관하여」란 교훈시를 남겼다.

28. 노발리스(Novalis, 1772~1801)는 독일의 시인이자 철학자이다. "노발리스"는 필명으로, 그의 본명은 게오르크 프리드리히 폰 하르덴베르크 남작(Georg Friedrich Freiherr von Hardenberg)이다. 그의 작품들은 초기 낭만주의의 대표적 작품으로 평가된다.

29. 요한 횔덜린(Johann Hölderlin, 1770~1843)은 독일의 시인이다. 넥카 강변의 라우펜에서 출생하였으며 튀빙엔 대학에서 신학과 철학을 공부하였다. 재학 당시 철학자 헤겔 · 셸링 등과 사귀었다. 고대 그리스를 동경하여 낭만적 · 종교적 이상주의를 노래한 그의 시는 오늘날 높은 평가를 받고 있다.

중국

1. 북송의 제8대 황제(재위 1100~1125). 제6대 황제 신종의 아들이자, 철종의 동생이다. 예술 방면으로는 북송 최고의 한 사람으로 손꼽힌다.

2. 방랍(方臘, ?~1121)은 북송 시대의 반란군 지도자이다. 마니교의 유력한 지도자로서, 농민을 조직하여 봉기하였다. 저장성 일대에 주로 세력을 형성하였으며, 약 백만 명의 사람이 반란에 참가하였다고 한다. 그러나 1121년 관군에 체포되어 죽고, 반란 역시 이듬해 3월에 진압되었다.

3. 악비(岳飛, 1103~1142)는 남송 초기의 장군이다. 학자로서도 뛰어났다. 1178년 무목(武穆)의 시호를 받았다가 뒤에 충무로 개정되었으며, 1204 왕으로 추존되고, 명나라 이후 한족의 영웅으로 추앙되었다.

4. 정강(靖康)의 변은 1126년 송이 금에 패하고, 중국 역사에서 정치적 중심지였던 화북을 잃어버리고, 황제 휘종과 흠종이 금에 사로잡힌 사건

을 말한다. 정강은 당시 북송의 연호이다.

5. 조구(趙構)는 남송(南宋)의 제1대 황제. 묘호는 고종(高宗). 도읍을 임안 (臨安)으로 옮기고 금나라와 화의를 맺었으며 남송의 기초를 구축하였 다. 재위 기간은 1127~1162년이다.

6 진회(秦檜, 1090~1155)는 남송의 재상으로 자는 회지(會之)이며, 현재의 난징인 강녕(江寧) 출신이다. 금나라와의 외교 정책에 있어 화평을 진행 하고 강화를 주창하였지만, 그 과정에서 주전파인 악비와 한세충 같은 군벌을 탄압하고, 그 후도 스스로의 권력 유지를 위해 공포정치를 동반 했기 때문에, 후세에 매국노, 즉 한간(漢奸)으로 지탄받았다.

7. 범중엄(范仲淹, 989~1052)의 자는 희문(希文), 시호는 문정(文正)이다. 사 대부의 모범적 인물로 꼽히며 북송 때의 정치가, 문학가, 교육가이며, 개혁가 왕안석(王安石, 1021~1086)이 개혁을 일으키는 계기를 제공했다.

8. 주돈이(周敦頤, 1017~1073)는 주렴계라고도 하며, 중국 북송의 사상가이 다. 성리학의 기초를 닦았다. 존칭하여 주자(周子)라고도 한다.

9. 정호(程顥, 1032~1085)는 중국 송나라 도학의 대표적인 학자의 한 사람 이다. 성리학과 양명학 원류의 한 사람이다. 자는 백순(伯淳), 시호(諡號) 는 순공(純公). 명도 선생(明道先生)으로 호칭되었다. 대대로 중산(中山) 에 거주하였으나 후에 허난(河南)에 이주하였다.

10. 정이(程頤, 1033~1107)는 중국 송나라 도학의 대표적인 학자의 한 사람 이다. 형 명도(明道) 정호와 더불어 성리학과 양명학 원류의 한 사람이 다. 자는 정숙(正叔). 형인 명도보다 1년 늦게 허난에서 출생하여 이천 선생으로 호칭되었다. 형 정호와 같이 이정(二程)으로도 불린다.

11. 소옹(邵雍, 1011~1077)은 중국 송나라의 사상가이다. 중국 북송의 5대 현자 중의 한 명으로 소강절 또는 소요부(邵堯夫)라고도 한다. 성리학의 이상주의 학파 형성에 큰 영향을 주었다.

12. 시안사변은 1936년 12월 12일 동북군 총사령관 장쉐량이 국민당 총통 장제스를 산시성의 성도인 시안 화청지에서 납치하여 구금하고, 공산 당과의 내전을 중지하고 일본 제국주의의 침략에 맞서 함께 싸울 것을 요구한 사건이다. 이 사건으로 국민당군과 홍군은 국공 내전을 중지하 고 제2차 국공 합작이 이루어져 함께 대 일본 전쟁을 수행하는 계기가 되었다.

13. 저우언라이(周恩來, 1898~1976)는 중화인민공화국의 정치가, 혁명가이 다. 그는 장쑤성에서 태어났다. 톈진 난카이(南開) 대학을 거쳐 일본 와 세다 대학, 메이지 대학, 호세이 대학 등에서 유학하였다. 난카이 대학 재학 중 5.4 운동에 참여하였고, 1920년 프랑스로 건너가 파리 대학교

에서 정치학을 공부하였다. 1927년 장제스가 일으킨 상하이 쿠데타에 대항해 민중 봉기를 조직하고 난창 봉기와 광저우 코뮌을 주동하였다.

14. 장쉐량(張學良, 1898~2001)은 중화민국의 군벌 정치가이다. 랴오닝성 하이청 출신. 그는 20세기 중엽의 군벌 시대 주역 가운데 한 사람이며, 1936년 12월 12일을 기하여 시안에서 장제스를 구금하고 제2차 국공 합작 관련 요구를 한 이른바 시안사변을 주도하였다.

15. 장징궈(蔣經國, 1910~1988)는 중국 국민당의 정치 지도자이자 타이완 의 군인, 정치인이다. 장제스의 맏아들로 타이완 정부의 요직을 거쳤 고, 1972년부터 1978년까지는 타이완 수상인 행정원 원장을 지냈다. 1976년부터 1977년까지는 타이완의 총통 권한대행을 1년간 지냈으며, 1978년부터 사망할 때까지 총통을 지냈다.

16. 육구연(陸九淵, 1139~1192)은 장시(江西) 무주(撫州) 사람으로, 자는 자정 (子靜)이고 호는 상산(象山)이다. 서재(書齋)의 이름이 '존(存)'이었기 때 문에 '존재선생(存齋先生)'이라고도 불린다. 그는 송, 명 시대 성리학계 에서 주희와 양대 산맥을 이뤄 세인들에게 '주육(朱陸)'으로 불렸다.

17. 왕수인(王守仁, 1472~1528)은 명나라의 정치인 · 교육자 · 사상가이다. 양 명학의 창시자, 심학(心學)의 대성자로 꼽힌다. 호(號)는 양명(陽明), 자 (字)는 백안(伯安)이다.

18. 왕부지(王夫之, 1619~1692)는 명말(明末) 청초의 사상가 · 학자이다. 후난 성 형양현(衡陽縣) 출신이다. 자(字)는 이농(而農), 호(號)는 강재(薑齋). 만년(晚年)에 형양의 석선산(石船山)에 거처를 정하고 있었으므로 선산 선생으로도 호칭되었다.

19. 대진(戴震, 1724~1777)은 중국 청나라 중기의 학자이다. 안후이성 휴령 (休寧) 출신이며, 자는 신수(愼修), 호는 동원(東原)으로, 흔히 대동원으 로 불린다. 음운 · 훈고 · 지리 · 천문 · 산수 · 제도 등 여러 분야에 걸쳐 통달한 고증학자로 이름이 높다.

20. 소무(蘇武, 미상~기원전 60)는 한 무제 때인 기원전 100년에 중랑장으로 서 흉노에 사신으로 갔다가 체포되어 항복을 강요받았다. 그러나 절의 를 지켜 이를 거부하자 바이칼 호 주변의 황야로 보내져 19년에 걸친 억류 생활을 했다. 소제가 즉위한 후 흉노와의 화해가 성립되어 BC 81 년 장안으로 돌아왔다. 소제는 그의 충절을 높이 사 전속국에 봉했고, 소제의 뒤를 이은 선제도 그의 노고를 중시하여 관내후에 봉했다.

21. 이릉(李陵, 미상~기원전 72)은 BC 99년 직접 부하 5,000명을 거느리고 흉노와 싸웠다. 그는 적은 수의 병사로 흉노를 무찌르고 돌아오는 길에 강력한 적의 대군을 만나 힘써 싸웠지만 결국 항복하고 말았다. 흉노

왕은 투항한 이릉을 사위로 삼고 우교왕으로 봉했다.

22. 이광리(李廣利, 미상~기원전 90)는 중국 전한의 무장. 기원전 104년에 대완(大宛)에 원정하여 서역 여러 나라를 복속시킨 공으로 해서후(海西侯)에 봉해졌다. 뒤에 흉노 토벌에 실패하고 선우(單于)에게 피살되었다.

23. 강항(姜沆, 1567~1618)은 조선 중기의 문신, 의병장이다. 임진왜란 때 의병장으로 활약하였으며, 정유재란 때 일본에 포로로 끌려갔다가 성리학을 전하였고 귀국을 종용하여 1600년 탈출한다. 대구향교 교수, 순천향교 교수 등을 지낸 뒤 학문 연구와 후학 양성에 전념하였다.

24. 김충선(金忠善, 사야카沙也可, 1571~1642)은 임진왜란 당시 조선에 귀화한 장수로, 귀화한 후에는 자를 선지(善之), 호는 모하당(慕夏堂)으로 지었다. 일본의 역사서에는 그가 정확하게 어떤 인물이었는지에 대해서 자세한 기록이 없다. 한국 측에서도『조선왕조실록』에 두 번 언급될 뿐이다. 그에 대해서는 그가 쓴『모하당문집(慕夏堂文集)』으로 추측할 수 있을 뿐이다.

25. 장건(張騫, 미상~기원전 114)은 한 무제 건원 2년(기원전 139) 흉노를 견제하기 위해 서방의 대월지와의 동맹을 촉진하고자 서역으로 가다가 흉노에게 잡혀 10년 동안 포로 생활을 했고, 이후 대완(大宛)과 강거(康居)를 거쳐 목적지에 다다랐지만, 뜻을 이루지 못한 채 13년 만인 원삭 2년(기원전 127)에 돌아왔다. 인도 지역과의 통로를 개척하고 동서의 교통과 문화 교류의 길을 여는 데 크게 공헌하였다.

26. 동북공정은 동북변강역사여현상계열연구공정(東北邊疆歷史與現狀系列研究工程), 즉 동북 변경 지역의 역사와 현상에 관한 체계적인 연구 과제'라는 말을 줄인 것이다. 이 연구의 목적은 중국의 국경 안에서 전개된 모든 역사를 중국의 역사로 편입하려는 것이다.

27. 알브레히트 뒤러(Albrecht Dürer, 1471~1528)는 독일의 화가, 판화가, 조각가이다. 르네상스의 대표적 화가이며, 특히 목판화, 동판화 및 수채화에서 독창적 재질을 보였다.

28. 헨리 노먼 베순(Henry Norman Bethune, 1890~1939)은 캐나다 출신의 외과 의사이자 의료 개혁가이다. 스페인 및 중국의 전장을 누비며 인도주의적인 의료 활동을 펼쳤다. 그의 중국식 이름은 바이츄언(白求恩, 흰 머리의 은혜로운 사람)이었으며, 중국에서는 그를 "바이츄언 의사(白求恩大夫)"로 칭송하여 중국 인민의 영원한 친구로 기념한다.

29. 왕밍(王明, 1904~1974)은 안후이성(安徽) 출신이다. 1925년 중국공산당에 가입하고 그해 가을 모스크바 중산대학교(中山大學校)에 가서 공부했다. 이 학교 교장 P. 미후의 지원 아래 왕밍을 중심으로 하는 공산당

교조주의 종파가 형성되었다.

30. 린뱌오(林彪, 1907~1971)는 후베이성 출신으로 홍군의 야전사령관으로서 22년에 걸친 공산당의 정권 탈취 투쟁에 기여했다. 그 뒤 중국 공산당 정부의 요직을 맡았다. 1971년 마오쩌둥을 제거하고 정권을 장악하려는 음모를 꾸미다가 발각되어 몽골로 도피 중 비행기 추락 사고로 사망했다.

파리, 프라하

1. 파놉티콘은 영국의 공리주의 사상가 제레미 벤담이 제안한 원형 감옥이다. 최소한의 감시자가 많은 수감자를 감시할 수 있도록 설계되었다. 최소의 비용으로 최대의 효과를 낼 수 있는 감시와 통제의 방법이다.

2. 리처드 세라(Richard Serra)는 미국의 미니멀리즘 조각가이다. 1939년 미국 캘리포니아 주 샌프란시스코에서 태어났다. 1957년에서 1961년까지 샌타바버라의 캘리포니아대학교에서 영문학을 공부하였고, 1961년부터 1964년까지 예일대학교에서 미술 수업을 받았다. 그는 공부하는 동안 철제 공장에서 아르바이트로 학비와 생활비를 벌었는데, 그때의 경험이 일생을 통해 강한 영향을 미치게 되었다.

3. 앙드레 르 노트르(André Le Nôtre)는 루이 13세의 수석 정원사로 튈르리 궁전에서 일하는 아버지 밑에서 일을 배웠다. 그는 1637년 아버지의 자리를 물려받아 튈르리 궁전 정원을 멀리 훤히 보이게 재설계하여 그의 천재성을 과시했다. 루이 14세는 그에게 1만 5,000에이커가 넘는 베르사유 정원 설계를 맡겼다. 진흙투성이의 늪지대를 장대한 조망을 가진 공원으로 바꾸면서 베르사유 궁의 건축적인 분위기를 정원으로 연장하고 고양시켰다. 그의 작품에 나타난 기념비적인 기법은 루이 14세 왕실의 영화를 반영하고 더욱 고조시켰다.

4. 루이 16세(1754~1793)는 1774년부터 1792년까지 프랑스 왕국을 통치한 부르봉 왕가 출신의 왕이다. 본명은 루이 오귀스트이다. 그는 프랑스 혁명 때 퇴위당하고 단두대에서 처형되었다. 이 일로 말미암아 '마지막 루이(Louis le Dernier)'라는 별명이 있다. 그는 루이 15세의 손자이다.

5. 마리 앙투아네트(Marie Antoinette d'Autriche, 1755~1793)는 프랑스 왕 루이 16세의 왕비이다. 신성로마제국 황제 프란츠 1세와 오스트리아 제국의 여제 마리아 테레지아 사이에서 막내딸로 태어났다. 오스트리아와 오랜 숙적이었던 프랑스와의 동맹을 위해, 루이 16세와 정략결혼을

했으나 왕비로 재위하는 동안 프랑스 혁명이 일어나 38살 생일을 2주 앞두고 단두대에서 처형되었다.

6. 막시밀리앙 로베스피에르(Maximilien Robespierre, 1758~1794)는 프랑스의 부르봉 왕조와 프랑스 대혁명기의 정치인, 철학자, 법률가, 혁명가, 작가이다. 자코뱅파의 지도자로 왕정을 폐지하고, 1793년 6월 독재 체제를 수립하여 공포 정치를 행하였으나, 1794년 테르미도르의 쿠데타로 타도되어 처형되었다.

7. 아우스터리츠 전투는 삼제회전(三帝會戰; Battle of the Three Emperors)이라고도 한다. 나폴레옹의 빛나는 승리 중 하나로, 프랑스 제국에 대항하여 결성된 3차 동맹을 효과적으로 분쇄하였다.

8. '지양'은 헤겔의 변증법에서 이중적 의미로 사용된다. 하나는 지(止), 부정적인 면을 제거한다는 의미와 양(揚), 긍정적인 면을 고양한다는 의미이다. 한편으로 부정적인 면들을 제거하고, 다른 한편으로 긍정적인 면들을 고양하면서 발전하는 과정을 일컫는 어휘이다.

9. 장프랑수아 리오타르(Jean-François Lyotard, 1924-1998)는 프랑스의 철학자이다. 포스트구조주의의 대표적인 철학자이다. 이질성, 타자성 등의 개념을 중심으로 역동적 차이의 창조성을 옹호하는 예술론을 전개하였다.

10. 공약 가능성은 불가공약성(incommensurability), 즉 하나의 공통분모로 약분할 수 없음의 반대 개념으로, 하나의 공통분모로 약분할 수 있음을 의미한다.

11. 음성 중심주의는 문자, 즉 언어적으로 짜여 있는 보편적 체계인 랑그보다 음성, 즉 개인적인 발화인 파롤을 더 중요하게 생각해 온 전통적인 형이상학을 비판적으로 일컫는 어휘이다. 어떠한 개인적 발화도 보편적 체계인 랑그의 질서 안에서 비로소 가능하다는 구조주의자의 선언이다.

12. 시니피앙은 어떤 것을 의미하는 기호이고, 시니피에는 그 기호에 의해 의미된 것을 뜻한다. 예를 들어 '사과'라는 기호는 시니피앙이고 그 '사과'라는 기호가 그때그때마다 의미하는 바의 어떤 관념적인 의미체는 시니피에이다. 이 시니피앙과 시니피에 사이에는 일대일의 고정적인 관계는 없다. '빨강'이란 기호가 신호등에서 사용될 때와 레드 카펫에서 사용될 때 달라지듯이.

13. 살바도르 달리(Salvador Dalí, 1904~1989)는 스페인 화가로 주요 작품은 〈기억의 지속〉이 있다. 그는 현대미술에 큰 영향을 끼친 초현실주의 화가로 마드리드와 바르셀로나에서 그림을 공부했다. 그 후 지그문트 프

로이트의 정신분석설을 토대로 잠재의식 속 환상 세계를 사실적으로 표현했다. 생전에 큰 명성과 막대한 부를 누렸으며, "아침에 눈을 뜰 때마다 난 내가 살바도르 달리라는 사실이 너무 기쁘다"라고 말할 정도의 오만과 갖가지 기행으로 유명하다.

14. 마르셀 뒤샹(Marcel Duchamp, 1887~1968)은 프랑스의 예술가로 다다이즘과 초현실주의 작품을 많이 남겼다. 그는 1955년에 미국 국적을 취득했다. 그의 작품과 아이디어는 1차 세계대전 이후 미술의 발전에 많은 영향을 주었다. 여기서 다다이즘(dadaism)은 1920년대에 프랑스, 독일, 스위스의 전위적인 미술가와 작가들이 본능이나 자발성, 불합리성을 강조하면서 기존 체계와 관습적인 예술에 반발한 문화 운동. '다다'(어린이가 갖고 노는 말 머리가 달린 장난감)라는 말은 우연히 사전에서 선택된 어휘인데, 어린이를 닮고 싶은 욕망과 인간의 충동을 암시한다.

15. 장 오귀스트 도미니크 앵그르(Jean-Auguste-Dominique Ingres, 1780~1867)는 19세기 프랑스 고전주의를 대표하는 화가이다. 앵그르는 역사화에서 니콜라 푸생과 자크 루이 다비드의 전통을 따랐으나, 말년의 초상화는 위대한 유산으로 인정받고 있다. 18년간 로마에서 옛 그림을 연구하였으며, 특히 라파엘로에 심취하였다. 그 후 귀국하여 고전파의 대가로서 환영을 받았으며 르누아르 · 드가에게 영향을 끼쳤다.

16. 외젠 들라크루아(Eugène Delacroix, 1798~1863)는 프랑스 낭만주의의 중요한 화가이다. 19세기 낭만주의 예술의 최고 대표자로 손꼽힌다. 대표 작품으로 〈키오스섬의 학살〉, 〈민중을 이끄는 자유의 여신〉, 〈단테의 배〉 등이 있다.

17. 앵포르멜(informel)은 프랑스를 중심으로 일어난 현대 추상회화의 한 경향이다. 2차 세계대전 이후 독일의 표현주의나 다다이즘의 영향을 받아 기하학적 추상의 차가운 면에 대응하여 추상의 서정적인 측면을 강조하는 흐름이 형성되었고, 1951년 프랑스의 평론가 타피에가 이를 앵포르멜[非定形]이라고 칭했다. 정해진 형상을 부정하고 일그러진 형상과 질감의 효과를 살려 격정적이고 주관적인 표현을 하였으며, 이후 국제적인 예술운동으로 전개되었다. 미국에서는 추상표현주의라는 이름으로 전개되었다.

18. 레이몽 아롱(Raymond Aron; 1905~1983)은 파리 출생으로, 1924년 고등사범학교를 졸업하고, 제2차 세계대전 중에 런던에서 드골의 자유프랑스(La France Libre) 운동에 참가, 같은 이름의 기관지 주필이 되었다. 전후 사르트르 등과 함께 잡지 『현대』(1945)를 창간하고, 『콩바(Combat)』, 『피가로』 등의 잡지의 논설 기자로 활약하였으나, 후에 사

르트르와 결별하고 반마르크스주의로 일관하였다. 1957년 콜레주 드 프랑스의 교수가 되어 사회학을 강의하면서 마르크스주의적 경제사관의 비판, 공업화 사회의 분석 등에 관한 저서를 발표하였다.

19. 모리스 메를로퐁티(Maurice Merleau-Ponty, 1908~1961)는 프랑스의 철학자이다. 사르트르와 함께 프랑스 현대 철학의 양대 산맥으로, 현상학과 실존주의에 천착하였다.

20. 아스파시아는 아테네에서 영향력을 갖고 있던 이오니아 여성으로, 고대 그리스 정치가 페리클레스의 애첩으로 알려져 있다. 플루타르코스에 의하면, 아스파시아의 집은 아테네의 지식인의 집결지였다. 플라톤과 아리스토파네스, 크세노폰 등 동시대 작가들의 저서에도 이 여인에 관한 진술이 보인다. 아스파시아는 유곽을 경영하는 창녀였다는 설도 있다.

21. 이우환(李禹煥, 1936~)은 경남 함안 출생이다. 그는 일본의 획기적 미술 운동인 모노파의 창시자이며, 주요 작품으로는 〈선으로부터〉(1974), 〈동풍〉(1974), 〈조응〉(1988), 〈점에서〉(1975), 〈상응〉(1998) 〈관계항(Relatum)〉(2010) 등이 있다.

22. 모노하(ものは): 1960년대 말부터 70년대 초두에 걸쳐 일어난 미술 동향. 나무·돌·철 등의 물질이나 물체를 설치미술에 이용하는 미술가들을 가리킨다.

23. 프로이센-프랑스 전쟁은 프로이센-오스트리아 전쟁에서 오스트리아 제국을 패배시킨 오토 폰 비스마르크가 독일 통일의 마지막 걸림돌인 프랑스를 제거하여 독일 통일을 마무리하고자 했던 목적으로 일으킨, 프랑스 제2제국과 프로이센 왕국 간의 전쟁이다. 한자 문화권 국가에선 보불전쟁(普佛戰爭)이라고도 한다.

24. 클라스 올덴버그(Claes Oldenberg, 1929-)는 스웨덴 태생의 미국 조각가이다. 앤디 워홀 등과 함께 대표적인 팝아트 미술가로 일상생활에서 매우 흔한 물건을 매우 거대하게 복제하는 공공 미술, 설치가로 잘 알려져 있다. 이외에도 일상에서 익숙한 소프트 조각을 제작하였다. 2006년에 청계천 복원을 기념하는 조형물인 〈스프링〉을 제작하였다.

25. 아서 단토(Arthur Danto, 1924~2013)는 미국의 미술 비평가이자 철학자이다. 젊은 시절에는 화가가 되고자 하는 뜻도 있었으나, 철학 공부로 목표를 바꾸었다. 컬럼비아 대학교 대학원에서 철학을 공부하고, 1952년부터 1992년까지 컬럼비아 대학교 철학과 교수를 지내, 철학 및 예술과 관련된 수백 편의 글을 썼다. 예술이 무엇인가에 대한 근원적인 질문을 토대로 한 내용이다. 예술의 종말을 선언하여 미학계를 논쟁에 빠뜨린 장본인이기도 하다. 예술의 종말과 관련된 그의 관점은 『예술의

종말 그 이후』라는 책으로 출판되었다.

26. 이고르 스트라빈스키(1882~1971)는 러시아의 작곡가이다. 1913년 발표한 〈봄의 제전〉으로 파리 악단에서 찬반 양론의 소동이 일어났으며, 이 곡으로 당시 전위파 기수의 한 사람으로 주목받게 되었고, 그의 대표작이 되었다. 러시아 혁명으로 조국을 떠난 그는 제1차 세계대전 후 신고전주의 작풍으로 전환하였는데, 이 시기의 작품으로 〈풀치넬라〉(1920)가 있다. 그리고 고전 시대와 바로크 시대 음악의 정신을 부흥시키려고 한 음악 풍조는 제1·2차 세계대전 사이에서 유럽 음악의 주류를 이루었는데, 그는 이 시기의 풍조에 선도적 역할을 하였다. 1934년 프랑스에 귀화했다가 제2차 세계대전이 발발하자 1945년 미국으로 망명하여 귀화하였다.

27. 아놀드 쇤베르크(Arnold Schoenberg, 1874~1951)는 오스트리아 출생으로 미국 캘리포니아 대학교 교수로 활동을 했다. 그는 한 옥타브를 구성하는 7개 온음과 5개의 반음을 포함한 12개의 음을 골고루 사용하여 곡을 구성하는 12음 기법을 적용한 곡을 작곡하여 장조나 단조의 조성에 바탕을 두지 않는 무조 음악을 선보인 인물이다.

28. 앙리 마티스(Henri Matisse, 1869-1954)는 야수파 운동의 지도자이다. 20세기 프랑스 화가로 주요 작품은 〈저녁 식탁〉, 〈열린 창〉, 〈삶의 기쁨〉. 중산층 집안 출신으로 법률 사무소 서기를 지내다가 변호사를 포기하고 미술 공부를 시작했는데, 화가가 되기 위해 줄리앙 아카데미에 등록했다. 초기에는 인상파 풍의 그림을 그렸으며, 이후 야수파 운동을 이끌었고, 평생 동안 색채의 표현력을 추구했다.

29. 11월 그룹은 1918년 11월 베를린에서 막스 페슈타인과 케사르 클라인이 결성한 미술가 그룹. 바이마르 혁명이 일어난 달에서 그 이름을 따온 이 표현주의 미술가 그룹은 회화·조각·건축·공예·도시계획의 새로운 통합을 이룩하고 미술가가 노동자와 긴밀한 관계를 맺기 위해 결성한 그룹이다.

30. 데 스테일(신조형주의)은 1917년 네덜란드에서 시작한 예술 운동이다. 좁은 의미에서 "De Stijl"이라는 단어는 1917년에서 1931년까지 네덜란드에서 만들어진 작품들의 모임을 가리킨다. 신조형주의자들은 영적인 조화와 질서가 담긴 새로운 유토피아적 이상을 표현할 길을 찾았다. 그들은 형태와 색상의 본질적 요소로 단순화되는 순수한 추상성과 보편성을 지지했는데, 수직과 수평으로 시각적인 구성을 단순화하였고, 검정과 흰색과 원색만을 사용했다.

31. 추상표현주의는 다양한 회화적 양식들로 구성되어 있다. 자유롭고 자

발적이며 개인의 감정 표현 등을 강조하고, 자유로운 기법과 제작 방법을 이용한다. 추상표현주의는 캔버스에 직접 물감을 뿌리거나 쏟아 붓는 등 부분적으로 우연에 의한 기법과 휩쓸거나 마구 휘두르는 붓놀림으로 유연하면서도 역동적으로 물감을 다룬다. 추상표현주의는 1950년대에 미국과 유럽 미술에 지대한 영향을 미쳤다.

32. 잭슨 폴록(Jackson Pollock, 1912~1956)은 미국의 화가로서 추상표현주의 운동의 기수였다. 미국 와이오밍에서 태어나, 로스앤젤레스와 뉴욕에서 공부하였다. 1930년대부터 표현주의에서 초현실주의로 선회했다. 1947년 마룻바닥에 편 화포 위에 공업용 페인트를 떨어뜨리는 기법을 창안해 하루아침에 유명해졌다. 1956년 8월 11일 자동차 사고로 세상을 떠났다.

33. 바실리 칸딘스키(1866~1944)는 러시아 태생의 화가이다. 추상미술의 아버지이자 청기사파(Der Blaue Reither)의 창시자로 사실적인 형체를 버리고 순수 추상화의 탄생이라는 미술사의 혁명을 이루어 냈다. 미술의 정신적인 가치와 색채에 대한 탐구로 20세기 가장 중요한 예술 이론가 중 한 사람으로 불리며, 바우하우스의 교수로도 재직했다. 청기사파는 1911년부터 1914년까지 활동한 표현주의 화풍 중 하나이다.

34. 르네 마그리트(Rene Magritte, 1898~1967)는 벨기에의 화가. 1927년 쉬르레알리슴 운동에 참가했다. 특히 말과 이미지를 애매한 관계에 둠으로써 양자의 괴리를 드러내 보이는 것을 강조한다. 전후의 팝 아트에 끼친 영향은 적지 않다. 대표작은 〈이미지의 배반〉, 〈의외의 대답〉, 〈복제불가〉 등이 있다.

35. 프라하의 봄은 제2차 세계대전 이후 소련이 간섭하던 체코슬로바키아에서 일어난 민주화 시기를 일컫는다. 이 시기는 1968년 1월 5일에 슬로바키아의 개혁파 알렉산데르 둡체크(1921~1992)가 집권하면서 시작되었으며, 8월 21일 소련과 바르샤바 조약 회원국이 체코슬로바키아를 침공하여 개혁을 중단시키면서 막을 내렸다.

36. 프랜시스 베이컨(Francis Bacon, 1909~1992)은 철학자 베이컨(1561-1626)과는 동명이인으로, 1909년 아일랜드의 수도 더블린에서 태어났다. 1920년대 후반 런던에 정착했고, 인테리어 설계, 가구 디자인을 하며 지냈다. 1933년에 베이컨은 신체의 왜곡된 표현, 고통, 두려움 등을 표현한 〈십자가 발치에 있는 인물〉을 선보였다. 베이컨은 이미 자신만의 스타일을 구축하고 있었지만, 미술계는 그의 작품에 관심을 갖지 않았다.

37. 벨벳 혁명(Velvet Revolution)은 1989년 체코슬로바키아의 공산 정권 붕

괴를 불러온 시민혁명으로, 피를 흘리지 않은 무혈혁명이었다. 1948년 공산 정권이 들어선 체코슬로바키아는 1968년 당 제1서기인 둡체크의 주도로 자유화 운동인 일명 '프라하의 봄'을 시도하였으나 바르샤바 조약 기구군의 침입으로 좌절되었다. 1977년에 다시 일어난 체코슬로바키아 국민은 정부의 인권 탄압에 항의하고 헬싱키 조약 준수를 촉구하는 '77 헌장'을 공표하였다. 이어 1989년에는 바츨라프 하벨의 주도 아래 공산 통치 종식과 자유화를 요구하는 '벨벳 혁명'을 일으켰다. 이를 '벨벳 혁명'이라 부르는 까닭은 부드러운 천인 벨벳처럼 피를 흘리지 않고 평화적 시위로 정권 교체를 이뤄 냈기 때문이다.

38. 알폰스 무하(Alfons Mucha; 1860~1939)는 체코슬로바키아 출신의 화가로, 아르누보 양식의 대표적인 인물이다. 그는 파리에서 활동하면서 장식적인 포스터와 실내장식 등에서 아르누보 유행을 선도하면서 상업적으로 큰 성공을 거두었다. 그는 회화와 다름없는 예술성을 추구하여 상업의 영역으로 무시 받던 실용미술을 순수예술의 영역으로 끌어올렸으며, 예술을 일상생활 속으로 끌어들인 예술가 중 한 사람으로 꼽힌다.

39. 바츨라프 하벨(Václav Havel, 1936~2011)은 체코의 극작가로, '77 헌장'의 발기인 가운데 한 사람이자 1989년 11월 체코슬로바키아에서 일어난 정치적 변화를 이끈 주요 인물이다. 체코슬로바키아의 마지막 대통령과 체코 공화국의 초대 대통령을 역임했다.

40. 얀 후스(Jan Hus, 1372?~1415)는 체코의 기독교 신학자이며 종교개혁가이다. 그는 존 위클리프의 영향으로 성서를 믿음의 유일한 권위로 강조하는 복음주의적 성향을 보였으며, 로마가톨릭교회 지도자들의 부패를 비판하다가 1411년 교황 요한 23세에 의해 파문당했다. 콘스탄츠 공의회의 결정에 따라 1415년 화형에 처해졌다.

41. 베르나르트 볼차노(Bernhard Bolzano, 1781~1848)는 프라하에서 태어났다. 그곳에서 신학·철학·수학을 공부한 다음, 1805년 성직자가 되었다. 동시에 프라하 대학의 철학적 종교론 교수가 되었으나, 이단을 선전하였다는 혐의로 1819년 면직당했으며, 출판금지 처분도 받았다.

42. 프란츠 브렌타노(Franz Brentano, 1838~1917)는 독일의 철학자, 심리학자이다. 철학의 기초학으로서 기술 심리학을 전개하여, 뒤에 후설의 현상학에 큰 영향을 주었다.

43. 칼 바이어슈트라스(Karl Weierstrass, 1815-1897)는 현대 함수 이론의 창시자 중 한 사람으로 현대 해석학의 아버지로 알려져 있다.

44. 테레진은 체코의 우스티 주에 있는 도시이다. 제2차 세계대전 당시 게슈타포는 테레진에 강제수용소를 설치하였다. 약 144,000명의 유대인

이 이곳에 수용되었고, 이들 중 33,000명이 여기서 죽었다. 약 88,000명은 아우슈비츠 강제수용소 등의 다른 수용소로 이송되었고, 전쟁이 끝났을 때 단 19,000명만 생존해 있었다. 이곳은 원래 오스트리아의 방어 요새였으나, 1940년에 독일 나치가 점령하여 정치범 수용소로 만들었다. 1941년부터 유대인을 학살지로 이송하기 위한 임시 수용소로 사용되었으며, 전쟁이 끝난 뒤인 1947년에 희생자들을 기리기 위한 기념관이 들어섰다.

45. 이 '사건을 '깨진 유리 혹은 수정의 밤'이라고도 한다. 사건 후 깨진 유리 조각들이 흩어져 있었던 데서 유래한 명칭이다. 사건은 11월 7일 폴란드계 유대인 학생인 헤르헬 그린슈판이 독일인 외교관 에른스트 폼라트를 파리에서 저격한 것이 구실이 되어 터졌다. 11월 9일 라트가 죽었다는 소식이 뮌헨에 있던 히틀러에게 전해졌다. 히틀러는 1923년에 실패로 끝났던 비어홀 폭동 ─ 히틀러가 바이마르 공화국에 대항해 일으키려 했던 반란 ─ 기념행사에 참석하고 있었다. 선전장관 요제프 괴벨스는 히틀러와 의논한 뒤 옛날의 '돌격대원'들을 모아 열변을 토하며 '자발적인 시위'처럼 보이게 꾸민 격렬한 보복을 감행할 것을 촉구했다. 뮌헨으로부터의 전화 지령은 독일과 오스트리아 전역에 걸친 유대인 대학살을 촉발시켰다. 그날 밤의 난동으로 유대인 91명이 죽고, 수백 명이 중상을 입었으며, 수천 명이 수모와 테러를 당했다. 약 7,500개의 유대인 상점이 약탈당하고 대략 177채의 유대교 예배당이 불에 타거나 파괴되었다.

참고 문헌

김영필, 『조선족 디아스포라의 만주아리랑』, 소명출판, 2013.

김영필, 『현대철학 ─ 후설에서 들뢰즈까지』, 울산대학교출판부, 2002.

김영필, 『현상학의 이해』, 울산대학교출판부, 1998.

김재성, 〈사모스 섬 에우팔리노스 터널〉, 『엔지니어링데일리』, 2013. 4.

김학철문학연구회, 『조선의용군 최후의 분대장 김학철』, 연변인민출판사,
   2002.

드 보통, 알랭(정영목 옮김), 『여행의 기술』, 청미래, 2011.

들뢰즈, 질 I(이찬웅 옮김), 『주름, 라이프니츠와 바로크』, 문학과지성사,
   2004.

들뢰즈, 질 II(김상환 옮김), 『차이와 반복』, 민음사, 2004.

들뢰즈, 질/가타리, 펠릭스(김재인 옮김), 『천 개의 고원』, 새물결, 2001.

디마지오, 안토니오(임지원 옮김), 『스피노자의 뇌』, 사이언스북스, 2007.

디머, 알빈(김영필 옮김), 『에드문트 후설』(*Edmund Husserl ─ Versuch einer
   systematischen Darstellung seiner Phänomenologie*, Verlag Anton, zweite
   Ausgabe, 1965), 이문출판사, 1990.

류의근, 『메를로-퐁티의 신체현상학』, 세창출판사, 2019.

모종혁, 「동방의 유태인 '객가'를 아시나요?」, 『오마이뉴스』, 2007. 7. 8.

木田 元(이수정 옮김), 『현상학의 흐름』, 이문출판사, 1989.

문성원, 『배제의 배제와 환대』, 동녘, 2000.

바디우, 알랭·파비앵 타르비(서용순 옮김), 『철학과 사건』, 오월의 봄, 2015.

박은영, 「주인공으로 사는 법을 아는 젊은이, 〈트로이〉의 에릭 바나」, 『씨네
   21』, 2004. 5. 27.

박찬영, 『그리스로마신화가 말을 하다 ─ 1: 신과 인간의 공존』, 리베르,
   2016.

소포클레스(천병희 옮김), 『소포클레스 비극전집-오이디푸스 왕』, 숲, 2008.

스피노자(강영계 옮김), 『에티카』, 서광사, 1990.

신경진 I, 「김원봉과 장제스의 애증」, 『중앙일보』, 2019. 4. 5.

신경진 II, 「중국 도시 이야기 24, 창사(長沙)」, 『중앙일보』, 2013. 7. 18.

신영복, 『나의 동양고전 독법 강의』, 돌베개, 2004.

아리스토텔레스 I(최명관 옮김), 『니코마코스 윤리학』, 창, 2008.

아리스토텔레스 II(라종일 옮김), 『정치학』, 올재, 2011.

앙리, 미셸(박영옥 옮김), 『물질의 현상학』, 자음과모음, 2012.

유성운, 「역사정치 23, 산업혁명 500년 전 영국보다 잘 살았던 송나라는 왜 망했나」, 『중앙일보』, 2019. 1. 3.

이병한, 「양자강 1만리」 32. 제2부 호북. 후난성-岳陽樓」, 『중앙일보』, 1996. 2. 17.

이영완, 「30만명 보는 美과학교재에 日731부대 만행 실렸다」, 『조선일보』, 2020. 1. 16.

장윤수, 『경북 북부지역의 성리학』, 심산, 2013.

장재(장윤수 옮김), 『정몽』, 책세상, 2002.

조정래, 『한국소설문학대계67-불놀이 외』, 동아출판사, 1995.

조현, 「화형장의 후스, 종교개혁 불씨되다」, 『한겨레신문』, 2011. 3. 16.

최상운, 『프랑스의 작은 마을』, 쌤앤파커스, 2011.

푸코, 미셸(이상길 옮김), 『헤테로토피아』, 문학과지성사, 2014.

플루타르크(이다희 옮김), 『플루타르크 영웅전 4』, Hunam & Books, 2011.

한태규, 『아테네로 가는 길』, 민음사. 2004.

호우머(정해근 옮김), 『일리아드』, 정암, 1987.

Husserl, E., *Erste Philosophie*(1923/24), Zweiter Teil, Haag Martinus Nijhoff, 1959.

Llenovský, J., *Židovské Městov Prostějově*, Brno-prostějov, 1997.